D1106828
3T566000123734

Los Noventa

# MÉXICO EN LOS ÁNGELES

## Una historia social y cultural, 1781-1985

LOS NOVENTA

pone al alcance de los lectores una colección con los más variados temas de las ciencias sociales. Mediante la publicación de un libro semanal, esta serie proporciona un amplio espectro del pensamiento crítico de nuestro tiempo.

LOS NOVENTA

PEDRO G. CASTILLO
ANTONIO RÍOS BUSTAMANTE

# MÉXICO EN LOS ÁNGELES

## Una historia social y cultural, 1781-1985

Traducción:
ANA ROSA GONZÁLEZ MATUTE

MÉXICO, D.F.

MÉXICO EN LOS ÁNGELES
*Una historia social y cultural, 1781-1985*

Primera edición en idioma español: 1989



Primera edición en la colección Los Noventa

Coedición: Dirección General de Publicaciones del
Consejo Nacional para la Cultura y las Artes/
Editorial Patria, S.A. de C.V.



ISBN 968-39-0295-2

IMPRESO EN MÉXICO

# ÍNDICE

Este libro está dedicado al pueblo mexicano de Los Ángeles, desde sus antiguos pobladores hasta sus habitantes actuales, todos ellos "hombres y mujeres de exercicio"; y con cariño para el señor Antonio, la señora Josefina Ríos-Ochoa, el señor Pedro M. y la señora Ana María Castillo.

# RECONOCIMIENTOS

Los autores desean expresar su aprecio a todas las personas e instituciones que nos han ayudado en la elaboración de este libro. En particular queremos agradecer a la Fundación John Randolph Haynes y Dora Haynes su ayuda económica, la cual ha hecho posible la investigación, redacción y publicación de este libro. Queremos agradecer también el interés especial y apoyo demostrado por el director, doctor Juan Gómez-Quiñones, director del Programa del Centro de Estudios e Investigación Chicanos de UCLA.

Reconocemos y agradecemos a los miembros del consejo de asesoría su apoyo y sugerencias. También agradecemos a nuestros asistentes de investigación, la señora Cynthia Orozco, señores Juan Yñiguez y Roberto Calderón, su ayuda durante la fase de investigación. Deseamos agradecer al señor William Mason, del Museo de Historia Natural del condado de Los Ángeles y al señor William Estrada del Occidental College su apoyo y ayuda.

# INTRODUCCIÓN

En 1781 un grupo de colonizadores mexicanos fundó la ciudad de Los Ángeles a la que se le llamó El Pueblo de la Reina de Los Ángeles. Contrariamente al muy conocido mito, los primeros californianos no eran aristócratas españoles. Los fundadores de Los Ángeles y de la mayor parte de los colonizadores de Alta California eran mujeres, hombres y niños acostumbrados al trabajo pesado, ya que pertenecían a las clases campesina y artesana del noroeste de México. Al igual que la mayoría de los mexicanos de hoy, los fundadores eran mestizos, es decir, gente racialmente mixta de orígenes multiculturales. Los colonizadores mexicanos también se mezclaron con los indios norteamericanos de la cuenca de Los Ángeles, razón por la cual la comunidad mexicana, en parte, debe sus orígenes a los primeros habitantes de la región.

Desde 1781, Los Ángeles y la comunidad mexicana han sufrido los siguientes cambios: el periodo de colonización española finalizó con la independencia de México en 1821; después de la guerra de 1846-1848 el territorio mexicano que se perdió se anexó a Estados Unidos en 1848; se introdujo el ferrocarril en 1876; la agricultura en este territorio prosperó muchísimo a partir de 1880. En la actualidad Los Ángeles constituye una de las ciudades más grandes del mundo. Su población fue predominantemente mexicana hasta 1870 y durante los siguientes cien años principalmente angloamericana. Hoy Los Ángeles es una megalópolis multiétnica que se ha convertido nuevamente en una ciudad donde la lengua primordial es el español y, después de la ciudad de México, la segunda ciudad de población mexicana en el mundo.

A pesar de la continua existencia de la comunidad mexicana en Los Ángeles y de sus contribuciones al desarrollo de la región, los mexicanos y su historia en el sur de California sólo han recibido seria atención hasta años recientes. Este libro es un eslabón más en la investigación que han realizado los historiadores sociales mexicano norteamericanos acerca de la historia del pueblo mexicano de Estados Unidos. Este texto es una síntesis y primera historia general de la comunidad mexicana de Los Ángeles, la cual considera desde los orígenes hasta el presente. El objetivo fundamental de sus autores y de las instituciones que han apoyado su trabajo es producir una historia popular de interés para la juventud, los estudiantes, el público en general y la comunidad mexicana.

# I. RAÍCES INDÍGENAS: MEDIO AMBIENTE Y PREHISTORIA DE LA CUENCA DE LOS ÁNGELES

## Antecedentes, prehistoria y orígenes

La historia y orígenes de la comunidad mexicana de Los Ángeles se remontan a la fundación de El Pueblo de La Reina de Los Ángeles en septiembre de 1781. Para comprender el primer desarrollo del pueblo, es necesario conocer la prehistoria de la cuenca de Los Ángeles, los orígenes de los colonizadores mexicanos y los procesos formales e informales que tuvieron influencia sobre el crecimiento de la comunidad. El conocimiento de la prehistoria de los indios norteamericanos de Los Ángeles es esencial porque fueron ellos los que contribuyeron en cuestiones vitales; también es importante porque los colonizadores mexicanos se entremezclaron con los gabrielinos y otros pueblos indios de California. Por consiguiente, una parte significativa de la población, era descendiente de mexicanos mezclados y de indios de California. La comunidad mexicana de Los Ángeles de hoy puede, en parte, rastrear su herencia hasta los primeros habitantes de esta región.

En la actualidad, es un reto para la imaginación intentar visualizar la apariencia y la dinámica ambiental y humana de la zona de Los Ángeles anterior al siglo XX, porque ésta ha sufrido un gran cambio en los últimos doscientos años, especialmente en lo que respecta al intenso crecimiento urbano. Para poder comprender la historia de dicha región en este lapso, es imprescindible conocer la geografía y el medio ambiente tal y como los vieron los indios norteamericanos y mexicanos de los siglos XVIII y XIX.

Por lo tanto, para que podamos entender la información existente sobre los antecedentes particulares de la historia de Los Ángeles en el periodo que abarca de 1781 a 1822, debemos considerar lo siguiente: 1) el comportamiento de los indios y mexicanos dentro del medio ambiente y geografía; 2) la prehistoria de los indios norteamericanos de la región y sus contribuciones al desarrollo de la misma; 3) las razones para la fundación de Los Ángeles como parte de la colonización de Alta California. Todo esto puede considerarse como un proceso de doble filo en lo que se refiere a los siguientes aspectos: a) el proceso formal iniciado oficialmente por la colonia española de la Nueva España en su búsqueda por la expansión del territorio hacia el norte (México colonial), que va a enfrentarse a amenazas y ciertas estrategias por parte de los británicos y rusos en Estados Unidos que también desean extender su territorio; b) el proceso más significativo, dinámico e informal de mestizaje cultural, es decir, la mezcla racial entre indios, europeos y africanos que tuvo como resultado la formación de una nueva raza, nacionalidad y cultura: la mexicana. El surgimiento del pueblo y cultura mexicanos se manifestaron hasta el final del periodo colonial por la mezcla entre "mestizos" (descendencia de indios y europeos), "mulatos" (los descendientes de europeos y africanos), indios y "criollos" cristianizados de habla hispana (descendientes de europeos nacidos en América). Además, la independencia de México de 1821 vino a fortalecer la nacionalidad mexicana. 4) Los orígenes, identidad y cultura de los colonizadores mexicanos de 1781 y de los pobladores que se establecieron posteriormente en Los Ángeles durante el periodo colonial. Asimismo, las características particulares, sociales, culturales, étnicas y económicas de los pobladores y su vida cotidiana.

### Geografía y medio ambiente de la región de Los Ángeles

La historia de Los Ángeles y de su comunidad mexicana no se circunscribe a la de la región inmediata a la ciudad en un momento determinado, sino a la historia de toda la región de Los Ángeles. Durante el periodo colonial, 1781-1822, surgió la ciudad de El Pueblo de la Reina de Los Ángeles, la cual sigue siendo el centro de esta región.

Desde un punto de vista geológico y comparativo, el área de Los Ángeles se formó recientemente y dentro de los últimos

1-10 millones de años. Hace diez millones de años la mayor parte de la superficie de Los Ángeles estaba bajo el agua. Durante varios millones de años, una gran placa de la corteza terrestre —incluyendo aquella que forma la cuenca— se movió hacia el norte hasta su localización actual. Al mismo tiempo, otra parte de la corteza que incluía lo que ahora es Santa Bárbara y partes del noroeste del condado de Los Ángeles, se movió hacia el oeste uniéndose a la otra placa a lo largo de las montañas de Santa Mónica.[1] Esto formó la presente región de Los Ángeles, que después se definió a través de las siguientes características: la cuenca, montañas, valles, colinas, costa, clima templado y vegetación.

Históricamente, las características naturales más importantes vienen siendo las grandes planicies de la cuenca de Los Ángeles y sus valles adjuntos, San Fernando y San Gabriel. Esta gran planicie es y ha sido la zona de mayor población humana y, por consiguiente, el sitio principal en el que se desarrollaron los eventos históricos. La cuenca de Los Ángeles se extiende al noreste desde Santa Mónica hasta el sudeste, cerca de San Juan Capistrano en el actual condado de Orange. La planicie está rodeada, al norte, este y sudeste, por cordilleras con aperturas a los valles de San Fernando, San Gabriel y San Bernardino, y hacia el oeste, por el Océano Pacífico. La planicie tiene más de cien millas [160.90 km] en su parte más ancha y treinta millas [48 270 km] en la parte más angosta. A pesar de que el condado de Orange está, en la actualidad, separado políticamente del de Los Ángeles, sus planicies son una extensión natural de la cuenca y han estado asociadas históricamente con esta ciudad.[2]

Al este, la cuenca de Los Ángeles está rodeada por cordilleras que la protegen del clima continental extremoso del

[1] Para mayor información sobre geología e historia tectónica de la región de Los Ángeles, véase Don L. Anderson. "The San Andreas Fault", *Scientific American* (1971). También Michael Donley *et. al.* (ed.) "Recent Tectonic Evolution of Southern California", *Atlas of California*. Culver City, 1979, p. 117.

[2] Para mayor información sobre la geografía de la región de Los Ángeles, véase Howard J. Nelson and William V. Clark, "The Physical Setting and Natural Hazards", *Los Ángeles: The Metropolitan Experience*, Cambridge Mass., 1976, pp. 7-20. También véase Jonathan Garst, "A Geographical Study of the Los Angeles Region of Southern California", Ph., D. Dissertation. Universidad de Edinburgo, 1931. Paul P. Griffin, *California, The New Empire State: A Regional Geography*, San Francisco, 1957.

desierto de Mojave, lo cual produce una diversidad de climas dentro de la región al aislar los valles interiores de la planicie y del Océano Pacífico. En el periodo mexicano se conocían estas cordilleras como la Sierra Madre, la cual se divide, de este a oeste, en tres: las montañas de San Bernardino, de San Gabriel y de Santa Susana. También limitan la cuenca tres cordilleras menores que son de importancia para la geografía e historia de la zona: al oeste, las montañas de Santa Mónica, que también forman parte del borde sur del valle de San Fernando; las montañas Verdugo, que también forman parte del borde sur del Valle de San Fernando; y, al sudeste, las montañas de Santa Ana, que marcan el límite de las planicies del actual condado de Orange.[3]

Existen también varios grupos menores de colinas dispersas alrededor de la cuenca que incluyen las "lomas de las carretas" o colinas de Baldwin actuales. En lo que hoy en día es la zona oeste de Los Ángeles se encuentran: las lomas de Palos Verdes en la península de Palos Verdes; las lomas de Puente hacia el este, cerca del límite actual del condado de Orange; las colinas de San Joaquín y Laguna al sudeste, en lo que ahora es el condado de Orange.

Para la supervivencia de los habitantes de la cuenca, siempre ha sido esencial tener agua potable durante todo el año. Ahí, solamente existen cuatro ríos que corren continuamente: el río Los Ángeles, que se surte, principalmente, de fuentes subterráneas del valle de San Fernando y que ha sido el más importante para la historia de la región. Al este de Los Ángeles, se encuentran los ríos San Gabriel y Río Hondo que se originan en los arroyos de las montañas de San Gabriel. El río de Santa Ana corre hacia el sudoeste en el actual condado de Orange.

Existen también varios arroyos que corren constantemente. Los más importantes son: el Arroyo de los Coyotes, cerca del actual condado de Orange; el de La Ballona, que corre desde las colinas de Ballona hasta el océano, al pie de los acantilados de Playa del Rey. En las montañas circundantes y en la cuenca hay también numerosos arroyos que fluyen durante y después de la época de fuertes lluvias.[4] Durante esta temporada, las

[3] Nelson, *op. cit.*

[4] Véase Vicent Ostrom, "The Los Angeles Water Supply", *Water and Politics, Los* Ángeles, 1953, pp. 3-26. También Clarks W. Eliot y Donald F. Griffin, "Waterlines-

inundaciones siempre han sido un problema grave en las tierras de la planicie y valles adyacentes. La alteración de los cursos de los ríos durante las inundaciones causó serios problemas en los periodos prehistórico e histórico. En los años 1781-1981, los ríos Los Ángeles, San Gabriel y Río Hondo cambiaron sus cursos varias veces, lo que provocó muchos daños en los alrededores de la zona, además de haber afectado la vida de la gente y sus actividades económicas. Al final del clima húmedo de la era del pleistoceno, hubo otro hecho importante que causó problemas: los repetidos ciclos de sequía que tuvieron repercusiones en los recursos alimenticios y actividades económicas.[5]

La región posee, generalmente, un clima templado semiárido, sin fríos o calores extremosos y apropiado para el desarrollo de actividades económicas al aire libre y durante todo el año. El mes de febrero es, por lo general, el más húmedo y frío del año, y julio, el más cálido y seco. Además, el área se caracteriza por una variedad de subclimas locales: el frío marino de la zona costera que abarca tres millas [4.827 km] tierra adentro; el clima más cálido y seco de las planicies; el continental más duro de los valles interiores; el más frío de las cordilleras; el seco y caluroso del este del desierto de Mojave. Esta diversidad climática proviene de las variaciones térmicas entre la costa y el interior, puesto que las cordilleras del este aíslan a los valles interiores. Estos subclimas locales han ejercido gran influencia en las actividades humanas, especialmente durante la época prehistórica de los indígenas norteamericanos de la zona.[6]

Key to Development of Metropolitan Los Angeles". Los Ángeles, 1946, Howard J. Nelson, "The Physical Setting and Natural Hazards", *Los Angeles: The Metropolitan Experience*, pp. 7-20.

[5] Véase Anthony F. Turnhollow, "From Shore Protection to Flood Control", *A History of the Los Angeles District, U.S. Army Corps of Engineers, 1898-1965*, Los Ángeles, 1975, pp. 144-237. Bowman, J.N. "The Names of the Los Angeles and San Gabriel Rivers", *Southern California Quaterly*, vol. 29 núm. 2, 1947. J.W. Reagan, *Research Los Angeles Country Flood Control, 1914-15*, 2 vols., Los Ángeles, 1915. Richard Bigger, *Flood Control in Metropolitan Los Angeles*, Berkeley, 1959.

[6] Harry P. Bailey, *The Climate of Southern California*. California Natural History Guides 17, Berkeley, 1966. George F. Carter, "Man, Time, Change in the Far Southwest", pp. 8-31, en William L. Thomas Jr. (ed.). Man, Time and Space in Southern California, un suplemento especial para *Annals of the Association of American Geographers*, 49, 3, parte 2, septiembre, 1959.

La vegetación original de la región de Los Ángeles —muy distinta de la actual— fue el resultado de la extensa irrigación e importación de plantas, cuya combinación creó un ambiente artificial.[7] La mayor parte de la cuenca o, por lo menos, aquella zona de más importancia para los habitantes, se caracterizó por sus planicies ondulantes y tierras bajas de los valles del interior. Éstos estuvieron cubiertos por pastizales con robles interespaciados y esparcidos. Asimismo, corrían varios ríos y arroyos continuamente, a través de las tierras bajas, todos ellos bordeados por pequeños bosques que llegaban hasta las orillas. En algunos casos, especialmente en el del río Los Ángeles (que antes de 1828 corría hacia el oeste, a lo largo de lo que ahora es el bulevar Washington y, algunas veces, llegaba hasta el océano, a través del arroyo Ballona), estos ríos serpenteantes formaban lagos poco profundos, estanques y pantanos con un recorrido indefinido.[8]

Un poco más arriba de la planicie, las colinas pequeñas y algunos terrenos altos como las colinas Puente, Baldwin y Palos Verdes, estaban cubiertos, en los lados que daban al norte, por un espeso chaparral de matorrales siempre verdes y arbustos, mientras que los lados de la parte sur estaban cubiertos por una vegetación más verde parecida a la de los parques. La costa de las bahías de Santa Mónica, San Pedro y la del condado de Orange que llegaba hasta el río Santa Ana, se caracterizaba por tener un medio ambiente variado o complejo, con grandes pantanos de sal o agua fresca (estos últimos cuando un río o corriente de agua iba hasta ellos), dunas de arena y broza de las costas. Finalmente, y levantándose sobre la cuenca y valles aledaños, estaban las cordilleras. Aquellas de menos de 5 mil pies [1.525 km] estaban cubiertas por bosques de pino amarillo, mientras que las de mayor altura, como las de San Gabriel y San Bernardino, por bosques espesos.

La interacción humana dentro de dicho medio ambiente ha sido tema relevante en la prehistoria e historia de la cuenca de

[7] Véase Homer Aschmann, "The Evolution of a Wild Landscape and its Persistance in Southern California", en *Annals of the Association of American Geographers*, septiembre, 1959, pp. 34-57.

[8] Véase J. N. Bowman, "The Names of the Los Angeles and San Gabriel Rivers", *Southern California Quaterly*, vol. 29, núm. 2, 1947. Hubert Howe Bancroft, cap. XXV, vol. II, *History of California*, Local Annals-Santa Barbara District, 1821-1830, 7 vols., San Francisco, 1885, 563 pp., p. 8.

Los Ángeles y sur de California. Los indios norteamericanos originarios del lugar, incluyendo a los gabrielinos —últimos pobladores en escena a la llegada de los primeros colonizadores mexicanos—, habían desarrollado sociedades que se preocupaban por mantener la armonía con la naturaleza circundante. Esto no significaba que dicha relación fuera pasiva, como se ha asumido algunas veces. Los pueblos indios norteamericanos eran observadores muy agudos de los fenómenos naturales e innovadores en adaptaciones para el buen uso de los recursos locales.[9]

Las alteraciones en el medio ambiente originaron cambios en las sociedades indígenas norteamericanas, como el ocurrido en el sur de California al finalizar la Edad de Hielo (Glaciación de Wisconsin), 10 mil años antes, cuando una sequía general afectó el clima de la región y la extensa red de lagos interiores, produciendo una emigración humana a gran escala.[10] Uno de estos movimientos fue la emigración de los antepasados de los indios gabrielinos (grupo que hablaba el "shoshón", lengua de la familia uto-azteca) hacia la cuenca de Los Ángeles, hace 1 500 años.[11] Esta nueva afluencia desplazó, parcialmente y hacia el noroeste, a los pobladores anteriores que hablaban el "hokan", y que estaban relacionados con los pueblos "chumash" de las regiones de Ventura y Santa Bárbara. Esta y otras emigraciones fueron el resultado de la sequía de una serie de grandes lagos poco profundos que ya existían en la región mojave. Estos lagos habían representado un apoyo para asentamientos relativamente grandes de poblaciones humanas y animales en la zona mojave, en la del Valle Imperial y otros lugares del área del sudoeste de la gran cuenca, los cuales ya existían durante la etapa de clima más húmedo de la era del pleistoceno, unos 100 mil años a.C. hasta 10 mil años d.C.[12]

El medio ambiente y las innovaciones humanas creadas para

[9] Homer Aschmann, *op. cit.*; Dee T. Hudson, "Proto Gabrielino Patterns of Territorial Organization in South Coastal California", *Pacific Coast Anthropological Society Quarterly*, vol. 7, núm. 2, 1971.

[10] Véase George F. Carter, *op. cit.*

[11] Véase Bernice Eastman Johnston, *California's Gabrielino Indians*. Los Ángeles, 1962, pp. 1-5. Lowell John Bean y Charles R. Smith, "Gabrielino", pp. 538-549, Robert T. Heizer (ed.), *Handbook of North American Indians: California*, vol. 8 Washington, D. C., 1978.

[12] Véase Carter, *op. cit.*

su explotación, fueron los primeros aspectos que determinaron los patrones que iban a regir la cultura y organización social de los indios norteamericanos. Por ejemplo, la ubicación, formas de distribución y explotación del territorio que rodeaban las aldeas de los indios norteamericanos de la cuenca, fueron organizadas, probablemente, en relación a su localización y ciclos de recursos alimenticios y materia prima. De igual manera, sus creencias religiosas derivaban de las características naturales de sus alrededores.

Los periodos posteriores de establecimiento y desarrollo de la sociedad mexicana en la cuenca, también se caracterizaron por una continua interacción renovadora del medio ambiente, siendo el ejemplo principal la introducción de la agricultura aplicando la irrigación. Puesto que los pobladores mexicanos de Los Ángeles procedían, originalmente, de zonas áridas o semiáridas de la costa oeste de México, ya eran expertos en el uso de técnicas de irrigación apropiadas para el clima semiárido de la cuenca. Entre 1781 y 1822, la comunidad se desarrolló y creció con éxito, convirtiéndose en un gran asentamiento agrícola, gracias a un sistema de irrigación basado en las llamadas "Zanjas", que eran una red de canales que la misma comunidad poseía, construía, mantenía y operaba.[13]

## Prehistoria de los indios norteamericanos

El aspecto más significativo de la prehistoria de la región de Los Ángeles fue la duración de la existencia humana y la pronta presencia de seres humanos completamente modernos: Homo Sapiens. Hasta hace cerca de 20 años, la mayor parte de los antropólogos físicos creían que los seres humanos, en principio, habían llegado al hemisferio occidental 10 mil o 14 mil años antes, cuando una baja del nivel marino creó un puente terrestre entre América y Asia en el Estrecho de Bering.[14] En 1970, esta creencia se tambaleó cuando la combi-

[13] Ostrom, *op. cit.*

[14] Para discusiones expertas sobre el debate de la antigüedad del hombre en las Américas, con referencia al sudoeste, véase George F. Carter, *op. cit.* Luther S. Cressman, "The Wanderers", pp. 57-76, *Prehistory of the Far West: Homes of Vanished Peoples,* Salt Lake City, 1977. Para un tratamiento más especulativo véase Jeffrey Goodman, *American Genesis,* Nueva York, 1981.

nación de nuevos descubrimientos, aunados a la prueba de carbono 14, permitieron fijar nuevas fechas de los vestigios humanos descubiertos con anterioridad: según esto, los primeros nativos americanos existieron de unos 40 mil a 100 mil años a.C.[15]

Las nuevas fechas de estos vestigios humanos no solamente han producido una reconsideración del momento en que el hombre llegó a América, sino que también han suscitado preguntas significativas en lo que respecta a los orígenes del hombre moderno, Homo Sapiens. Esta reconsideración proviene del hecho de que, los cráneos y otros vestigios humanos del hombre moderno de California, han sido fechados por la prueba de carbono 14 como anteriores a los restos del hombre moderno más antiguo, los de Cromagnon, encontrado en Europa, África, Asia y Medio Oriente. Aunque debe enfatizarse que en América no se han encontrado vestigios anteriores al hombre premoderno, dichos descubrimientos han creado la hipótesis de que los humanos modernos, Homo Sapiens, pudieron haberse originado en América y, posiblemente, en California del sur.[16]

Entre los cráneos y vestigios humanos encontrados del Homo Sapiens, hay varios restos en los condados de Los Ángeles y de Orange entre los que se encuentra el cráneo del hombre de Los Ángeles.[17] Éste es un cráneo mineralizado de una cabeza de tipo moderno que encontraron los trabajadores que, posteriormente a una tormenta, excavaron los desagües en la región del arroyo de Ballona, al oeste de Los Ángeles, en 1936.[18] A unas cien yardas [91 m] de distancia del mismo nivel en que se encontraba el cráneo, también se hallaron restos de mamuts que mostraron, después de un análisis químico, que pertenecían al mismo periodo que el del cráneo del hombre de Los Ángeles. Sin embargo, no fue sino hasta que, en 1970, el doctor Rainer Berger de UCLA dio nuevas fechas, cuando las pruebas de radiocarbón demostraron que el cráneo del hom-

[15] Cressman; Goodman, *Ibídem.*

[16] Goodman, *Ibídem.*

[17] Rainer Berger, "Advances and Results in Radiocarbon Dating: Early Man in America", *World Archaeology*, vol. 7, núm. 2, 1975, pp. 174-184. José L. Lorenzo, "Early Man in Research in the American Hemisphere", A.L. Bryan (ed.), *Early Man in America,* Edmonton, 1978.

[18] *Ibídem.*

bre de Los Ángeles tenía, por lo menos, 23 mil años.[19] Otros restos humanos, tales como los del cráneo Del Mar del condado de Orange, han sido fechados por el doctor Berger y otros científicos hacia los 48 mil años a.C.[20] Así, la evidencia científica indica que los primeros indígenas norteamericanos habitaron el sur de California y la cuenca de Los Ángeles por lo menos 50 mil años a.C. y, posiblemente, antes de la aparición del hombre moderno en el hemisferio oriental, incluyendo a Europa occidental.[21]

Por desgracia, la evidencia sobre los materiales culturales y forma de vida de los primeros habitantes de Los Ángeles es muy limitada. Más aún, una gran cantidad de información fue destruida durante la construcción de la presente metrópolis y/o ignorada debido a la hipótesis anterior de que el hombre llegó a la región en una fecha relativamente reciente: hace unos 9 mil años. Es de esperarse que un nuevo examen de los objetos encontrados en el pasado o en descubrimientos futuros otorgue información adicional.

También hay indicios de la presencia de una población relativamente grande de indios norteamericanos en esa zona durante, por lo menos, los últimos 9 mil años. Estos primeros habitantes de Los Ángeles (de los cuales no se sabe el nombre) eran cazadores, recolectores, tal y como ha sido determinado por los restos de artefactos y comida. Por ellos puede deducirse que su forma de vida era muy parecida a la de los futuros indios norteamericanos de dicha zona: pescaban, comían grandes cantidades de mariscos y cazaban venado y otros animales similares.[22] Su cultura se caracterizaba por la elaboración y uso de lanzas con puntas de piedra, además de manos, metates y morteros; estos últimos se utilizaban para procesar semillas y nueces. Es posible que también hayan construido y usado botes de caña o de tablas gruesas de madera, como lo hicieron los indios que llegaron después a la costa de Los Ángeles.[23]

En el tiempo en que los primeros oficiales, misioneros y soldados españoles y mexicanos llegaron a la región en 1796, la

[19] *Ibídem.*
[20] *Ibídem.*
[21] *Ibídem.*
[22] Hudson, *op. cit.*
[23] *Ibídem.*

cuenca de Los Ángeles estaba habitada por una población mayor y relativamente densa de indios norteamericanos de aproximadamente 5 mil a 10 mil habitantes.[24] Estos pueblos hablaban el "shoshón" o, más exactamente, eran hablantes del subgrupo "cupan" de la familia "takic" de la lengua uto-azteca. Desde la colonización de los españoles y mexicanos los hemos conocido como gabrielinos y fernandinos. Estos nombres provienen de las misiones de San Gabriel Arcángel y San Fernando Rey de España. Si acaso todos ellos tuvieron un solo nombre para su tribu, éste se ha perdido o, probablemente, serán identificados con el nombre del pueblo en que vivían, ya que solamente se conservan estos nombres y sus localidades.[25]

Los antecesores de los gabrielinos llegaron a Los Ángeles unos 1 500 años antes en calidad de emigrantes que venían de la región mojave que, en ese tiempo, había sufrido la sequía de sus extensos y poco profundos lagos. En 1769, los gabrielinos desplazaron a los primeros hablantes del "hokan", los cuales se relacionaron, posteriormente, con los indios "chushmash" y se establecieron en unos 40 o 60 pueblos situados cerca de los mejores recursos de alimentos, agua y materiales naturales tan necesarios para su cultura.[26] El territorio que ocuparon en 1769 abarcaba casi toda la región de Los Ángeles, tal y como la hemos definido, es decir, que se extendía desde Topangna (hoy Topanga), al oeste de las montañas de Santa Mónica y ocupaba casi todo el norte del valle de San Fernando, aunque el dialecto de la lengua que ahí se hablaba difería un poco de la del resto de la cuenca.[27] Hacia el noroeste, las montañas de Santa Susana, San Gabriel y San Bernardino marcaban el límite de su territorio y, hacia el sudeste, el límite se encontraba, aproximadamente, en el arroyo Aliso, cerca de San Juan Capistrano. Las islas de Santa Catalina, San Nicolás y San Clemente también estaban habitadas por hablantes de dialectos de la lengua gabrielina.

La situación geográfica y la distribución territorial de la población y pueblos gabrielinos estaba muy influenciada por su medio ambiente. La localización y distribución y del pueblo

[24] Johnston, Bean, *op. cit.*
[25] *Ibídem.*
[26] *Ibídem.*
[27] *Ibídem.*

se debía a las actividades económicas que seguían a la distribución natural y acceso a los recursos alimenticios y materia prima. Cada poblado se localizaba cerca de zonas de buena caza, pesca y tenía medios para la recolección de bellotas, semillas y otras plantas alimenticias. Dependiendo de los tipos particulares de comida a su alcance, cada pueblo se especializaba en mariscos, plantas alimenticias, caza y la mezcla o combinación de éstos.[28]

Los pueblos de la costa (particularmente aquellos que se encontraban protegidos por las bahías que van de Santa Mónica a San Pedro), parecen haber tenido una tecnología superior que la de los pueblos del interior, ya que sus habitantes construían canoas hechas de tablas de madera (algunas con capacidad para más de doce personas), calafateadas con asfalto para la pesca de mar adentro. También fabricaban y usaban púas de hueso, ganchos de concha, redes con pesas y lanzas. Sus alimentos del mar incluían marsopas, leones marinos de California, focas del puerto y de Guadalupe, tiburones, mantarrayas, robalo, mariscos y ballenas. Los pueblos que estaban en la costa de mar abierto (desde San Pedro hasta la actual playa de Newport) tenían menos facilidades para pescar mar adentro y, por lo tanto, su cultura era más pobre y sus abastecimientos de comida menos variados; incluso, es probable que dependieran de la recolección de conchas.[29]

Los pueblos que se encontraban en el interior se especializaban en la cacería y la recolección de plantas (en algunos casos, la combinación de ambas). Los animales que cazaban eran venado, conejo, ardilla y varios tipos de pájaros, lagartos y algunos insectos. En las praderas de la planicie de la cuenca se dedicaban, principalmente, a la recolección de plantas comestibles, como bellotas, semillas de salvia, raíces de yuca, piñones y tunas. También cazaban animales pequeños y aves de las zonas pantanosas.[30]

Las herramientas que los cazadores utilizaban eran lanzas, arco y flechas, dardos y lanzadores de dardos, cuchillos, raspadores, enderezadores de dardos y flechas, todos ellos hechos de hueso, madera y cuero. También fabricaban un gran número

[28] Hudson, *op. cit.*
[29] *Ibídem.*
[30] *Ibídem.*

de implementos que usaban para procesar las bellotas y otras plantas alimenticias: molinos de piedra, morteros de roca, émbolos, manos, metates y molcajetes. Tejían canastas de excelente calidad hechas de diversas fibras vegetales: eran tan perfectas y con un tejido tan cerrado que podían contener agua y calentarse con piedras calientes para hervir comida.[31]

Los pueblos gabrielinos constituían unidades políticamente autónomas aunque, en ciertos casos, algunos de los poblados menores se sometían a la jefatura de uno mayor. Socialmente estos pueblos se organizaban en grupos o clanes que tenían un mismo antecesor, aparentemente de sexo masculino. Los jefes que encabezaban a los pueblos tenían autoridad ritual y administrativa que heredaban, en línea directa, de antecesores antiguos y prestigiados. El nombre de estos jefes estaba relacionado, en forma modificada, con el de su pueblo. Además de los jefes, había también un chamán cuyos poderes provenían de visiones espirituales inducidas con drogas rituales que los constituía en personalidades de autoridad espiritual.[32]

Los gabrielinos tenían religión y rituales religiosos altamente desarrollados, los cuales tuvieron influencia en los pueblos indígenas vecinos tales como los "luiseños", "serranos" y "kameyaays", al sur y al este. Su religión se caracterizaba por la adoración de un dios creador, *Chingichngish* o *Qua-o-ar,* que formó el mundo y lo colocó en los hombros de siete gigantes. Aunada a la adoración de *Chingichngish* estaba la del Sol y la de la Luna.

Las ceremonias religiosas eran complicadas y estaban dirigidas por los ancianos en el *Yuva-r,* un lugar sagrado construido con paredes tejidas de caña y sujetadas con postes hechos en forma de óvalo. Los *Yuva-r* estaban decorados ricamente con tallas, emblemas y otros objetos rituales hechos de madera, hueso, concha y piedra, frecuentemente incrustados o grabados. Dentro de estos recintos había representaciones de *Chingichngish* y, quizá, de otras deidades. Las pinturas de arena jugaban un papel importante en sus rituales y fueron altamente desarrolladas como formas de arte religioso, aún poco conoci-

[31] *Ibídem.*
[32] Johnston.

das. Entre otros símbolos naturales de importancia religiosa pueden mencionarse el águila, el cuervo, el búho, la marsopa y el grajo.[33]

A pesar de la falta de organización política, de las guerrillas periódicas entre los poblados y de la guerra entre los gabrielinos y otros pueblos circundantes, las relaciones que existían entre todos ellos eran, principalmente, pacíficas y duraderas. Los gabrielinos manejaban el intercambio con los indígenas de los alrededores. También se practicaba el comercio a larga distancia entre los indios del sur de California y aquéllos de otras partes del sudoeste por medio de una cadena de intercambio que sostenían los grupos interesados.

Artículos tales como utensilios de esteatitas (su nombre vulgar es jabón de sastre), recipientes, adornos, pipas, conchas, cuentas de concha, joyería de concha y pieles de nutria, se intercambiaban a larga distancia a través de las tribus del río Colorado con las de Arizona central y aun con los indígenas de Nuevo México. El centro en donde se fabricaban estos artículos se localizaba en las islas del Canal, que servían como fuente para encontrar las esteatitas. La producción de este tipo de bienes para exportación pudo haber sido la ocupación principal de una gran parte de la población. A cambio de dichos artículos recibían obsidiana, pieles de venado, pieles de otros animales, grandes cantidades de comida —incluyendo bellotas y semillas— y, posiblemente, algunos artículos de cerámica que venían desde Arizona y Nuevo México.[34]

Además de los bienes materiales, los gabrielinos también exportaban e importaban sus creencias religiosas y sus prácticas rituales. El culto a *Chingichngish,* originado por ellos, se había extendido a otros pueblos del sur de California desde antes de la llegada de los españoles y mexicanos. Ellos recibían de los indios norteamericanos del este de Colorado la hierba *Jimson,* una hierba de uso ritual para el estímulo de visiones. En 1920 el antropólogo William Duncan Strong encontró indicios del intercambio de sistemas de ceremonias que unía a varios pueblos del sur de California con las tradiciones de los cahuillas. Al respecto Duncan Strong dijo:

[33] *Ibídem.*
[34] *Ibídem.*

Además de la organización previamente discutida, basada en la participación de las mismas ceremonias y marcada por el intercambio de *Witcu* (dinero hecho de largas cuerdas de conchas) entre los grupos unidos, parece haber habido una forma de unión menos rigurosa que se descontinuó hace muchos años y que ahora puede ser reconstruida con muchas dificultades. Como se ha mencionado, era costumbre de todos los clanes del norte de Palm Springs (sin importar las diferencias de lenguas), que cuando se sabía de la muerte de una persona de otro clan, se mandaba dinero en forma de un cordón de conchas al jefe de dicho clan. Los *cahuilla* de Palm Springs llamaban a este pequeño cordón de dinero *napanaa*. Así, parece haber existido una unión ceremonial menos rigurosa entre todos los clanes *cahuilla, serrano, luiseño* y *gabrielino* que habitaban el territorio que va desde el Paso de San Gorgonio hasta el Océano Pacífico al oeste.[35]

## Tribus vecinas

Alrededor del territorio de los gabrielinos, había los siguientes grupos de tribus con distintas lenguas, también importantes para la historia de Los Ángeles: al noreste se encontraba el territorio de los chumash, un pueblo experto en la construcción de botes hechos de tablas y en la pesca. Desde Malibú (nombre *chumash*) se extendían hacia el norte, comprendiendo los condados actuales de Ventura y Santa Bárbara. Al sudoeste, del otro lado del canal, las islas de Santa Catalina y San Nicolás estaban habitadas por personas que hablaban un dialecto de la lengua gabrielino y que eran expertos en pesca, construcción de botes, uso del jabón de sastre de las islas, y que hacían utensilios, elaboraban joyas de esqueletos y grajos y de almejas.[36]

Al norte del valle de San Fernando se encontraban los indios tataviam, llamados serranos por los españoles y mexicanos, los cuales en 1769 tenían una población de unos mil habitantes repartidos en veinte pueblos. Los tataviam parecen haber

[35] William Duncan Strong, *Aboriginal Society in Southern California*, Berkeley, 1929, p. 98.

[36] Campbell Grant, "Chumash Introduction", pp. 505-508. Robert T. Heizer (ed.), *Handbook of North American Indians: California*, Johnston, vol. 8, Washington, D.C., 1978, pp. 6-12.

Gabrielina recolectando frutos de cactos. (Cortesía del *Seaver Center* para investigación de Historia del Oeste, Museo de Historia Natural del condado de Los Ángeles.)

Gabrielino pescando con arpón. (Cortesía del *Seaver Center* para investigación de Historia del Oeste, Museo de Historia Natural del condado de Los Ángeles.)

estado influenciados por sus vecinos chumash y gabrielinos. Al noreste y ocupando el área este de las cimas de las montañas de San Gabriel y San Bernardino, se encontraban los serrano (o "gente de montaña"), con una población calculada entre 1 500 a 2 mil 500 habitantes en 1769.[37]

Al sudeste, en el actual condado de Riverside, vivían los cahuilla que —como los gabrielinos— eran, lingüísticamente, miembros del subgrupo cupan de la familia takic de la lengua uto-azteca. En 1769, los cahuilla tenían una población de unos 7 mil a 10 mil habitantes en cincuenta pueblos. Además de que los cahuilla —al igual que los gabrielinos— eran pueblos cazadores y recolectores, principalmente, hay indicios de su dedicación a prácticas proto-agrícolas de maíz, frijol y calabaza. La actividad proto-agrícola era, probablemente, el resultado de la influencia de los pueblos yuman de la región del Colorado, que eran agricultores.[38]

Hacia el sur y sudeste, en donde se encuentra el actual condado de Orange, se encontraban los luiseños y juaneños, nombres derivados de las misiones de San Luis Rey de Francia y San Juan Capistrano. Los juaneños eran, en realidad, una subdivisión de los *luiseños,* a la vez que miembros de la familia takic, subgrupo de la lengua uto-azteca y, por consiguiente, relacionados, lingüísticamente, con los gabrielinos. Se ha calculado que, en 1760, tenían una población de 4 mil a 10 mil habitantes repartidos en 50 pueblos. El material cultural de los luiseños se parecía al de los gabrielinos, ya que estos últimos tuvieron influencia en ellos con el culto a *Chingichngish.* A pesar de esto, los distingue un elemento interesante: la ausencia relativa de una división sexual en el desempeño de labores entre los *luiseños,* porque sus mujeres cazaban y pescaban mientras que los hombres se ocupaban de la recolección y procesamiento de plantas alimenticias.[39]

También existían varios pueblos indígenas norteamericanos que no habitaban en el límite del territorio de los gabrielinos,

[37] Chester King y Thomas Blackburn, "Tataviam", pp. 535-537, Robert T. Heizer (ed.), *Handbook of North American Indians: California,* vol. 8, Washington, D.C.

[38] Lowell John Bean, "Cahuilla", pp. 575-587, Robert T. Heizer (ed.), *Handbook of North American Indians: California,* Johnston, vol. 8, Washington, D.C., pp. 13-36.

[39] Lowell John Bean y Florence C. Shipek, "Luiseño", pp. 550-563, Robert T. Heizer (ed.), *Handbook of North American Indians: California,* Johnston, vol. 8, Washington, D.C., pp. 37-74.

pero que tienen importancia para la historia de Los Ángeles. Entre ellos estaban los cupeño, un grupo pequeño que, en 1769, tenía una población de alrededor de 500 habitantes. El territorio cupeño era pequeño y estaba rodeado por los cahuilla. También eran miembros de la subfamilia takic de la lengua uto-azteca.

Los kameyaay eran un grupo mayor situado en lo que hoy se conoce como condados de San Diego e Imperial, al norte de Baja California. Anteriormente se les conocía como diegueños, debido a la misión de San Diego de Acalá: en la actualidad, los antropólogos los han llamado tipai ipai (el término kameyaay se utiliza aquí porque es el nombre preferido por la mayoría de los miembros actuales de esta tribu y se relaciona con kamia, otro nombre histórico dado a la mayor parte de este pueblo). Los kameyaay son —lingüísticamente— hablantes del dialecto de la lengua yuman y fueron el primer grupo indígena norteamericano de la Alta California afectado por las misiones y la colonización. Se ha calculado que, en 1769, los kameyaay tenían una población de 4 mil a 8 mil habitantes. Finalmente, y de importancia histórica para la región de Los Ángeles, existían grupos más distantes: los *yumans* del río Colorado y, aún más distantes, los utes de la cuenca Grande (Great), ambos importantes como comerciantes entre largas distancias y, ocasionalmente, invasores (tanto en la era prehistórica como en la histórica).[40]

La prehistoria de los indios norteamericanos de la región de Los Ángeles abarca un periodo amplio (unos 100 mil años continuos) y posee una cultura muy rica. Estos pueblos antiguos no fueron solamente los primeros habitantes de la zona, sino también los primeros en desarrollarse como hombres modernos, Homo Sapiens. Entre sus logros debe mencionarse el desenvolvimiento de un tipo de vida siempre en armonía con el medio ambiente. Los recursos animales, plantas y minerales se utilizaron en forma óptima, sin afectar al medio que los rodeaba.

Los indios norteamericanos identificaron y habitaron los sitios más idóneos de la región de Los Ángeles. Casi sin excepción, los establecimientos posteriores, ranchos, poblaciones y

[40] Katherine Luomala, "Tipai and Ipai", pp. 592-609, Robert T. Heizer (ed.), *Handbook of North American Indians: California.*

ciudades se fundaron en los antiguos campos y pueblos prehistóricos e históricos. Los nombres de algunos de estos lugares se usan todavía regularmente, tales como: los nombres gabrielinos *Kawengnam* Cahuenga, literalmente "lugar de la montaña"; *Asukangna,* Asuza, "su abuela"; *Topangna,* Topanga; *Cucamongna,* Cucamonga; *Tuhumgna,* Tujunga. Los nombres chumash: *Maliwu,* Malibú; *Simj,* Simi. Los nombres tataviam: *Kamulos,* Camulos; *Kastic,* Castic. Hay otros nombres de lugares que aún se recuerdan, debido a razones especiales como el caso de *Yangna,* el pueblo situado cerca del lugar en donde, en 1781, se fundó Los Ángeles. También hubo otros poblados importantes, pero han sido olvidados: *Suangna,* cerca del San Pedro de hoy; *Pasbengna,* sitio de la ciudad actual de Santa Ana y muchos más. En varios casos, como el de *Malaga Cove* (sitio prehistórico en Redondo Beach donde se construyeron hogares en 1955), pudieron haber estado habitados por los primeros hombres y fueron destruidos para su futura subdivisión.[41]

Las contribuciones hechas por los gabrielinos y otros pueblos norteamericanos para el desarrollo de la parte mexicana de Los Ángeles fueron muchas y vitales durante sus primeros años de existencia. En parte, los conocimientos y habilidades de los indígenas norteamericanos del medio ambiente local se transmitieron a los mexicanos que eran, en muchos casos, sus hijos o parientes. Por lo tanto, las relaciones entre los indios de California y los colonizadores mexicanos son una parte importante de la fundación de Los Ángeles. El siguiente periodo histórico de esta ciudad, el de la colonización, misiones y establecimiento sería de gran dificultad para los indios norteamericanos. Es un hecho que, al llegar a esa región, tanto los mexicanos como los angloamericanos, explotaron al indio norteamericano. Sin embargo se desconocen, casi totalmente, las relaciones que unieron a los pueblos norteamericano y mexicano en una sociedad común dentro de la cual, si dominaban los mexicanos, se reconocía al indígena como miembro de la comunidad y no se le exponía al odio instigado por la ignorancia y a una carnicería desenfrenada.

[41] Edwin Francis Walker, "A. Stratified Site at Malaga Cove", pp. 27-68, *Five Prehistoric Archaeological Sites in Los Angeles County,* Los Ángeles, 1951.

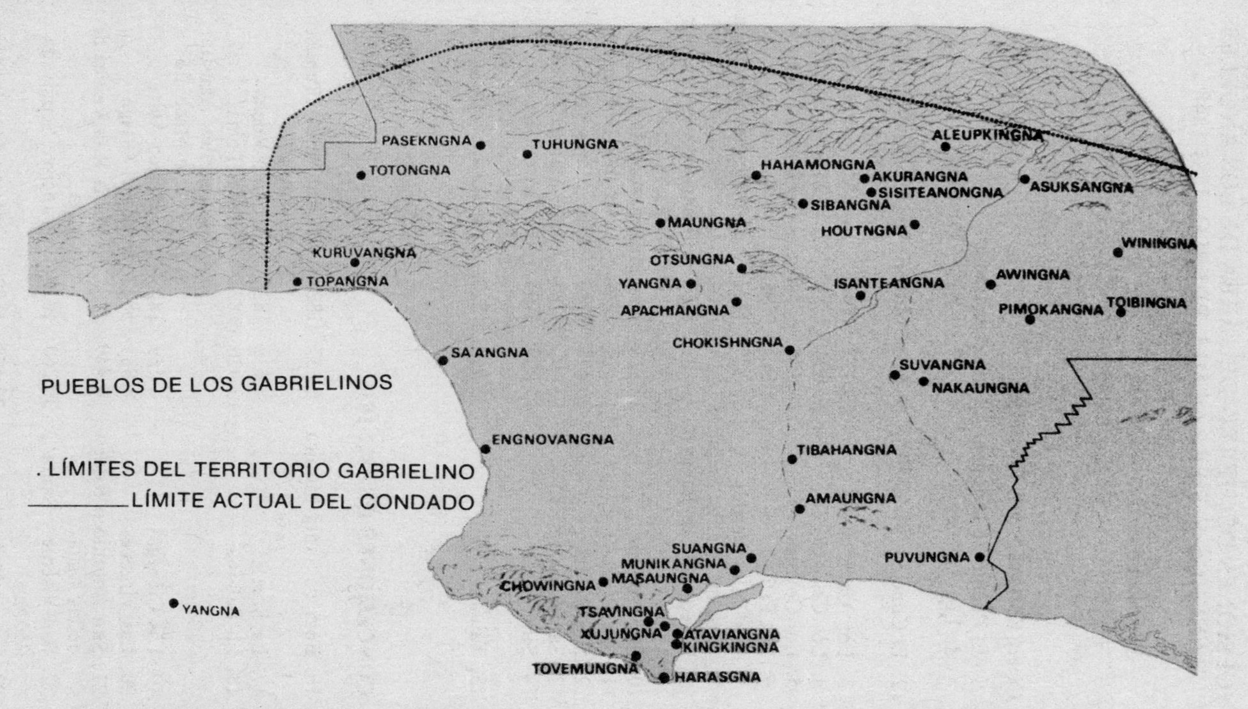


Distribución de las villas de indios gabrielinos en la cuenca de Los Ángeles y áreas adyacentes (1481).

## CONCESIONES DE TIERRA DEL ÁREA DE LOS ÁNGELES: RANCHOS Y TIERRAS DEL PUEBLO, 1781-1848

| | *Nombre de las concesiones de tierra* | *Superficie en acres* | *Año de establecimiento* | *Concesionario* |
|---|---|---|---|---|
| **I. CONCESIONES DE 1781-1821:** | | | | |
| 1. | El Pueblo de la Reina de Los Ángeles | 4 leguas cuadradas 17 172 acres | 1781 | Pueblo |
| 2. | El Conejo | 48 672 | 1802-03 | Ygnacio Rodríguez, José Poblanco |
| 3. | Los Alamitos | 28 027 | 1784 | José Manuel Nieto |
| 4. | Los Cerritos | 27 054 | 1784 | José Manuel Nieto |
| 5. | Los Coyotes | 48 806 | 1784 | José Manuel Nieto |
| 6. | Los Felis | 6 647 | 1796 | José Vicente Feliz . |
| 7. | Los Palos Verdes | 13 629 | 1821 | José Dolores Sepúlveda |
| 8. | Topanga Malibu Sequit | 13 316 | 1804 | José Bartolomé Tapia |
| 9. | Rincón de Los Bueyes | 3 128 | 1821 | Francisco y Secundino Higuera |
| 10. | San Antonio | 29 513 | 1810 | Antonio María Lugo |
| 11. | San Pedro | 43 119 | 1784 | Juan José Domínguez |
| 12. | San Rafael | 36 403 | 1784 | José María Verdugo |
| 13. | Santa Gertrudes | 17 602 | 1784 | José Manuel Nieto |
| 14. | Simi | 113 009 | 1795 | Patricio, Miguel, Francisco Javier Pico |
| 15. | Tajuata | 3 560 | 1820 | Anastasio Ávila |
| **II. CONCESIONES DE 1822-1836:** | | | | |
| 16. | Boca de Santa Mónica | 6 657 | 1828 | Ysidro Reyes, Francisco Márquez |
| 17. | La Brea | 4 439 | 1828 | Antonio Rocha |
| 18. | La Ballona | 13 920 | 1822 | Felipe, Tomás Talamantes, Agustín, Ygnacio Machado |
| 19. | Las Ciénegas | 4 439 | 1823 | Francisco Ávila |
| 20. | Las Vírgenes | 8 885 | 1822 | Miguel Ortega |
| 21. | San Antonio o Rodeo de las Aguas | 4 449 | 1831 | María Rita Valdez de Villa |
| 22. | San Vicente y Santa Mónica | 30 260 | 1828 | Francisco Sepúlveda |
| 23. | Sausal Redondo | 22 459 | 1822 | Antonio Ignacio Ávila |

| Nombre de las concesiones de tierra | Superficie en acres | Año de establecimiento | Concesionario |
|---|---|---|---|
| **III. CONCESIONES DE 1837-1844:** | | | |
| 24. Aguaje de la Centinella | 2 219 | 1844 | Ignacio Machado |
| 25. Azusa (Duarte) | 6 596 | 1841 | Andrés Duarte |
| 26. Azusa (Dalton) | 4 431 | 1837 | Ignacio Palomares, Ricardo Vejar |
| 27. Ciénega o Paso de la Tijera | 4 481 | 1843 | Vicente Sánchez |
| 28. La Cañada | 5 832 | 1842 | José del Carmen Lugo |
| 29. Huerta de Cuati | 128 | 1838 | Victoria Reid |
| 30. La Habra | 6 699 | 1839 | Mariano R. Roldán |
| 31. La Merced | 2 364 | | María Casilda Soto |
| 32. Los Nogales | 1 004 | 1840 | José de la Cruz Linares, María de Jesús García |
| 33. Paso de Bartolo | 8 885 | 1835 | Juan Crispín Pérez |
| 34. Providencia | 4 064 | 1843 | Vicente de la Ossa |
| 35. Rincón de la Brea | 4 453 | 1841 | Gil Ybarra |
| 36. San Francisco | 48 612 | 1839 | Antonio Del Valle |
| 37. San José | 22 340 | 1837 | Ignacio Palomares |
| 38. San José (aumento a) | 4 431 | | |
| 39. San José de Buenos Aires | 4 439 | 1840 | Máximo Alanís |
| 40. San Pascual | 13 694 | 1843 | Manuel Garfias |
| 41. Santa Anita | 13 319 | 1841 | Hugo Reid |
| 42. Temescal | 3 560 | 1843 | |
| 43. Tujunga | 6 661 | 1840 | Pedro, Francisco López |
| **IV. CONCESIONES DE 1845-1847:** | | | |
| 44. Los Álamos y Agua Caliente | 26 626 | 1846 | Francisco López |
| 45. El Encino | 4 461 | 1845 | Vicente de la Ossa, Ramón, Roque, Francisco |
| 46. El Escorpión | 1 110 | 1845 | Odon, Manuel |
| 47. Isla de Santa Catalina | 45 820 | | Juan María Covarrubias |
| 48. La Liebre | 17 341 | 1846 | José María Flores |
| 49. La Puente | 48 791 | 1845 | John Rowland, William Workman |
| 50. Ex-Misión San Fernando | 116 858 | 1846 | Eulogio de Celis |

| | *Nombre de las concesiones de tierra* | *Superficie en acres* | *Año de establecimiento* | *Concesionario* |
|---|---|---|---|---|
| 51. | Portrero de Felipe Lugo | 2 042 | | Felipe Lugo |
| 52. | Portrero Grande | 4 432 | | Juan Matías Sánchez |
| 53. | San Francisquito | 8 894 | 1845 | Henry Dalton |
| 54. | Portrero Chico | 83 | | Antonio Valenzuela, Juan Alvitre |

# II. COLONIZACIÓN Y MESTIZAJE: MIGRACIÓN Y ESTABLECIMIENTO, 1781-1822

## Colonización de Alta California, fundación de Los Ángeles

En un principio, el desarrollo de la comunidad de Los Ángeles estuvo influenciado por dos procesos fundamentales: en primer lugar, la búsqueda de la expansión del territorio hacia el norte, que motivó a los oficiales españoles a que planearan estrategias de defensa; en segundo lugar, el proceso informal y dinámico del mestizaje, la mezcla étnica y cultural y la transculturación entre los indios, europeos, africanos y castas mixtas de los habitantes de Nueva España del México colonial. El mestizaje fue un proceso transcultural y no simplemente uno de aculturación de la lengua y cultura española, ya que estas últimas pasaban por un proceso de transformación hacia una cultura y una étnica nuevas debido a la mezcla, lo que en el siglo XIX vendría a considerarse como mexicano.

El establecimiento del Pueblo de la Reina de Los Ángeles en 1781 por los colonizadores de la costa occidental de México se debió a los planes de los españoles que dirigieron la colonización de Alta California. Dicha colonización comenzó en 1769 con el viaje de reconocimiento de Portola y Serra, mismo que se consideró como el último avance significativo del asentamiento en Norteamérica. En un sentido más amplio, se continuó un proceso de expansión hacia el norte del México colonial el cual, con pausas y contratiempos, se había desarrollado desde el inicio de la conquista del centro de México en 1520.

La expansión hacia el norte de las autoridades españolas coloniales y de la sociedad mexicana colonial, fue un fenómeno complejo, multifacético y multidimensional que se llevó a cabo dentro de una zona inmensa de condiciones regionales muy variadas y durante un periodo de casi trescientos años. Durante el tiempo en que, tanto los patrones como las instituciones formales e informales se desarrollaban, las características reales de la colonización eran un reflejo y/o variación de aquellos patrones generales relacionados con el periodo, la situación geográfica, el medio ambiente y las motivaciones específicas para la futura ocupación. Los patrones, instituciones y prácticas de asentamiento se iniciaron tanto en la legislación formal (tales como las leyes de Indias), como en el desarrollo de la experiencia colonial en la frontera. En su momento, se fueron reflejando las modificaciones, en caso de que fallaran las leyes o los reglamentos relacionados con el colonizaje de las zonas en la frontera.

Entre las instituciones características de la colonización española del norte se encontraban: 1) el sistema de misiones; 2) los fuertes de presidios o puestos militares; 3) las poblaciones civiles o pueblos; 4) los distritos mineros conocidos como Real de Minas. La presencia, ausencia, importancia relativa y características específicas de estas formas institucionales variaba de región a región, dependiendo de sus propias condiciones. Mientras que Real de Minas fue de gran importancia en la región que va de Sonora hasta Arizona, en Alta California no existía aún en el periodo colonial porque, a pesar de que se conocía la presencia de minerales valiosos, los depósitos de éstos se encontraban en regiones muy alejadas de la costa, por lo que no fueron descubiertos, sino hasta tiempo después.

Las otras tres instituciones, las misiones, los presidios y los pueblos se establecieron y llegaron a ser significativos para la colonización de Alta California. Las motivaciones para la expansión eran de naturaleza múltiple y variaban de acuerdo a la región. Estas incluían: 1) rumores sobre la riqueza mineral o su descubrimiento; 2) la conversión religiosa de los indígenas norteamericanos; 3) la pacificación de los indios norteamericanos hostiles, especialmente de aquellos que vivían dentro de las vías importantes de comunicación; 4) la expansión de los pastos de ganado, de la producción agrícola de los mercados de los distritos mineros, de la ciudad de México y de otras grandes ciudades; 5) la defensa estratégica de la Nueva España y del Imperio de España en contra de la hostilidad del poder europeo.

En el caso de la Alta California, la motivación más importante para el colonizaje se caracterizó por la necesidad de continuar contra la expansión rusa que intentaba extenderse desde Alaska, y contra la Gran Bretaña al noroeste del Pacífico. Si bien la ocupación empezó en 1769, los oficiales españoles habían considerado la necesidad de establecerse en Alta California, aun durante el siglo XVI. Este interés los había llevado a organizar varias expediciones de exploración que incluían las primeras visitas de los españoles y sus súbditos mexicanos a la región de Los Ángeles.

Otro aspecto significativo para la colonización de Alta California fue el hecho de que el colonizaje ocurriera dentro del eje de expansión direccional del noroeste del Pacífico mexicano. Éste era uno de los tres ejes de expansión direccional más grandes. El otro eje de expansión iba hacia el norte de la planicie central de Nuevo México; y el último eje de expansión iba del noreste hacia Nuevo León, Tamaulipas y Texas. Este avance fue importante porque la gran mayoría de los soldados y pobladores enviados a colonizar Alta California provenían de las provincias occidentales de Sonora, Sinaloa, Baja California, Jalisco y, en un menor grado, de Chihuahua, Durango, la región del Bajío y la ciudad de México. Como resultado del transporte y de la geografía, estas zonas continuaban siendo las áreas de mayores fuentes migratorias mexicanas hacia Los Ángeles y la Alta California hasta finales del siglo XIX.

## Primeras exploraciones

La historia de Los Ángeles quedaría incompleta sin un conocimiento básico sobre la influencia que tuvo la expansión a lo largo del noroeste del Pacífico y sobre el tipo de sociedad de los pobladores originales. El colonizaje del noroeste de México se inició con las exploraciones marítimas a cargo de Hernando de Cortés en el Océano Pacífico y Golfo de California, así como también las conquistas de Nuño de Guzmán, que después de dominar Michoacán y Jalisco, prosiguió a ocupar Sinaloa y fundar la ciudad de San Miguel de Culiacán en 1531.

La península de Baja California fue descubierta en 1533, durante la segunda expedición marítima a cargo de Cortés y de la cual se creía que era una isla llamada Santa Cruz. En 1539, Cortés patrocinó un viaje para que Francisco de Ulloa partiera hacia la parte norte del Golfo de California y demostró que la tierra que pronto se llamaría California era una península y no una isla. En 1540, las gentes que integraron la expedición de Coronado bien pudieron ser los primeros europeos en llegar a lo que ahora se conoce como el estado de California. Hernando de Alarcón, al mando de un barco de apoyo, navegó por el río Colorado, mientras que Melchor Díaz marchó por tierra a lo largo del río Colorado (en lo que hoy es Arizona), y es probable que cruzara hacia el lago de California, cerca de Blythe.[1]

El primer grupo de españoles que en definitiva llegó a la Alta California y visitó la región de Los Ángeles, navegó bajo el mando del capitán portugués Juan Rodríguez de Cabrillo. La expedición al servicio del virrey de Nueva España salió desde el puerto de Natividad (en lo que hoy es Jalisco) y tuvo como propósito localizar el estrecho de Anian, un pasaje que iba del noroeste del Atlántico hasta el Océano Pacífico. Navegando hacia la costa del oeste de Baja California en 1542, Rodríguez de Cabrillo penetró en las aguas de lo que hoy es California el 28 de septiembre de 1542, fecha en que sus barcos llegaron a la bahía, a la que llamaron San Miguel y que hoy conocemos como San Diego.[2]

El 10 de octubre de 1542, Rodríguez de Cabrillo llegó a la isla de Catalina en donde se detuvo brevemente para después partir hacia las costas de las bahías de San Pedro y de Santa Mónica. Mientras salían de la costa de Los Ángeles observó el humo que despedían numerosos fuegos, lo que lo motivó a nombrar a la bahía (probablemente la de San Pedro) "de los humos" *(Bay of Smokes).* Juan Rodríguez de Cabrillo y su tripulación fueron los primeros europeos que hicieron contacto con los indios de Los Ángeles. Mientras enclavan en la isla de Catalina, tuvieron que enfrentarse a indios armados y preparados para resistir a los extraños inesperados. Después de convencer a los indios de Catalina de que sus intenciones eran pacíficas, los hombres de Rodríguez de Cabrillo intercambiaron bienes por comida antes de partir hacia el norte.[3]

Charles E. Chapman, *A History of California: The Spanish Period,* Nueva York, 1921, pp. 43-69.

[2] Herbert E. Bolton, *Spanish Exploration in the Southwest,* 1542-1706, Nueva York, 1916.

[3] *Ibídem.*

La siguiente visita a Los Ángeles y de la cual se conocen datos se dio durante la expedición Vizcaíno en 1602. Estaba al mando de Sebastián Vizcaíno, un mercader y explorador. Este viaje tenía como objetivo localizar puertos seguros a lo largo de la costa del Pacífico para el uso y protección del galeón de Manila, blanco de constantes asedios por parte de piratas ingleses y holandeses a bordo de barcos españoles que navegaban por toda la costa de México y Sudamérica. Varios de los galeones que llevaban fortunas inmensas de materiales asiáticos de intercambio muy valiosos habían sido capturados y se veían en constante peligro de ser asaltados.

Vizcaíno también ancló en la isla de Catalina en donde los indios le dieron la bienvenida y le ofrecieron sardinas y fruta. Los reportes de su expedición describen a la gente de la isla de Catalina como inteligente, atractiva y hábil para pescar y fabricar utensilios y herramientas. Durante el breve periodo posterior a la expedición de Vizcaíno, las autoridades coloniales españolas consideraron la posibilidad de colonizar la costa de Alta California. Sin embargo, estos planes no se llevaron a cabo debido a la dificultad para abastecer estos establecimientos tan lejanos y al peligro de que fueran capturados y utilizados como bases de los exploradores extranjeros.[4]

No fue sino hasta la visita e inspección administrativa del Virreinato de Nueva España y con el visitador general José de Gálvez en 1765-1771 que la colonización de Alta California fue nuevamente considerada. Gálvez, un burócrata real encargado de reformar la administración fiscal de la Nueva España, creó un nuevo programa para la reorganización administrativa que incluía la expansión y desarrollo de las provincias de la frontera del norte del virreinato. Este programa, conocido en historia como parte de las "reformas borbónicas", contemplaba la creación de una Comandancia General de las Provincias Internas (las provincias internas de la frontera norte) y una reorganización y sistematización de la defensa militar de esa zona, bajo las órdenes de un solo dirigente. El programa también observaba la formación de una nueva línea de defensa de presidios y el colonizaje de Alta California. Gálvez consi-

[4] Michael Mathes, *Vizcaíno and Spanish Expansion in the Pacific Ocean, 1580-1630,* San Francisco, 1968, p. 92. Herbert Bolton, *op. cit.*, Charles E. Chapman, *op. cit.*, pp. 133-134.

deró el programa de expansión hacia el norte como una inversión a largo plazo diseñada para aumentar las rentas del virreinato de la Nueva España.[5]

Mientras que en Alaska y en el noroeste del Pacífico las actividades de los rusos alentaban la aceptación real de colonización de Alta California, la motivación de Gálvez aparentaba ser la estrategia de defensa más poderosa para la protección del Imperio Español en Norteamérica. Otro incentivo a largo plazo lo representaba el valor potencial de Alta California para incrementar el intercambio futuro con Asia. De menor importancia para la ocupación, aunque de gran valía para la justificación ideológica, era el deseo de la orden franciscana para abrir una nueva provincia misionera en Alta California.

Los planes del visitador general Gálvez para la ocupación de Alta California contaban con el apoyo de su amigo el virrey de Croix, así que fueron aprobados rápidamente por el rey de España en 1768, cuando el embajador español en Rusia reportó que los rusos estaban planeando ocupar el área que rodeaba la bahía de Monterey en California. Gálvez se hizo cargo personalmente de los preparativos preliminares para la expedición que saldría desde San Blas para ir a Baja California a mediados de 1768. Mientras que los barcos se cargaban en San Blas en apoyo de una expedición terrestre, largas cantidades de provisiones y de hombres se mandaban desde el centro de México hasta San Blas, en la costa oeste, y Loreto, en Baja California.

La ocupación de Alta California, tal y como fue planeada por Gálvez, debía llevarse a cabo con una expedición, tanto por tierra como por mar, la cual tenía dos componentes en tierra y dos marítimos. El objetivo principal de la expedición de 1769 fue redescubrir y ocupar el puerto de Monterey descubierto en 1602 por Vizcaíno, y fundar misiones y presidios ahí y en San Diego. Gálvez seleccionó como líderes de su empresa militar y religiosa al recientemente electo gobernador de Baja California, el teniente coronel Gaspar de Portola y también al franciscano que había llegado recientemente y que era superior de las antiguas misiones jesuitas de Baja California, fray Junípero Serra. Portola debía ser el comandante

[5] Charles E. Chapman, *op. cit.*, pp. 207-231.

militar y gobernador civil de las Californias y Serra el padre superior de las nuevas misiones que se fundarían en Alta California.[6]

En apoyo a los novatos Portola y Serra se encontraban varios militares veteranos y oficiales de marina. Los barcos San Carlos y San Antonio estaban bajo las órdenes de los capitanes Vicente Villa y Juan Pérez, ambos con experiencia en el Océano Pacífico. Fernando de Rivera y Moncada, capitán mexicano y veterano durante diez años, estaba al mando de los llamados "soldados de cuera" (una fila fuerte de tropas de presidio) que usaban chaquetas de cuero a la usanza de las chaquetas gruesas para protegerse de las flechas. Doce años después, Moncada y Rivera iba a jugar un papel principal en la fundación de Los Ángeles. Otros veinticinco soldados formaban parte de la expedición del regimiento recién llegado de España, todos ellos voluntarios de Cataluña bajo el mando del teniente Pedro Fages. También participaban en la expedición un pequeño grupo de misioneros franciscanos, una docena de artesanos y unos ochenta indígenas cristianizados de Baja California.[7]

A pesar de las muchas dificultades, incluyendo las disputas amargas entre Portola y Serra, la expedición logró su objetivo principal. Durante el trayecto de las largas marchas por tierra desde San Diego hasta los alrededores de Monterey la región de Los Ángeles fue examinada en detalle por los españoles y mexicanos. El fraile Juan Crespi, un franciscano que acompañó a Portola en la marcha para relocalizar Monterey, describió la zona de Los Ángeles como una región prometedora para una ocupación futura. Crespi dijo lo siguiente sobre el área y el desarrollo de la expedición de agosto de 1769:

> Miércoles, 2 de agosto de 1769. Salimos del valle (Valle de San Gabriel) en la mañana y seguimos por el mismo llano en dirección hacia el oriente. Después de viajar como una legua y media

[6] Charles E. Chapman, *op. cit.*, pp. 216-231. Herbert E. Bolton (trad.), *Fray Juan Crespi Missionary Explorer on the Pacific Coast, 1769-1774*, Berkeley, 1927. Ray Brades (trad.), *The Costaño Narrative of the Portola Expedition* (Newhall, 1970). Herbert E. Bolton (ed.), *Fray Francisco Palóu. Historical Memoirs of New California*, Berkeley, 1926.

[7] *Ibídem.*

a través de un paso entre colinas bajas, entramos a un valle muy extenso (la cuenca de Los Ángeles) con grandes plantíos de bosques de alisos y de algodón entre los cuales corría un río bellísimo desde el nornoroeste y después, dando vuelta en un punto de una colina empinada, seguía hacia el sur (sitio posterior del Pueblo). Hacia el nornoroeste el río toma otro cauce (el Arroyo Seco) que forma una corriente extensa, aunque lo encontramos seco. Este cauce se une al del río dando claros indicios de las grandes inundaciones de las épocas de lluvias, ya que observamos que tenía muchos troncos de árboles en las orillas. Nos detuvimos no muy lejos del río que nombramos Porciúncula. Aquí sentimos tres terremotos consecutivos en la tarde y en la noche. Debimos de haber viajado unas tres leguas el día de hoy. El llano por donde corre el río es muy extenso. Tiene buena tierra para el cultivo de todas clases de grano y semillas y es el sitio más adecuado para la misión, ya que posee todos los requisitos de un establecimiento grande. Tan pronto como llegamos, unos ocho paganos de un pueblo nos visitaron; ellos viven en este sitio encantador entre los árboles junto al río (probablemente Yangna). Nos presentaron unas canastas de pinole hechas de semillas de salvia y de otras hierbas. Su jefe nos trajo unos collares de cuentas hechas de conchas y nos dieron tres manojos de ellas. Algunos de los viejos estaban fumando pipas hechas de arcilla cocida y echaban tres bocanadas de humo. Les dimos un poco de tabaco y cuentas de vidrio y se retiraron complacidos.

Jueves, 3 de agosto de 1769. A las seis y media abandonamos el campamento y rodeamos el río Porciúncula que corre por el valle desde las montañas hasta el llano. Después de cruzar el río entramos a unos grandes viñedos de uvas silvestres e infinidad de rosales en flor; toda la tierra es negra y margosa y puede producir todo tipo de grano y fruta. Nos fuimos hacia el oeste y continuamente por tierras muy buenas y cubiertas de pasto. Después de viajar cerca de media legua, llegamos al pueblo de esta región y su gente, al vernos, salió al camino. Conforme se nos acercaban empezaron a aullar como lobos: nos dieron la bienvenida y nos quisieron obsequiar semillas, pero como no teníamos en qué llevarlas, no las aceptamos. Al ver esto, aventaron algunos manojos de éstas en el piso y el resto en el aire. Viajamos por otro llano durante tres horas, tiempo en el que debimos de haber caminado muchas leguas. En ese mismo llano encontramos una arboleda de grandes alisos, altos y anchos, desde donde corre un arroyo con una profundidad del tamaño de un buey. En las orillas había pasto cubierto de hierbas fragantes y berros. El agua corría más adelante por un canal profundo hacia el sudeste. Toda la tierra que vimos esa mañana nos pareció admirable. Acampamos cerca del agua. Esta tarde sentimos nuevos terremotos cuya continuación nos asombra. Creemos que en las montañas que van hacia el oeste, enfrente de nosotros, existen algunos volcanes, ya que hay indicios en el trayecto del camino que va desde el río Porciúncula y del Arroyo de los Alcinos *(Spring of the Alders)* donde los exploradores vieron unos grandes pantanos de una substancia como de vidrio volcánico; estaba hirviendo y burbujeando y el vidrio volcánico salió mezclado con gran abundancia de agua. Notaron que el agua corre hacia un lado y el vidrio volcánico hacia el otro y que lo hay en tal cantidad que serviría para calafatear muchos barcos. El lugar en donde nos detuvimos se llama el arroyo de los alcinos de San Estevan (*sic*). (Esto pudo haber sido el arroyo de Ballona mientras que las fuentes del vidrio volcánico eran los pozos de alquitrán de La Brea).

Viernes, 4 de agosto de 1769. A las seis y media de la mañana dejamos el campamento y seguimos por el llano hacia el noroeste. A un cuarto de legua llegamos a un pequeño valle que se encuentra entre pequeñas colinas y continúa sobre llanos al nivel del mar, muy negros y con mucho pasto. Después de viajar dos horas, tiempo en que debimos de haber cubierto unas dos leguas, nos detuvimos en un lugar con agua que tiene dos pequeños manantiales que suben hasta el pie de una mesa más alta. De cada uno de los dos manantiales corre un pequeño arroyo que pronto se absorbe; ambos están llenos de berros y de innumerables arbustos de rosas castillas. Acampamos cerca de los manantiales donde encontramos un buen pueblo de gente amistosa e indios dóciles que, tan pronto como llegamos, nos vinieron a ver y a traernos su regalo de canastas de sabia y otras semillas, nueces pequeñas y redondas con una cáscara dura que se parece al coral, aunque no muy fina; respondimos a este gesto con cuentas de vidrio. Yo entendí que nos estaban preguntando si nos íbamos a quedar y les dije que íbamos a proseguir nuestro camino. Llamé a este lugar San Gregorio, pero para los soldados el sitio se conoce como los arroyos de El Berrendo, porque agarraron un venado vivo ahí con una pierna rota la tarde anterior, debido a un disparo de uno de los soldados voluntarios que no podía alcanzarlo. El agua está en un hueco rodeado de colinas bajas, a corta distancia del mar.[8]

## Movimientos iniciales

Tanto el fraile Crespi como sus superiores tomaron en cuenta el potencial de la región de Los Ángeles, la cual les pareció un sitio prometedor para las misiones futuras y para un poblado mayor. Durante los años 1769-1770, mientras se fundaban los presidios de Monterey, San Diego y las misiones de San Diego de Alcalá y San Carlos de Borromeo de Carmelo, las autoridades civiles y religiosas hacían planes para la fundación de una cadena de misiones a lo largo de la costa de Alta California incluyendo —por lo menos— una en la zona de Los Ángeles.

En 1769, la misión ya se había convertido en una institución establecida de las colonias españolas y había llegado a tener importancia para el sistema de colonización española de la zona fronteriza. El sistema de misiones tenía como motivo principal la cristianización de los paganos y la salvación de las almas y cumplía también con un fin menos altruista que consistía en: 1) concentración y refrenamiento de los indígenas norteamericanos potencialmente hostiles; 2) adoctrinamiento y aculturación; 3) formación, entrenamiento y control de la fuerza de trabajo productora de alimentos, materiales y productos acabados y disponibles para propósitos oficiales.

Las misiones atrajeron a los indios por diversas razones: 1) las ceremonias y actividades religiosas; 2) la creencia en las promesas de los misioneros de que el cristianismo les otorgaría una gracia especial, la vida eterna y el interés en ellos y posible intervención de los santos y deidades a favor del converso; 3) la oportunidad de adquirir nuevas comodidades, tecnología y destreza para manejar herramientas de hierro y técnicas agrícolas; 4) comidas regulares y nuevos alimentos como tortillas, frijoles, frutas y dulces.[9]

[8] Herbert E. Bolton (trad.), *Fray Juan Crespi Missionary Explorer on the Pacific Coast, 1769-1774*, pp. 146-150.

[9] Thomas Workman Temple II, *The Founding of Mission San Gabriel*, Los Ángeles, 1977. Fr. Zephyrin Engelhardt, *San Gabriel Mission and The Beginnings of Los Angeles*, San Gabriel, 1927. Fr. Francis J. Weber, "Mission San Gabriel's Bicentennial", *Southern California Quaterly*, vol. LIII, núm. 3, septiembre, 1971.

Cuando la persuasión de los misioneros y los bienes materiales fueron insuficientes para atraer a nuevos conversos, se les empezó a amenazar con la fuerza militar e incluso a usarla, lo que obligó a los pueblos a situarse de nuevo en la misión. Esta era la política de "congregación y reducción", es decir de la concentración forzada de indios en las misiones y otras localidades bajo el control de las autoridades militares. Si bien la información es incompleta, existen indicios del uso de tropas para forzar a los indios de la región de Los Ángeles a trasladarse a la misión de San Gabriel. Muchos años después, el ranchero Hugo Reid hizo la siguiente descripción:

> Así, llevando como guía a un indio, parte de los soldados o de los sirvientes se enfrascaron en expediciones en busca de conversos. En una ocasión llegaron tan lejos como hasta el actual Rancho del Chino, donde ataron y azotaron a todo hombre, mujer y niño del lugar y regresaron con algunos de ellos. En el camino hicieron lo mismo con los del alojamiento San José. Al llegar a casa se dieron instrucciones a los hombres para que aventaran sus arcos y flechas a los pies del sacerdote y a que se sometieran. Se bautizó a los bebés así como también a todos los niños menores de ocho años: a los primeros se les dejaba con sus madres y a los segundos se les aislaba de toda comunicación con sus padres. Esto tuvo como consecuencia lo siguiente: primero, que las mujeres consintieran y recibieran el rito por el amor que le tenían a sus recién nacidos y, segundo, que los hombres accedieran con el fin de disfrutar, una vez más, su vida social con sus esposas y familias. Entonces se realizaron los casamientos y así, esta raza reprimida se convirtió al cristianismo, ante sus propios ojos y los de su parentela.[10]

Fundada en septiembre de 1771, la misión de San Gabriel Arcángel se trasladó a su localidad actual en 1774. A fines de esa década, los misioneros y sus soldados en guardia habían logrado concentrar, por medio de la persuasión y de las restricciones, a una población de varios cientos de trabajadores indios con sus familias en la misión.

[10] Robert T. Heizer (ed.), *The Indians of Los Angeles County; Hugo Reid's Letters of 1852,* Los Ángeles, 1968, pp. 75-76.

Se conocían como conversos *(neophytes)* a los indígenas que vivían en la misión (para distinguirlos de los indios no conversos llamados *gentiles*), los cuales seguían un horario estricto de trabajo y de adoctrinamiento religioso bajo la dirección de los misioneros franciscanos. A pesar de los incidentes periódicos entre los guardias y los indios, San Gabriel llegó a convertirse en la misión más productiva de Alta California (solamente las misiones de San Gabriel y de San Luis Rey producían, regularmente, en exceso), con una cosecha de 2 mil fanegas de maíz en ese año.[11]

Tanta productividad tuvo como resultado que se actuara para apoyar la fundación de El Pueblo de la Reina de Los Ángeles, que era el segundo establecimiento civil en Alta California sobre el río Porciúncula en 1781. El 29 de noviembre de 1777, catorce familias que sumaban un total de sesenta y seis personas fundaron San José de Guadalupe a orillas del río Guadalupe (en la actualidad, el condado de Santa Clara), el cual fue el primer asentamiento civil.

A fines de la primera década, 1769-1779, había tres presidios, un pueblo y ocho misiones establecidas en Alta California, que ascendían a una población de 500 habitantes mexicanos y españoles. Este era un número muy pequeño de "gente de razón" (es decir, de todas aquellas personas cristianizadas de habla hispana de cualquier raza) dentro de una población mayor de cerca de 100 mil indígenas norteamericanos de la costa que va de San Diego a San Francisco.[12] Los puntos más importantes para el asentamiento de los pueblos eran tres: 1) crear establecimientos agrícolas que produjeran en exceso para abastecer a los presidios, lo que reduciría la dependencia que tenían estos últimos de los barcos abastecedores de las costas de San Blas; 2) crear una población en aumento constante de "gente de razón" para colonizar Alta California; 3) crear una comunidad de jóvenes militares que pudieran ser reclutados de las familias de soldados retirados y de los pobladores que proveían reclutas locales para cubrir los diversos rangos de las guarniciones del presidio.

[11] Hubert Howe Bancroft, *History of California*, vol. 1.
[12] *Ibídem.*

## Sonora y Sinaloa: madre patria de Alta California

Es probable que el aspecto menos comprendido y que más controversia ha causado acerca de la historia de Los Ángeles y de Alta California sea el étnico, es decir, el que se refiere a los orígenes de los fundadores y de otros colonizadores. Aunque se ha reconocido a un grupo original de once familias como fundadores de Los Ángeles, éste se componía —en su mayoría— de mulatos, indios y mestizos. Los antiguos historiadores intentaron demostrar que estos grupos no eran típicos de los colonizadores y soldados del presidio de tiempos posteriores. De hecho sucedió justamente lo contrario, ya que, étnicamente, los primeros colonizadores de Los Ángeles estaban constituidos por razas mixtas de ascendencia india, africana y europea. Más aún, esta mezcla racial era típica de los colonizadores de Alta California y de la mayor parte de la población de las provincias de la costa noroeste de México, áreas en las que los pobladores fueron recluidos.

Como la mayoría de los colonizadores de la Alta California vinieron de Sonora y Sinaloa, no es sorprendente que desde mediados del siglo XIX la gente de California se refiriera a los estados mexicanos mencionados como "la madre patria". Otro hecho importante lo constituyen los patrones sociales y culturales básicos de la sociedad mexicana en Alta California, los cuales se adoptaron de Sonora y Sinaloa donde se habían desarrollado durante los dos últimos siglos de colonización.

Alta California, Sonora, Sinaloa y el norte de México pasaron por un proceso de colonización similar en lo que se refiere a las instituciones y patrones sociales y culturales. Dentro del norte de México o Septentrión emergieron, como resultado geográfico, tres regiones importantes del norte y sur: 1) Texas, Tamaulipas, Coahuila y Nuevo León; 2) Nuevo México, Chihuahua y Durango; 3) Alta California, Baja California, Sonora y Sinaloa. En cada una de estas regiones, las provincias localizadas al sur (colonizadas en una fecha más temprana) sirvieron como base para el colonizaje de casi todas las áreas del norte en fecha posterior por colonizadores que provenían de zonas más antiguas.

La confusión y controversia relativas a la nacionalidad, cultura y aspecto étnico de los habitantes mexicanos (californios) del siglo XVIII, fue el resultado de fallas en los conceptos raciales y étnicos tradicionales angloamericanos, porque no supieron comprender ni interpretar a una sociedad racialmente mixta como la de México y su provincia de Alta California. Desde una perspectiva de pureza o de separación racial que clasificaba a la gente arbitrariamente como pertenecientes a grupos raciales exclusivos, los angloamericanos del siglo XIX y algunos del XX no comprendieron —y además distorsionaron— la realidad étnica, porque no podían aceptarla como un fenómeno normal.

Estas actitudes raciales originaron el mito de que los colonizadores del sudoeste del periodo colonial eran principalmente españoles europeos que mantuvieron su "pureza racial" y una identidad distinta de los mexicanos. Como contribución al surgimiento y persistencia de este mito estaba la aceptación que tenía una minoría atípica de algunos descendientes de los primeros colonizadores (que a menudo se casaban con angloamericanos), los cuales perseguían la aceptación social de los angloamericanos negando a sus verdaderos antepasados. Desde fines del siglo XIX hasta 1960 el "mito español" distorsionó la historia de la comunidad mexicana en Estados Unidos al atribuir a estos mitos sus logros y contribuciones. La historia no solamente se distorsionó debido a los prejuicios, sino también por la realidad contemporánea. Por ejemplo, muchos angloamericanos han considerado como un gesto de "cortesía" el referirse eufemísticamente a los mexicanos de Estados Unidos como "españoles" y no como mexicanos. Así también, durante varios años, los restaurantes que tenían una clientela angloamericana anunciaban la comida mexicana como española, ya que esto era socialmente más aceptable. Aún en 1980, un gran número de personas de Nuevo México se consideraban como españoles americanos al hablar en inglés y como "mexicanos" al hablar en español con otros mexicanos. La popularidad oficial reciente del término "hispánico" es considerado por muchos mexicanos como eufemismo diseñado para negar la ascendencia mexicana y dividir políticamente a la comunidad de la tierra del águila, la serpiente y el nopal.

Complicando aún más nuestra comprensión de la identidad étnica y del concepto del yo de la población que habitaba Los Ángeles durante los periodos colonial y nacional mexicanos, se encuentra la existencia de los prejuicios de color en las sociedades mexicana y latinoamericana que se originaron en el sistema de castas del periodo colonial. Debemos diferenciar esto del sistema racial angloamericano porque, este último, considera a las razas separadas, exclusivas y desiguales, sin importarle los aspectos sociales o de clase. Las sociedades mexicana y latinoamericana se caracterizaron por un sistema de castas dentro del cual el color de la piel era una simple variante del prestigio social, entre otros, como la riqueza, la educación y la ocupación. En capítulos posteriores se examinarán tanto las operaciones como las influencias del sistema de castas que imperan actualmente en México y California.[13]

Un examen de las estadísticas del México colonial sobre la población de castas borra la idea de que los españoles europeos comprendían a la mayoría de los colonizadores de Alta California. El censo de México en 1792 —el más completo y adecuado del periodo colonial— demostró el siguiente cambio en la población de Alta California. En 1793 había un total de 32 españoles europeos de los cuales solamente cuatro eran misioneros franciscanos, 435 eran criollos, 183 mulatos o de ascendencia africana, 418 castas, es decir, personas de raza india, africana y europea mezcladas que actualmente se consideran como mestizos y 3 234 indios que, en apariencia, incluían tan sólo a los indios norteamericanos conversos (*neophytes*) que estaban bajo el control de los misioneros.[14]

El número real de personas de ascendencia europea era considerablemente menor al mostrado en el censo, debido al uso flexible de identificación étnica en la frontera mexicana. El designio de español o criollo se daba con frecuencia a personas de ascendencia racial mixta y que tenían prestigio, una posi-

[13] Para mayor información sobre el sistema de castas del periodo colonial cf.: Colin M. Machlan y Jaime E. Rodríguez, *The Forging of the Cosmic Race: A Reinterpretation of Colonial Mexico,* Berkeley, 1980, pp. 196-228. Gonzalo Aguirre Beltrán, *La población negra de México,* México, D.F., 1971. Ralph Beals, "Indian-Mestizo-White Relations in Spanish America" en *Race Relations in World Perspective,* Honolulu, 1955. Nicolás León, *Las castas de México Colonial o Nueva España,* México, D.F., 1924. J. I. Israel, *Race, Class and Politics in Colonial México, 1610-1670,* Oxford, 1975. L. N. McAlister "Social Structure and Social Change in New Spain", *Hispanic American Historical Review,* vol. XLIII, 1963, pp. 708-714.

[14] Gonzalo Aguirre Beltrán, *La población negra de México, 1519-1810,* pp. 228.

## CENSO DE POBLACIÓN DEL MÉXICO COLONIAL, 1793: RUPTURA DE CASTAS[15]

| *Intendencia* | *Clero* | *Europeos* | *Españoles americanos* | *Mulatos* | *Otras castas* | *Indios* |
|---|---|---|---|---|---|---|
| Alta California | 24 | 6 | 435 | 183 | 418 | 3 234 |
| Nuevo México | 28 | 16 | 14 537 | | 5 736 | 10 664 |
| Sonora | 29 | 128 | 8 115 | 3 915 | 3 902 | 23 189 |
| Sinaloa | | 139 | 18 394 | 15 078 | 2 671 | 18 780 |
| Durango | 208 | 80 | 1 065 | 6 875 | 386 | 2 491 |
| Guanajuato | 197 | 1 280 | 102 304 | 72 281 | 46 982 | 175 182 |
| México | 2 299 | 1 330 | 134 965 | 52 629 | 112 113 | 742 186 |
| Tlaxcala | 29 | 53 | 8 021 | 697 | 7 499 | 42 878 |
| Antequera (Oaxaca) | 841 | 303 | 11 575 | 2 801 | 607 | 40 648 |
| Tabasco | 26 | 151 | 2 556 | 11 184 | 2 280 | 19 438 |
| Mérida (Yucatán) | 556 | 126 | 3 286 | 3 416 | 6 250 | 14 751 |
| Totales | 4 237 | 3 612 | 305 253 | 169 059 | 188 844 | 1 093 441 |
| Porcentaje de la población | 0.2 | 0.2 | 17.3 | 9.5 | 10.6 | 62.1 |

ción oficial o riqueza en la sociedad fronteriza. Por ello, era una sociedad en la que se apreciaban los siguientes casos o aspectos: las personas de ascendencia mixta que tuvieran muchas de las habilidades necesarias, como las de un herrero; el rango, como en un cabo y aun en un soldado raso en las tropas del presidio; la prosperidad relativa dentro de las normas locales, como en los rancheros, que con frecuencia se consideraban como criollos españoles, sin importar su verdadero aspecto étnico. Así también, en una población de personas de piel oscura, se consideraban como españoles a las personas racialmente mixtas que tuvieran la tez clara, simplemente por su apariencia. Debido a esto, se desconoce la verda-

[15] *Ibídem.*

dera cifra de personas racialmente mixtas o de mestizos, la cual era mucho mayor que la indicada.

En relación al censo de 1793, es un hecho que una parte mayor de la población fuera de ascendencia africana, y no como se ha establecido debido a los prejuicios raciales. Los mulatos, mestizos y otras personas de casta mixta no eran, por lo tanto, raras en Sonora, Sinaloa o en el México colonial. En Sinaloa había solamente 139 españoles nacidos en Europa, 18 394 españoles americanos; mientras que había 15 078 mulatos, 2671 personas de otras castas mixtas y 18 780 indios, en 1793. La composición étnica de la población de Sonora era similar, excepto porque había una cantidad menor de mulatos y mayor de indios. Así también, debido a que la mayoría de los africanos habían venido a estas provincias unos cien años antes y a que sus descendientes eran de raza mixta, se dedujo que en 1769, las personas de ascendencia africana en Alta California no eran más atípicas que un gran número de mulatos de las poblaciones de Sonora y Sinaloa. Los pobladores de Los Ángeles eran simplemente una sección mezclada perteneciente a la clase trabajadora de estas provincias.[16]

La colonización de Sinaloa había empezado en 1530 y la de Sonora en 1620. En 1733 se unieron como Gobernación de Sonora y Sinaloa (más tarde como Intendencia de Sonora y Sinaloa). Estas provincias también tenían un gran número de subregiones históricas con sus propias identidades. Dentro de estas áreas se encontraba Chiametla, que cubría las poblaciones de Rosario y Mazatlán; Culiacán, alrededor de la ciudad de Culiacán, hoy en día capital del estado de Sinaloa: Sinaloa, parte norte del estado actual, incluyendo los poblados El Fuerte, Álamos (ahora Sonora) y Sinaloa; Ostimuri, que comprendía la zona geográfica entre los ríos Mayo y Yaqui; y, finalmente, Sonora, que abarcaba la mayor parte de su territorio actual y la Pimería Alta que hoy es parte sur de Arizona, incluyendo Tucson y Tubac.[17]

Las instituciones familiares de las misiones, presidios y pueblos tan importantes después para Alta California, eran signi-

[16] *Ibídem.*

[17] Véase Luis Navarro García, *Sonora y Sinaloa en el siglo XVII*, Sevilla. 1967. Eakah L. Jones. Jr., *Los Paisanos: Spanish Settlers on the Northern Frontier of New Spain.* Ignaz Pfefferkorn, *Sonora A Description of the Province.*

ficativos en Sonora y Sinaloa, como también lo era Real de Minas. Si bien los jesuitas dirigían las misiones de Sonora y Sinaloa, sus funciones de conversión religiosa, aculturación y entrenamiento para la fuerza de trabajo, eran básicamente iguales a las de las misiones posteriores de Alta California. Ahí las misiones hicieron uso de los métodos desarrollados en los campos de las misiones anteriores. Desde el punto de vista de los administradores coloniales, el último objetivo de las misiones era incorporar a los indios a la sociedad colonial y convertir a las misiones en poblaciones civiles. Ya en Sonora y Sinaloa (a fines del siglo XVIII) las misiones jesuitas anteriores se habían secularizado y convertido en pueblos civiles.[18]

Los habitantes de las misiones anteriores (ahora poblaciones), incluyendo a muchos colonizadores reclutados para Alta California, eran, en su mayoría, descendientes de los indios de Sinaloa, los cuales habían estado culturalmente relacionados y étnicamente mezclados con los mestizos de habla hispana. A mediados del siglo XVIII ya estaban mezclados étnicamente y continuaban uniéndose con los descendientes indios del centro de México y con los europeos y africanos que habían emigrado a la provincia desde la conquista.

Desde el siglo XVI se colonizaron las zonas más grandes, es decir, las del sur y centro de Sinaloa, en las cuales intervinieron las misiones de los jesuitas. Sonora fue colonizada en fecha más reciente y las misiones llegaron ahí desde 1620, cuando las ricas minas de plata estimularon a sus colonizadores. Desde el punto de vista económico, aunque Sinaloa poseía algunas zonas mineras dispersas, especialmente en la Chiametla —alrededor de Rosario—, dependía, en gran parte, de los campos de ganado y de la agricultura. Aunque la economía de Sonora poseía otro tipo de producción, estaba fuertemente influenciada por los distritos mineros ricos de ese tiempo.[19]

En el momento en que se llevó a cabo la colonización de Alta California (1769), ya Sinaloa había dejado de considerarse

[18] Para los relatos de las misiones jesuitas de Sonora y Sinaloa véase William Eugene Shiels, "Gonzalo de Tapia (1561-1594), Jesuit Pioneeer in New Spain", pp. 125-144. *Greater America Essays in Honor of Herbert Eugene Bolton,* Berkeley, 1945. John Francis Banon, "Pioneer Jesuit Missionaries on the Pacific Slope of New Spain", pp. 181-197. *Greater America,* Berkeley, 1945. Edward H. Spicer, *Cycles of Conquest,* Tucson, 1962.

[19] *Ibídem.*

como zona fronteriza, mientras que Sonora (colonizada más recientemente) se caracterizaba por una gran población indígena, parcialmente subyugada y expuesta a las invasiones de los apaches. A mediados del siglo XVIII los comanches habían obligado a los apaches a trasladarse al oeste de México. La frontera de Sonora o *tierra adentro* (especialmente Pimería Alta que estaba al norte) era *tierra de guerra,* porque las tropas del presidio, los mineros y establecimientos aislados tenían choques regularmente con los invasores apaches.

A mediados del siglo XVIII, las zonas establecidas de ambas provincias habían desarrollado una estratificación económica y social que iba en aumento. Ésta se caracterizaba por la separación que había entre una pequeña élite de terratenientes, dueños de minas, comerciantes y oficiales muy ricos, y la mayoría de la población que era la clase trabajadora de jornaleros, labradores, mineros y artesanos. Durante casi todo el siglo XVIII, Sinaloa se conoció como un "despoblado", es decir, como una zona de depresión económica. Las oportunidades para el adelanto económico y social fueron limitando a los miembros de la clase trabajadora. Incluso, era difícil que los jornaleros ambiciosos y los hijos de los labradores adquirieran la propiedad de un rancho pequeño y productivo. Era un hecho que, cada vez más, los hijos de los labradores se iban convirtiendo en jornaleros o vaqueros de un rico terrateniente cuando, debido a la muerte de sus padres, tenían que dividir sus propiedades.[20]

Contrastando con las zonas establecidas, la frontera era una región que ofrecía oportunidades económicas y sociales, aunque al costo del trabajo pesado y del peligro de las invasiones de los indios. La emigración a las nuevas áreas mineras de Sonora podía significar un salario más alto en una zona en donde el trabajo era muy solicitado; la emigración a la zona fronteriza también ofrecía posibilidades de adquirir una propiedad, o por lo menos, de labrar la tierra. Finalmente, enlistarse en una compañía de soldados de presidio significaba una forma de subsistencia regular, la posibilidad de ser promovido a cabo o sargento y la oportunidad de obtener una tierra pequeña al momento de retirarse. Los riesgos que se corrían

[20] Véase Luis Navarro García, Oakah Jones, *op. cit.*

para ganar tales oportunidades también eran muy grandes, así como también lo era la renuencia de la gente para abandonar la tierra donde había nacido. Estos eran los diversos tipos de duras posibilidades que tenían que enfrentar los colonizadores de Alta California y Los Ángeles, reclutados como estaban dentro de la clase trabajadora del occidente de México.

## La fundación de Los Ángeles

Los planes para la fundación de San José, Los Ángeles y Santa Bárbara —que incluyen la selección de su establecimiento— se debieron a Felipe de Neve, gobernador de las Californias y coronel de la Armada Española. De Neve, español nacido en Europa, era el tercer gobernador de Baja y Alta California y el primero es residir en Monterey, Alta California. Bajo las órdenes del virrey, de Neve intercambió lugares con su teniente gobernador, el veterano Fernando de Rivera y Moncada, que en 1777, fue de Monterey a Loreto, en Baja California. El virrey Bucareli y el comandante general de las Provincias Interiores, Teodoro de la Croix, consideraron a de Neve como administrador hábil. Antes de su transferencia a Alta California, de Neve le había propuesto al virrey la fundación de un establecimiento agrícola en el norte de Baja California para proveer, con una fuente adicional de abastecimientos, a la Alta California. Después de su cambio a Monterey, el virrey Bucareli le ordenó identificar los posibles lugares de establecimiento agrícola en Alta California. Conforme llevaba a cabo sus obligaciones, de Neve identificó las localidades futuras de San José, Los Ángeles y Santa Bárbara recomendándolas para la formación de dos pueblos civiles y un nuevo presidio.[21]

En noviembre de 1777, de Neve, actuando bajo su propia iniciativa, ordenó la fundación del primer establecimiento civil en San José de Guadalupe, Alta California, una acción que fue

[21] Edwin A. Beilharz, *Felipe de Neve: First Governor of California,* San Francisco, 1971. Lindley Bynum, "Governor Felipe de Neve-Chronological Note", *Southern California Quarterly*, parte I, vol. XV, septiembre, 1931, Los Ángeles, pp. 57-62. Sindley Bynum, "Four Reports by Neve, 1777-1779", *Southern California Quarterly,* parte I, vol. XV, septiembre, 1931. Thomas Workman Temple II, "Se Fundaron un Pueblo de Españoles-The Founding of Los Angeles", *Southern California Quarterly,* parte I, vol. XV, septiembre, 1931.

aprobada retroactivamente por el virrey y el comandante general. Al planear los nuevos establecimientos de Neve tomó como ejemplo los dos siglos de experiencia colonial en la fundación de nuevos poblados y de una buena cantidad de leyes coloniales. Más aún, como resultado de la confianza que sus superiores tenían en él, se le pidió a de Neve que escribiera las reglas específicas que gobernaran el establecimiento de colonizadores de Alta California. En 1777 el virrey le ordenó que redactara sus sugerencias para promulgar nuevas leyes y reglamentos para gobernar las Californias. Su escrito era tan minucioso que, haciéndole pequeñas modificaciones y añadidos, se adoptó como el nuevo "Reglamento e instrucción para el gobierno de la provincia de Californias" en octubre de 1781. Esto fue de importancia para trazar los reglamentos y condiciones específicos para llevar a cabo la operación de los pueblos y para las concesiones de tierra otorgadas a los pobladores de la fundación de Alta California.[22]

En diciembre de 1779, el virrey Bucareli y el comandante general de la Croix aprobaron la proposición de de Neve para la fundación de Los Ángeles y Santa Bárbara. El 27 de diciembre de 1779, el comandante general de la Croix le escribió a don Fernando Rivera y Moncada, teniente gobernador de las Californias, para darle instrucciones de que se hiciera cargo del reclutamiento de los colonos para el nuevo establecimiento. Se ordenó a Rivera y Moncada que procediera directamente hacia Arizpe, capital de las provincias internas, para encontrarse con el comandante general a cargo de esta labor. Al mismo tiempo, de Neve recibió órdenes para preparar la llegada de los colonos y de los nuevos reclutas del presidio. Al llegar a Arizpe, Rivera y Moncada revisó su labor con el comandante general. Se le ordenó reclutar a veinticuatro colonos con familias, cincuenta y nueve reclutas del presidio, de los cuales veinticinco tendrían que suplir los lugares en los presidios de Sonora de veinticinco soldados veteranos mandados a Alta California y treinta y cuatro que iban a servir en los presidios de Alta California. También debía comprar casi mil cabezas de ganado, incluyendo caballos de remonta para las compañías de los presidios y ganado que se destinaría a los

[22] Edwin A. Beilharz, "Reglamento", *op. cit.* John Everett Johnson (trad.), *Regulations for Governing the Province of Californias*, San Francisco, 1929, pp. 85-96.

nuevos colonos. Se asignaron varios oficiales y suboficiales y veinticinco soldados veteranos para ayudarlo a realizar este trabajo y se les dio permiso para hacer uso de la tesorería de las Provincias Internas en Álamos, con el fin de completar los fondos requeridos para cumplir con estas órdenes.[23]

El comandante general también le advirtió que esta tarea podría llegar a ser muy difícil, debido a los rumores negativos que se habían extendido en relación a las condiciones de servicio en Alta California. De la Croix le informó que debía tener cuidado de no exagerar los beneficios que se prometían a los colonizadores y reclutas en potencia y que debía ser preciso y minucioso al explicar las condiciones y beneficios de Alta California. Se dieron instrucciones detalladas sobre los requisitos deseados de los pobladores y soldados. Los pobladores debían ser hombres, jefes de familia, campesinos con experiencia y agricultores diestros en las técnicas de labranza e irrigación. De la Croix lo expresó de la siguiente manera: "La cabeza o padre de cada familia ha de ser hombre de campo, labrador de ejercicio, sano, robusto y sin conocido vicio o defecto..."[24]

También se reclutaron a artesanos de calidad como pobladores, incluyendo a un albañil, un carpintero que sabía cómo hacer yugos, arados, rodadas y carretas, un herrero que hacía rejas, azadones, hachas y barras. Los artesanos y soldados también eran hombres casados, mientras que a los últimos se les exigía que tuvieran las mismas cualidades que los pobladores, además de la fuerza y resistencia para enfrentarse a las duras condiciones de trabajo en la frontera.

Los pobladores de Alta California iban a recibir un lote para una casa, dos *suertes* de tierra irrigable, dos suertes de tierra seca, además del uso de las tierras del pueblo que estaban separadas para campos de pastoreo y la colección de materia prima como leña. A partir de la fecha en que se enlistaran, recibirían diez pesos al mes y raciones regulares para ellos y sus familias durante tres años. Asimismo iban a recibir herramien-

[23] Thomas Workman Temple II, "Se Fundaron Un Pueblo de Españoles", *op. cit.* Harry Kelsey, "A New Look at the Founding of Old Los Angeles", *California Historical Quarterly*, vol. LV, núm. 4, invierno, 1955, pp. 326-339.

[24] Teodoro de Croix al capitán Fernando de Rivera y Moncada, "Instructions for the Recruital of Soldiers and Settlers for California-Expedition of 1781", *Provincias Internas,* t. 122, Archivo General; *Southern California Quarterly,* parte I, vol. XV, septiembre 1931, p. 192.

tas, ropa y un número substancial de ganado, incluyendo dos vacas, dos bueyes, dos ovejas, dos cabras, tres yeguas, dos caballos y una mula. El salario por tres años, el ganado y la tierra se recibirían en calidad de préstamo, mismo que debía pagarse dentro de un periodo de diez años de producción agrícola. A cambio de esto los pobladores consintieron en permanecer en Alta California por un lapso no menor de diez años, como granjeros y artesanos del pueblo nuevo que se fundaría a un lado del río Porciúncula, El Pueblo de la Reina de Los Ángeles.[25]

A pesar de que dichos incentivos eran muy atractivos en aquel tiempo para cualquier granjero, trabajador, artesano o minero, el capitán Rivera y Moncada tuvo muchas dificultades para reclutar a los pobladores. Alta California estaba muy lejos de Sinaloa y más allá de la frontera de Sonora y Sinaloa. Además, en este tiempo solamente existía un camino directo por tierra hasta Alta California a través del desierto de Sonora, el río Colorado y el desierto Mojave, el cual había sido trazado por el coronel Juan Bautista de Anza en 1777. La comunicación en Alta California era difícil e irregular aun para las autoridades militares, mucho más analfabetas que los pobladores civiles. Asimismo, los habitantes de la frontera de las Provincias Internas veían a Alta California muy lejana y una persona sensata se daba cuenta de inmediato de que al establecerse tan lejos difícilmente regresarían a su lugar de origen. Aunado a esto estaban los rumores difundidos, en parte certeros, de que los soldados en Alta California no estaban recibiendo la suma total del salario prometido.

Al viajar hacia el sur desde Arizpe en 1780, se le ordenó al capitán Rivera y Moncada que tratara de disminuir el número de reclutas de Sonora y otras Provincias Internas, ya que éstas también eran zonas de baja población en la frontera, desde las cuales las expediciones anteriores ya habían reclutado gente. Rivera y Moncada recibió órdenes de que, en caso necesario, fuera más allá de los límites de las Provincias Internas, tan lejos como la ciudad de Guadalajara. En sus instrucciones describían a las regiones que estaban más allá de las Provincias Internas, es decir, "las provincias conocidas comúnmente como

[25] *Ibidem*, pp. 189-201.

tierra de afuera", refiriéndose a las provincias establecidas del centro de México, en el sentido de que constituían el mundo exterior fuera de la frontera o tierra adentro, que era el término usado para describir el norte de la frontera interior.[26]

Cuando visitó los pueblos de Álamos, Villa de Fuerte, Villa de Sinaloa y Culiacán, Rivera y Moncada se las ingenió para reclutar cuarenta y cinco soldados y siete pobladores el primero de agosto de 1780. De este mes a noviembre del mismo año reclutó gente en el sur de Sinaloa, Mazatlán y, finalmente, del pueblo minero Rosario en Chiametla. Logró enlistar a todos los soldados, pero solamente a catorce colonizadores, dos de los cuales desertaron antes de que la expedición saliera de Sinaloa. En este punto se tomó una decisión para terminar con más reclutamientos y salir con los pobladores ya enlistados.[27] Esta decisión probablemente se debió al deseo de evitar retrasos costosos, ya que tendrían que alimentar a la gente y a los animales.

Toda la expedición, formada de pobladores, soldados, animales y abastecimiento, fueron reunidos por Rivera y Moncada en Álamos, donde se dividieron en dos grupos. Los colonizadores y una escolta de diecisiete soldados con sus familias estaban bajo las órdenes de Alfarez, insignia de José de Zúñiga y Alfarez Ramón Laso de la Vega. Ellos debían ir por mar hacia el norte de Baja California, caminar por tierra al presidio de San Diego y luego hacia San Gabriel. El otro contingente estaba bajo el mando del capitán Rivera y Moncada y contaba con cuarenta y dos soldados, sus familias y una gran manada de casi mil caballos, ganado vacuno, mulas, cabras, ovejas y otro tipo de ganado. Debido a este gran número de animales, tenían que seguir por la ruta terrestre abierta por Juan Bautista de Anza. El primer grupo salió de Álamos el 2 de febrero de 1781 hacia la costa en donde iban a salir en lanchas que lòs transportarían a Loreto, Baja California. El segundo grupo de Rivera y Moncada partió en abril de 1781.[28]

Alfarez José de Zúñiga dirigió el grupo de doce familias de

[26] *Ibídem*, p. 191.
[27] Thomas Workman Temple II, "Se Fundaron un Pueblo de Españoles", *op. cit.*
[28] Harry Kelsey, *op. cit.*

pobladores que salieron de Álamos, el cual estaba formado por los siguientes adultos y niños:

| | *Nombre* | *Lugar de nacimiento* | *Edad* | *Casta* |
|---|---|---|---|---|
| 1) | José Venegas | Real de Bolaños, Durango | 28 | Indio |
| | María Máxima Aguilar | Rosario, Sonora y Sinaloa | 20 | India |
| | Cosme Damien | | 1 | |
| 2) | Luis Quintero | Guadalajara, Jalisco | 55 | Negro |
| | Petra Rubio | Álamos, Sonora y Sinaloa | 40 | Mulata |
| | José Clemente | | 3 | |
| | María Gertrudis | | 16 | |
| | María Concepción | | 9 | |
| | Tomasa | | 7 | |
| | Rafaela | | 6 | |
| 3) | Pablo Rodríguez | Real de Santa Rosa, Durango | 25 | Indio |
| | María Rosalía Noriega | Rosario, Sonora y Sinaloa | 26 | India |
| | María Antonia | | 1 | |
| 4) | Antonio Mesa | Álamos, Sonora y Sinaloa | 38 | Negro |
| | Ana Gertrudis López | Álamos, Sonora y Sinaloa | 27 | Mulata |
| | Antonio María | | 8 | |
| | María Paula | | 10 | |
| 5) | José Antonio Navarro | Rosario, Sonora y Sinaloa | 42 | Mestizo |
| | Regina Dorotea Soto | Rosario, Sonora y Sinaloa | 47 | Mulata |
| | José María | | 10 | |
| | José Clemente | | 9 | |
| | María Josefa | | 4 | |
| 6) | Alejandro Rosas | Rosario, Sonora y Sinaloa | 19 | Indio |
| | Juana Rodríguez | Real de Santa Rosa, Durango | 20 | Coyota |
| 7) | José de Velesco y Lara | Cádiz, España | 50 | Español |
| | María Antonia Campos | Villa de Sinaloa, Sonora y Sinaloa | 23 | India |
| | José Julián | | 4 | |
| | Juana de Jesús | | 6 | |
| | María Faustina | | 2 | |
| 8) | Basilio Rosas | Hacienda de Magdalena, Durango | 67 | Indio |
| | María Manuela Hernández | Rosario, Sonora y Sinaloa | 43 | Mulata |
| | José Máximo | | 15 | |
| | Carlos | | 12 | |
| | Antonio Rosalino | | 7 | |

| | Nombre | Lugar de nacimiento | Edad | Costa |
|---|---|---|---|---|
| | José Marcelino | | 4 | |
| | Juan Esteban | | 2 | |
| | María Josefa | | 8 | |
| 9) | Antonio Clemente | | | |
| | Feliz Villacencio | Chihuahua | 30 | Español |
| | María de las Flores | Real de Batopila, Durango | 26 | India |
| | María Antonia | | 8 | |
| | Josefa | | | |
| 10) | José Moreno | Rosario, Sonora y Sinaloa | 22 | Mulato |
| | María Guadalupe | Rosario, Sonora y Sinaloa | 19 | Mulata |
| 11) | Manuel Camero | Acaponeta, Nayarit | 30 | Mulato |
| | María Tomasa García | Rosario, Sonora y Sinaloa | 24 | Mulata |
| 12) | Antonio Miranda Rodríguez | Manila, Filipinas | 50 | Chino |
| | Juana María | | 11 | |

## *Fuerza y valentía*

Los veintitrés adultos y veintiún niños de este grupo estaban mezclados racialmente y, en su mayoría, representaban a la clase trabajadora de las provincias fronterizas del noroeste de México del siglo XVIII. Contrariamente a las interpretaciones previas que los calificaron como colonizadores ineptos e inferiores, ellos eran (a excepción de una persona) "hombres y mujeres de exercicio". La mayor parte de ellos había tenido experiencia previa como granjeros, jornaleros, mineros, mientras que dos de ellos eran artesanos y tenían experiencia, uno como sastre y el otro como armador. Es probable que muchos otros hayan tenido experiencia artesanal, como después lo señalaron las listas de censos de la zona de Los Ángeles, que incluían a un albañil y a un carpintero. La única excepción dentro de este grupo de gente trabajadora, y también el único español europeo del grupo, José de Velesco y Lara, era un bígamo y fugitivo que había sido contador y administrador de una hacienda.

El grupo reflejaba la composición étnica de Sonora y Sinaloa, lugares de donde casi todos venían. Ocho de los veintitrés adultos eran indios, diez de ascendencia africana, dos negros y ocho mulatos. Los récords también muestran que uno de los negros, Luis Quintero, era hijo de un esclavo negro y de una mujer india de Álamo. Uno de ellos había nacido en Cádiz, España, otro estaba anotado como "español americano" (una persona de ascendencia española nacida en México). Había un "mestizo" (persona de ascendencia española e india): este término se generalizó después para incluir a todos los tipos de persona de raza mixta. En la lista había un "coyote" (hijo de un mestizo y de un indio de la frontera, o de un mulato y un indio de la frontera). Algunas veces se consideraba como "chino" al asiático y otras a los de ascendencia negra e india mixta. A este grupo pertenecía Antonio Miranda Rodríguez que probablemente era filipino, ya que había nacido en Manila, capital de la entonces colonia española de Filipinas.[29] De la misma manera, de los veintiún niños, diecinueve eran de ascendencia racialmente mixta, mientras dos de ellos eran indígenas. El aspecto étnico de los pobladores reflejaba la realidad dinámica de mezclas que estaba provocando la formación de un nuevo grupo étnico. Las castas mezcladas racial y culturalmente en el México del siglo XVIII formaron una base para el surgimiento del nuevo grupo étnico en donde predominaba el mestizo y la nacionalidad y cultura mexicana.

La información sobre la fundación de Los Ángeles ha tenido muchos cambios en años recientes debido a que se han tenido al alcance nuevas fuentes de información. Casi todos los datos de los siglos XIX y XX señalaron que el pueblo se fundó el 4 de septiembre de 1781, siendo gobernador Felipe de Neve, que en esa fecha fue atendido por una escolta de soldados. Muchos dedujeron que se llevaron à cabo una ceremonia formal y una misa. También se pensó que los colonizadores llegaron en un solo grupo a la misión San Gabriel varias semanas antes de la fundación. La última evidencia demuestra que el verdadero proceso de la fundación fue complicado y de duración más prolongada.

Al corregir estos errores ha tenido una significación especial la investigación del doctor Harry Kelsey del Museo de Historia Natural del condado de Los Ángeles. Según Kelsey, el gobernador de Neve entabló relaciones diplomáticas preliminares

[29] Mr. William Mason, conservador de historia del Museo de Historia Natural del condado de Los Ángeles, ha examinado un documento en el Archivo General de la Nación, México, D.F., que señala que Manila, Filipinas es el lugar de nacimiento de Antonio Miranda Rodríguez.

con los indios gabrielinos del pueblo de Yanga o Yabit para asegurar el desarrollo de relaciones amistosas con los colonizadores. En la primavera de 1781, de Neve organizó el bautizo de tres docenas de habitantes de Yanga y actuó personalmente como padrino de doce personas. Más adelante de Neve asesoró el bautizo y nuevo matrimonio de una pareja de gabrielinos que fueron renombrados Felipe de Neve y Felipa de Neve. Según Kelsey, es probable que de Neve estuviera preparando a esta pareja para que se convirtiera en el núcleo del primero de una serie de establecimientos cristianos indios que él quiso formar, sin lograrlo, debido a que ese mismo año lo sustituyó Pedro de Fages.[30]

También parece que no todos los pobladores salieron de Álamos el 2 de febrero de 1781: por lo menos tres de ellos partieron varios días después, probablemente uniéndose al Alfarez Zúñiga y al resto de los colonizadores de la costa, antes de que se embarcaran hacia Baja California. Después de su llegada a Baja California, varios de los pobladores y sus hijos se enfermaron de viruela, así que muchos de ellos no pudieron continuar el viaje. El 12 de marzo de 1781, Alfarez Laso de la Vega siguió adelante con los colonizadores sanos: se fueron en barco por la costa del Golfo de California hacia la Bahía de San Luis y desde ahí caminaron por tierra hacia San Diego y después hasta San Gabriel.[31]

Alfarez Zúñiga continuó después con todos los otros colonizadores, a excepción de Antonio Miranda Rodríguez y su hija que se quedaron en Loreto porque estaban todavía muy enfermos para viajar. Aunque se conservó el terreno para Miranda Rodríguez, él y su hija nunca pudieron establecerse en Los Ángeles porque, cuando finalmente llegaron a Alta California, se supo que él se había entrenado como armero. Como este conocimiento era muy necesario, se le asignó de nuevo como armero del presidio establecido en Santa Bárbara en 1782.[32]

Los colonizadores que iban con Alfarez Laso de la Vega llegaron a la misión de San Gabriel Arcángel el 9 de junio de 1781. Entre ellos estaban Antonio Mesa y otras tres familias cuyos nombres no fueron registrados. Tal parece que estas

[30] Harry Kelsey, *op. cit.*
[31] *Ibídem.*
[32] *Ibídem.*

familias, o por lo menos los jefes de ellas, empezaron a trabajar y habitar el pueblo antes de fines de junio de 1781. El siguiente grupo de pobladores llegó el 14 de julio del mismo año, e incluía a José de Velesco y Lara, a Luis Quintero y sus familias, que probablemente se unieron a los otros habitantes del pueblo.

El último grupo de pobladores (aún recuperándose de la viruela) llegó bajo las órdenes de Alfarez Zúñiga a San Gabriel el 18 de agosto de 1781. Este último grupo definitivamente incluía a Manuel Camero, Basilio Rosas y sus familias. Debido al peligro que representaba el contagio de viruela, se obligó al grupo a guardar cuarentena a dos millas al sur de la misión de San Gabriel. A fines de agosto la mayoría, si no es que todos los colonizadores y sus familias, estaban viviendo y trabajando en el pueblo. Parece ser que el gobernador de Neve ya había ordenado que se marcaran los lotes de las casas y de los terrenos agrícolas fuera del pueblo. En una carta fechada el 29 de octubre de 1781 a Teodoro de la Croix, comandante general de las Provincias Internas, Felipe de Neve reportó:

> ...Habiendo llegado a esta misión el 18 de agosto, el teniente José Zúñiga previó que los reclutas, pobladores y familias que había traído bajo su cargo, debían acampar a la distancia de una legua (de la misión) debido a que algunos niños dentro del grupo se habían recuperado recientemente de la viruela. Desde su campo se fueron a establecer en los terrenos donde se está fundando el pueblo de Los Ángeles, y ahora que se ha terminado la Zanja madre continúan construyendo sus casas y también sus corrales para el ganado. Este último no ha sido distribuido aún porque se están concentrando los esfuerzos en terminar el pueblo y, una vez que se termine, empezarán a arar las tierras para la cosecha de trigo.
>
> A este pueblo llegaron solamente once pobladores y de ellos solamente ocho aptos para cualquier trabajo.[33]

El número real de fundadores de Los Ángeles pubo haber sido mayor, ya que la escolta militar, compuesta por cuatro soldados y sus familias, probablemente acompañaron a los pobladores al sitio y pudieron formar parte de los primeros

[33] Neve al Comandante General. Octubre 29, 1781. "Bancroft Library Transcripts of Documents Pertaining to the Founding of Los Angeles", *Southern California Quarterly,* parte I, vol. XV, septiembre 1931, pp. 144-145.

residentes de la comunidad. Entre las personas que generalmente se consideraban como miembros de esta escolta estaba Vicente Feliz, un cabo y conocido residente de Los Ángeles desde 1785. Feliz, veterano de la expedición de 1776, vivía con su esposa que murió al dar a luz durante el trayecto hacia Alta California y le dejó un hijo varón. Bajo sus órdenes estaban otros soldados veteranos que ya se encontraban en Alta California: los soldados rasos Roque Jacinto de Cota, Antonio Cota y Francisco Salvador Lugo, padre de un ranchero prominente, don Antonio María Lugo.[34]

Según las pruebas, la fecha de la fundación de El Pueblo de la Reina de Los Ángeles, 4 de septiembre de 1781, fue probablemente el día seleccionado por el gobernador de Neve para preparar los documentos legales y los reportes del establecimiento de la comunidad. No existen indicios de una ceremonia formal, secular o religiosa que se haya organizado el 4 de septiembre, así como tampoco se sabe de la presencia del gobernador, del clérigo o de una escolta militar. Respecto a la presencia de la escolta y de sus familias, es razonable suponer que se encontraban realmente en el sitio, porque existen documentos posteriores que señalan que Feliz y otros miembros habían sido residentes del pueblo por largo tiempo.

Otro aspecto que causa controversia lo constituye el nombre original de Los Ángeles en el momento de su fundación: éste ha sido citado desde entonces tanto como "El Pueblo de Nuestra Señora La Reina de Los Ángeles de Porciúncula", como "El Pueblo de Nuestra Señora de Los Ángeles". El examen de la correspondencia y reportes del gobernador Felipe de Neve, del comandante general de la Croix y del virrey Bucareli respecto a la fundación, así como los documentos posteriores, demuestran claramente que el nombre original era simplemente "El Pueblo de la Reina de Los Ángeles", omitiendo tanto la frase "Nuestra Señora", como el primer nombre del río Los Ángeles, el Porciúncula, nombre que se le dio debido al sitio de la Iglesia de Italia, al cual amaba San Francisco de Asís, tundador de la orden franciscana.[35]

[34] Workman Temple II, "Se fundaron un pueblo de Españoles, *op. cit.*

[35] *Ibídem.* Harry Kelsey, *op. cit.* También véase Theodore E. Treutlein, "Los Angeles, California: The Question of the City's Original Spanish Name", *Southern California Quarterly,* LV, primavera, 1973, pp. 1-7.

Por una parte, los pobladores estaban llegando al sitio de la nueva comunidad; por otra, el capitán Rivera y Moncada, junto con los reclutas para el presidio, sus familias y el ganado, llegaban al río Colorado en junio de 1781. Aquí, el grupo se detuvo para descansar en dos de las misiones que se habían establecido recientemente entre los indios yuma. Después de mandar a casi todos los soldados y a sus familias a San Gabriel, Rivera y Moncada y unos doce soldados se quedaron atrás con el ganado que necesitaba recuperar su fuerza. Los indios yuma los mataron al levantarse en contra de los colonizadores, asesinando a los hombres y aprehendiendo a las mujeres y niños.

La revuelta de los yuma se debió a un pleito entre los indios porque los colonizadores y el ganado, que se habían establecido en el río Colorado, abusaron de los recursos naturales y de las tierras de cultivo. Es posible que la nueva presencia de un rebaño de mil cabezas que llevó Rivera y Moncada haya devorado la vegetación de la cual dependían las vidas de los indios, causando de inmediato la revuelta. En cualquier caso, la revuelta yuma tuvo como resultado el bloqueo del trayecto De Anza, la única ruta directa por tierra hacia Alta California. De ahí en adelante, solamente grupos bien armados podían tomar la ruta del río Colorado.

La revuelta yuma aumentó el aislamiento de los pobladores de San José y de Los Ángeles, aceleró la pérdida temporal de ganado, provocó temor entre otros grupos indios cuando se enteraron de las agresiones y empeoró el problema de abastecimiento de Alta California. Esto a su vez vino a engrandecer la importancia de San José y de Los Ángeles como productores de los abastecimientos agrícolas del futuro, los cuales podían venderse en los presidios.

Poco después del establecimiento de El Pueblo de la Reina de Los Ángeles se fundó el presidio de Santa Bárbara a mediados de abril, mismo que se estableció formalmente el 21 de abril de 1781.[36] Los presidios de Santa Bárbara y de San Diego iban a unificarse al Pueblo de la Reina de Los Ángeles durante

[36] Beilharz, *op. cit.*, pp. 110-120.

las primeras décadas de crecimiento y desarrollo. La gente de los presidios y del pueblo se unieron debido a los lazos familiares y a que eran originarios de la misma zona y poblaciones del noroeste de México. Estos lazos siguieron aumentando conforme los soldados se retiraban de los presidios para establecerse con sus familias en Los Ángeles, así como también cuando las mujeres jóvenes del pueblo se casaban con los hombres de los fuertes.

La influencia de la sociedad de los presidios también se reflejó en la estructura social de la comunidad del pueblo hasta el punto en que casi todas las familias e individuos importantes eran descendientes de los antiguos sargentos y cabos que, debido a la existencia de pocos oficiales, constituían una élite local en desarrollo. El Pueblo de la Reina de Los Ángeles y la cuenca de Los Ángeles también se dividieron administrativamente entre las jurisdicciones de los comandantes de los presidios de Santa Bárbara y San Diego. El pueblo de Los Ángeles era en sí una jurisdicción administrativa de Santa Bárbara que tenía como representante del comandante al cabo Vicente Feliz. Las relaciones económicas entre el pueblo y los presidios pronto desarrollaron un abastecimiento de las cosechas que se vendían a los fuertes.

El pueblo también sostuvo relaciones —aunque ocasionalmente menos amistosas— con las misiones próximas a San Gabriel Arcángel y San Fernando Rey de España. En cambio tuvo lazos de unión menos fuertes con la misión San Juan Capistrano, la cual más tarde marcó los límites entre los distritos de Los Ángeles y de San Diego durante el periodo nacional mexicano. Si bien San Gabriel existió antes de la fundación de Los Ángeles, San Fernando se fundó dieciséis años después del pueblo, en 1797. Las relaciones entre los colonizadores y los misioneros fueron con frecuencia ambivalentes y, en ocasiones, antagónicas. Los misioneros se vieron amenazados por la influencia secular que tenía el pueblo sobre los indios de los alrededores, muchos de los cuales sintieron una mayor atracción hacia el pueblo que hacia las misiones. Los conflictos también se desarrollaron entre los pobladores y los misioneros respecto a las tierras y al uso limitado de recursos naturales tales como el agua. Los misioneros exigieron prioridad poniendo como base su sagrada misión de conversión y también porque se consideraban guardianes de los intereses de la propiedad de los indios norteamericanos.

Es importante reconocer que los conflictos entre los intereses religiosos y seculares de Alta California eran mucho más profundos que los relacionados con la gente de Los Ángeles y el clero de la misión San Gabriel. Las autoridades franciscanas criticaban más duramente a los gobernadores y tenientes gobernadores, tales como Rivera y Moncada, de Neve y Fages, que a los propios colonizadores. Es un hecho que los conflictos tuvieron su origen en el choque entre dos tipos de prioridades. Los misioneros, natural pero erróneamente, consideraban que el propósito primordial de la colonización era la conversión religiosa de los indios californianos. Para los oficiales colonizadores esto realmente constituía un medio para un fin estratégico mayor: las misiones eran subsidiarias de los presidios y de los pueblos. Así también, los oficiales coloniales veían a las misiones como instituciones en transición que, con el tiempo, se convertirían en poblados civiles y parroquias seculares, conforme los indios norteamericanos se fueran asimilando a la sociedad mestiza de habla hispana. A diferencia de éstos, los misioneros tenían un interés establecido por la ley para prolongar el periodo de dependencia de los indios conversos *(neophytes)* y de su "Reino de Dios".

La relación más importante de los pobladores de Los Ángeles (además de los lazos de unión con sus parientes en los presidios) se establecía con los indios gabrielinos y otros indios norteamericanos. En un principio, éste fue el caso del pueblo, ya que los gabrielinos de Yangna y de otros pueblos de los alrededores constituían la inmensa mayoría de la población de la cuenca de Los Ángeles. En este tiempo, los colonizadores de Los Ángeles y los sacerdotes y soldados de San Gabriel eran los únicos habitantes que no eran indios. La importancia de las relaciones entre indios y mexicanos nunca ha sido examinada adecuadamente. Mientras que algunos aspectos de las relaciones entre indios y mexicanos han sido estudiadas, tales como el empleo de trabajadores indios por parte de los pobladores, otras características igualmente significativas han sido ignoradas, como los casamientos e intercambio cultural entre mexicanos e indios. En gran medida esto se debe a la tendencia de los historiadores antiguos a ignorar el hecho de que la raza, el intercambio cultural y el mestizaje eran normas de la sociedad mexicana de Alta California y del resto de México.

### *La Zanja*

Los primeros años de la existencia de la comunidad estuvieron dominados por la necesidad de trabajo duro y constante para el establecimiento exitoso del pueblo. En esta época, los pobladores invirtieron la mayor parte de su tiempo en el mantenimiento y expansión de la Zanja (red de canales de irrigación), en la construcción de casas temporales y permanentes y de una capilla para el poblado, pero sobre todo, se dedicaron al cultivo, a la irrigación, a las cosechas y al cuidado del ganado.

La Zanja (sistema de irrigación por medio de canales del pueblo) se construyó y diseñó para que el agua corriera desde el río Los Ángeles hasta las tierras de los pobladores. Con el fin de que esto pudiera realizarse, el canal principal o zanja madre se cavó en terrenos más altos, a unas dos millas al norte del pueblo. Desde este lugar (frente al parque Elysian), se cavó la zanja hacia el sudoeste, entre el poblado y el campo. También se formó un dique o armazón de troncos de sauces y de pedazos de paja en el sitio donde la zanja se junta con el río para desviar agua hacia el canal. Más tarde los granjeros construyeron zanjas más pequeñas para canalizar la zanja principal e irrigar las tierras cultivadas.[37]

La construcción y mantenimiento del sistema de zanjas fue una tarea significativa y continua en la que todos los jefes de familia contribuyeron. Como estaba bajo las leyes españolas y mexicanas, el agua del río Los Ángeles y el sistema en sí eran propiedad de todo el pueblo, así como también una gran responsabilidad de los oficiales públicos de los pueblos y de importancia crucial para el crecimiento y supervivencia de la comunidad. A pesar del clima semiárido de la cuenca, los cultivos de las cosechas, vitales para los habitantes, no fracasaron gracias al mantenimiento y operación de las zanjas. Debido a todo esto el sistema funcionó como una institución económica y central de Los Ángeles desde los periodos colo-

[37] Harry Kelsey, *op. cit.*

nial y mexicano hasta 1880, y como era propiedad pública proporcionó una base social y legal al *Metropolitan Water District* (Distrito Metropolitano del Agua), del cual hoy en día depende el sur de California.[38]

Otra tarea primordial fue la planeación de casas y edificios públicos. Los primeros refugios que construyeron los pobladores fueron jacales con paredes de paja colocadas alrededor de una armazón de polines cubiertos con lodo seco y techado con tules. A estas casas temporales las sustituyeron construcciones de adobe más firmes. Antes de finalizar 1784, solamente tres años después de la fundación, se reportó que el pueblo se había formado de casas de adobe, un edificio público pequeño y que se estaba construyendo una capilla también de adobe. Fue probablemente en este tiempo que los habitantes de Los Ángeles comenzaron a impermeabilizar sus techos con una mano de brea que se llevaba en carreta desde los pozos de La Brea, al oeste del pueblo. Así, la construcción de adobe se convirtió en tarea familiar en la que casi toda la gente de Los Ángeles tenía gran experiencia.[39]

Los pobladores dedicaban la mayor parte de su trabajo al cultivo de la cosecha y al cuidado del ganado: este último formaba, junto con el perteneciente a las misiones, el aumento de inmensas manadas de ganado y caballos del periodo nacional mexicano. Las prácticas de ganadería seguían a las de Sonora y Sinaloa. Se araba la tierra una o dos veces al año con un arado puntiagudo hecho de hierro y madera, generalmente tirado por bueyes. Las semillas se sembraban a mano, tarea en la cual participaba toda la familia. En este tiempo, las cosechas más importantes eran el maíz, frijol, cebada y trigo. Sembraban también otros vegetales y frutas en menores cantidades, como chile, calabaza, cilantro y melón.[40]

En una sociedad agrícola rural, el avance del trabajo tendía a seguir el de las estaciones, mientras que la siembra y la cosecha eran periodos más difíciles, junto con otros tipos de trabajo que se desarrollaron al mismo tiempo. La cosecha en Los Angeles y en casi toda Alta California se efectuaba desde mayo, julio hasta agosto y septiembre. En el periodo de la

[38] Vicent Ostrom. *op. cit.*, pp. 3-26.
[39] Hubert Howe Bancroft, *History of California*, vol. I.
[40] Hubert Howe Bancroft, *California Pastoral*, San Francisco, 1888, p. 357.

cosecha intervenía toda la comunidad, es decir hombres, mujeres y niños indígenas y mexicanos. El grano se recolectaba en una cora que, una vez llena, se vaciaba en una carreta. Los hombres se dedicaban a la broza y usaban garrotes para golpear el grano. Las mujeres aventaban el grano y lo meneaban en bateas para separar las semillas. El grano, que consistía principalmente en maíz, cebada y trigo, se almacenaba en trojes probablemente hechas de adobe. Como en todas las comunidades agrícolas, después de la cosecha seguía un periodo de fiesta y celebraciones.[41]

Si bien en un principio el total de cabezas de ganado era limitado, el número de caballos y de reces fue aumentando durante los años de fuertes lluvias, tan favorables para los pastos. Los rebaños pequeños de los colonizadores se mantenían cerca del establecimiento. Sin embargo, cuando se incrementaron se mantuvieron a distancia de las cosechas del pueblo para evitar que las dañaran. Según el primer censo de Los Ángeles en 1790, cinco de los jefes de familia eran vaqueros y hombres que pasaban la mayor parte del tiempo vigilando al ganado, ocupación en la que probablemente ayudaban los vaqueros indios.[42]

## *Los primeros colonos*

La lista del censo de 1790 mostró una población de 140 "gentes de razón" o colonizadores cristianos de habla hispana. El padrón también enlistó a los hombres adultos en relación a su ocupación. Un total de veinticuatro personas practicaban una de las nueve tareas distintas: doce eran labradores, cinco vaqueros, dos arrieros, dos zapateros, un tejedor, un herrero, un albañil, un sastre y un criado. Aunque en algunos casos —como en el del tejedor— el negocio era ocupación de tiempo completo, ellos mismos, sus mujeres y sus hijos probablemente trabajaron también en el cultivo de la tierra.[43]

Aunque en el censo de 1790 no aparece ninguna ocupación femenina, la colaboración de las mujeres en el trabajo fue

[41] *Ibídem.*

[42] Northrop, Marie (trad.), "Padrón (Census) of Los Angeles, 1970", *Southern California Quarterly,* vol. XLI, núm. 2, junio 1959, pp. 181-182.

[43] *Ibídem.*

esencial para la supervivencia de la comunidad. Ellas realizaban la mayor parte de las tareas agrícolas, preparaban la comida, atendían los hogares y, en muchos casos, probablemente ayudaban a sus maridos a realizar parte de sus negocios. Los niños de más de cinco años también tenían que realizar un trabajo regular y básico para el bienestar de sus familias, el cual consistía en desarrollar diversas tareas como alimentar y cuidar a los animales domésticos que eran pollos, cerdos y cabras.[44]

Además de la "gente de razón" y de sus familias, la fuerza de trabajo del pueblo estaba constituida por un número variable pero significativo de trabajadores indios. Durante el periodo colonial ellos eran principalmente "gentiles" (indios paganos que no estaban en las misiones), que trabajaban de acuerdo a la estación del año como obreros para los colonizadores que podían pagarles. Como señalamos antes, todos ellos eran "gentiles", ya que a los neófitos o indios conversos no se les permitía —excepto raras excepciones— dejar las misiones a menos que obtuvieran permiso u órdenes de los misioneros franciscanos. Muchos de los "gentiles" que trabajaban para los pobladores venían de las afueras de la cuenca, ya que a la gente de Yangna o de otras rancherías de Los Ángeles se les obligó a trasladarse a la misión San Gabriel.[45]

Fue el trabajo en el pueblo, en el campo y más tarde en los ranchos cercanos lo que atrajo a los "gentiles", así como también la curiosidad que sintieron por conocer a los "extraños", su forma de vida y posesiones materiales. Incluso, durante algún tiempo, grupos numerosos de indios de todo el sur de California visitaron el establecimiento para ver a estos extraños, sus construcciones, animales, cosechas, canales de irrigación, herramientas y otras cosas que para ellos resultaban una novedad. Pero lo que ejerció una mayor atracción fue la nueva tecnología, las herramientas de metal, las decoracio-

[44] Hubert Howe Bancroft, *California Pastoral, op. cit.*, p. 357.

[45] Véase William M. Mason, "Fages' Code of Conduct Toward Indians, 1787", *Journal of California Anthropology*, vol. 2, núm. 1, primavera, 1975, pp. 90-100. George Harwood Phillips, "Indians in Los Angeles, 1781-1875: Economic Integration, Social Desintegration", *Pacific Historical Review*, vol. XIX, núm. 3, agosto, 1980, pp. 427-451. William D. Estrada, "Indian Resistance and Accomodation in the California Missions and Mexican Society, 1769 to 1848: A Case Study of Mission San Gabriel Archangel and El Pueblo de Los Angeles", inédito, 1980, pp. 3-23.

nes y los nuevos tipos de alimentos que los indios conseguían a través del intercambio.

Como los indios ya estaban acostumbrados a sostener negocios entre el interior y la costa, el comercio con el pueblo significó el desarrollo de esa capacidad. Lo que más los motivó a buscar el contacto con los pobladores fue su interés por adquirir bienes de intercambio, tecnología, productos alimenticios, todo ello sin permitir que los misioneros franciscanos los controlaran. A su vez, los colonizadores aceptaron con gusto el intercambio, el trabajo y otro tipo de relaciones con los indios de los alrededores. El trueque con los "gentiles" aportó al pueblo una cantidad variable de materia prima, es decir, de pieles de venado, hierbas y carne fresca. También se buscó la mano de obra indígena para ayudar a las pequeñas comunidades con grandes cargas de trabajo a que cultivaran la tierra.

Los pobladores, que en sí eran personas racialmente mixtas (principalmente de ascendencia india y africana), tenían poco o ningún prejuicio de color hacia los indígenas. Los niños mexicanos jugaban libremente con los niños indios y, a su vez, los adultos mexicanos hacían vida social con los adultos indígenas. Este contacto era tan grande que el gobernador Fages dio órdenes para controlar el número de indios a quienes se les permitiera permanecer en el pueblo y, por motivos de seguridad, se les prohibió quedarse en casa de los pobladores por la noche. Asimismo, los misioneros franciscanos de la misión San Gabriel se quejaron de que los colonizadores tenían influencia negativa sobre los indios porque los distraían de sus labores de conversión. El contacto entre indígenas y pobladores fue tan grande que, en 1814, los sacerdotes de San Gabriel describieron a los habitantes "vecinos" de Los Ángeles como mejores hablantes de las lenguas indias que de la española:

> ...en lo que respecta a la gente de las otras clases (los colonizadores de Los Ángeles) parecen haber tenido el mismo origen que los de México; los primeros pobladores vinieron de Sonora, Sinaloa y las provincias de Nueva Viscaya. Sin embargo, algunos de ellos tienen un origen distinto al haberse mezclado, ya fuera con españoles o con otras castas, con mujeres indias de esta península (California).

...Aquellos (indios) que tienen un mayor trato con la gente de otras clases, especialmente con los colonizadores del pueblo, hablan español, aunque estos pobladores por lo regular hablan el idioma indio y mejor y con mayor fluidez que su propia lengua, que es la española.[46]

Un aspecto importante de las relaciones entre pobladores e indios de Alta California fue el mestizaje racial y cultural que se dio por medio del matrimonio y otro tipo de contactos. Los primeros casamientos celebrados en Los Ángeles (entre indígenas y colonizadores) se llevaron a cabo en 1784 y 1785, cuando los dos hijos de Basilio Rosas, Carlos y Máximo, se casaron con María Antonia y María Dolores de las rancherías de Jajamobit y Yangna.[47] Es probable que haya sido más frecuente el nacimiento de niños debido a relaciones casuales entre los dos pueblos. Los niños nacidos de los matrimonios y de las relaciones casuales se incorporaron a la población creciente de la "gente de razón".

La mezcla entre indios y colonizadores de Alta California y Los Ángeles fue parte de un proceso mayor y bien establecido de mestizaje y transculturación que se dio en todo el norte del centro de México y gran parte del resto de América Latina. El mestizaje fue algo más que una simple asimilación de la población india dentro de una lengua y cultura hispánica, es decir, que fue un proceso de transculturación (no simple asimilación) porque se transformaron los elementos culturales, raciales y sociales de varios pueblos en una nueva identidad. Las características indígenas, africanas y europeas se fusionaron y formaron una nueva cultura y nacionalidad en desarrollo, la mexicana.

Este complejo proceso de transculturación también tuvo dimensiones políticas y económicas influenciadas por la desigualdad de poder entre los grupos que estaban surgiendo. Como México y Alta California eran colonias españolas, la cultura y lengua hispánicas se institucionalizaron como domi-

[46] Fr. Zephyrin Engelhardt, *San Gabriel Mission and the Beginnings of Los Angeles, op. cit.*, p. 97. También Maynard Geiger (ed.), "Reply of Mission San Gabriel to the Questionaire of the Spanish Government in 1812 Concerning the Native Culture of the California Mission Indians", *Southern California Historical Quarterly*, vol. 53, núm. 3, septiembre, 1971, p. 235.

[47] William M. Mason, *op. cit.*, p. 95.

nantes al ejercer autoridad política, económica y coercitiva. La dimensión económica del mestizaje fue de especial importancia porque tuvo como función socializar el trabajo. Éste último se constituyó en el medio fundamental para establecer contacto entre indios, africanos, europeos y de raza mixta, al mismo tiempo que los enfrentó a sus diversas culturas. Fue también por medio del trabajo que los indios y africanos aprendieron español y que las relaciones sociales y la comunicación se desarrollaron entre los diversos grupos étnicos de condiciones similares.

En el momento de la fundación de Los Ángeles, las castas mixtas ya constituían la mayor parte de la población de habla hispana o "gente de razón". Había emergido una cultura mexicana generalizada entre la población mestiza. En el siglo XVIII las distinciones de casta se fueron confundiendo conforme aumentó la mezcla. La diversidad de clases adquirió importancia ya que la raza en sí no tenía significación social o cultural y se había convertido en una simple descripción de la apariencia física, en una variante social entre muchas otras. Los términos raciales eran descripciones justas del físico y no como en las colonias británicas de Norteamérica, definiciones absolutas de la condición social.

El color era un determinante de la condición socioeconómica. Los prejuicios de color existían en la sociedad mexicana pero de diversa forma que los que vendrían después en Estados Unidos. Las características físicas europeas, especialmente la tez clara, eran más atractivas que la piel oscura del indio, africano o la mezcla de ambas razas y constituían una característica esencial de la condición social de una persona. En la frontera más lejana hacia el norte, como en Los Ángeles, el color de la piel se convirtió en algo de relativa importancia en una sociedad donde predominaban las razas oscuras: aquí lo fundamental eran las contribuciones sociales y económicas de los habitantes y no sus características físicas.

Por consiguiente, no fue accidental que El Pueblo de la Reina de Los Ángeles nombrara como primer oficial al alcalde José Vanegas, un indio de Durango: el color de su piel era de poca importancia frente a su capacidad para manejar los problemas en la "frontera". A fines del periodo colonial o del periodo nacional mexicano, la apariencia física no era más que un rasgo de belleza y no un determinante de la condición social de una persona. Desde luego que el racismo no existía en la sociedad de Alta California anterior a la llegada de numerosos angloamericanos y europeos, con excepción de algunos misioneros y oficiales militares de mayor rango que, como españoles europeos, algunas veces tenían actitudes paternalistas en su comportamiento hacia los mexicanos e indios.[48]

Sin embargo, a pesar de la relativa ausencia de actitudes racistas en el periodo colonial mexicano en Los Ángeles, los prejuicios culturales y la desigualdad social sí existían. Los colonizadores mexicanos se sentían superiores a los indígenas en lo que respecta a la cultura y a la técnica: esto se basaba en su profesión de cristiandad, sus posesiones materiales, su destreza en la agricultura, ganadería y equitación. Asimismo, mientras los colonizadores pertenecían a la misma clase social en el momento de su llegada, conforme aumentaban sus riquezas por medio de la agricultura, los campos de pastores, el comercio o posiciones oficiales, las distinciones sociales y una jerarquía de clases se desarrollaron gradualmente.

Las relaciones entre los colonizadores mexicanos y los indios de Alta California estaban marcadas por la desigualdad social y económica que se fundaban en la explotación económica del trabajo indígena por parte de los granjeros mexicanos y rancheros posteriores. También se caracterizaban por una actitud de superioridad cultural mexicana basada en la suposición de que el cristianismo, la lengua española y la cultura mexicana eran superiores a las creencias religiosas, lengua y cultura de los indios de Alta California. Los mexicanos sentían que los indígenas debían reconocer esto y adoptar el cristianismo, la lengua española y la cultura mexicana e incorporarlos a la comunidad mexicana.[49]

[48] Harry Kelsey, *op. cit.*

[49] Véase William M. Mason; George Harwood Phillips, *op. cit.* Para un resumen del análisis estadístico del mestizaje entre mexicanos e indígenas de California, véase Sherburne F. Cook, *The Population of the California Indians, 1769-1970,* Berkeley, 1976, pp. 142-174. En lo que se refiere a las mezclas raciales entre los indígenas del sur de California de 1769-1970, Cook anotó: "En la región 5 existen sobrevivientes de las misiones del sur, casi exclusivamente San Fernando, San Gabriel, San Juan Capistrano, San Luis Rey, San Diego... A pesar de que hay irregularidades en algunos puntos, es claro que en las décadas 1828-1847 su nivel de sangre indígena había disminuido hasta un 70 u 80 por ciento. Esta característica se parece a la del grupo de las misiones del norte, aunque esta disminución del componente indio no fue mayor.

A pesar de que en todo México los indios se fusionaron a la comunidad, al hacerlo su rango social se encontró, generalmente, por debajo de la jerarquía social, es decir, que desempeñaron el cargo de jornaleros. De hecho, muchos indios se integraron a la comunidad mexicana por medio del matrimonio o de la transculturación gradual. Otros se negaron a incorporarse: tal es el caso de algunos indios norteamericanos que dejaron la zona costera de Alta California para evadir las presiones económicas, militares, sociales y culturales.

Se debe poner énfasis en el hecho de que, si bien los colonizadores mexicanos se veían a sí mismos culturalmente superiores a los indios de California, a la vez los consideraban como seres humanos con espíritu, derechos legales y esenciales para la comunidad. Así también, los pobladores mexicanos, que eran en su mayoría de ascendencia india, no dudaban en asociarse con los indígenas en lo que respecta a una base personal o social. Tal asociación frecuentemente tomaba la forma de futuro matrimonio o de unión casual. Por ello, muchos californianos eran descendientes y parientes de los indios de California. A los colonizadores les importaba muy poco la raza y el color de la piel era más bien una cuestión de belleza y no un aspecto determinante de la posición social. El dominio que tenían los mexicanos sobre los indios de la costa de Alta California se basaba en la discutida superioridad de la cristiandad y cultura mexicanas y no en los aspectos raciales, como sí sucedió en Norteamérica.

Es, por lo tanto, también evidente que una gran cantidad de matrimonios con los no indígenas (casi todos mexicanos) se llevaron a cabo entre la fundación de las misiones y la entrada de los norteamericanos en 1848.

"De 1840 en adelante el término medio de sangre resultante de la mezcla entre indios y no indios continuó decreciendo, pero en una cantidad consistente (b igual a —0.577), aun durante el *Roll* de 1928 cuando este término medio de sangre había bajado hasta un 30 por ciento. Aquí, como en la región de las misiones del norte, la fusión interracial se había dado rápidamente. En la mayoría de los casos, el elemento no indígena es mexicano, pero desde 1928 ha habido un aumento entre la mezcla de otros componentes étnicos como en el caso del puertorriqueño, del filipino y del negro", p. 162-163. Por consiguiente, de acuerdo al análisis de Cook, la mezcla no solamente se estaba efectuando rápidamente durante los periodos colonial y mexicano, sino que desde 1848, los mexicanos continúan siendo el grupo de mayor mezcla con los indígenas originales del sur de California.

Conforme crecía la población y se desarrollaba su economía, las vidas de la gente tomaron rutas diversas. También existía una población inestable puesto que algunas personas dejaban la comunidad y nuevos colonizadores llegaban. Existe información biográfica sobre los habitantes de Los Ángeles, desde su fundación en 1781 hasta 1820, especialmente sobre los hombres adultos. Hay menos información sobre las mujeres ya que generalmente se pensaba en ellas en relación a sus padres o maridos.[50] A pesar de estas limitaciones, el examen de los residentes, ya fueran personas notorias o gente común y corriente, revela mucho acerca de la naturaleza de la comunidad.

Lo primero que se consideró fueron las experiencias de los colonizadores fundadores de 1781. Mientras tres de los once jefes de familia dejaron el pueblo en 1781, solamente corrieron a uno de ellos: esto contradice los reportes que erróneamente indican que se les dio de baja por inservibles. La persona a la que se le ordenó dejar el establecimiento fue el único español europeo, José Velesco de Lara, un bígamo que se unió a los colonizadores para eludir la persecusión. Cuando Velesco de Lara le confesó a Fray Junípero Serra que se había vuelto a casar por error al enterarse del rumor de que su primera esposa había muerto, las autoridades le ordenaron regresar a Nayarit. Es probable que Antonio Mesa y su familia se hayan desilusionado de Alta California debido al aislamiento, por lo que pidieron permiso para dejar la provincia, lo que se les concedió en 1782 y regresaron a Sonora. El tercer poblador que dejó el pueblo fue Luis Quintero, quien se trasladó al presidio de Santa Bárbara, quizá porque deseaba estar cerca de sus tres hijas las cuales se habían casado con soldados ubicados ahí.

[50] Entre la literatura dedicada a las mujeres en la Alta California del periodo mexicano, existen los siguientes artículos: J.N. Bowman, "Prominent Women in Provincial California", *Southern California Quarterly,* vol. XXXIX, núm. 2, junio, 1957. Gloria E. Miranda, "Gente de razón Marriage Patterns in Spanish and Mexican California: A Case Study of Santa Barbara and Los Angeles", *Southern California Quarterly.* Cynthia Orozco, "Nineteenth Century Mexican Elite Women in Southern California: Work, Social Life, and Intermarriage", inédito, 1982.

La mejor descripción general de los colonizadores originales de Los Ángeles es William Mason, "The Founding Forty-Four", *Westways,* julio, 1976.

La experiencia que tuvieron los ocho pobladores originales restantes muestra que no solamente fue un grupo de personas trabajadoras que cumplieron con los términos estipulados para enlistarlos y recibieron su título de tierras en 1786, sino que también —en muchos casos— obtuvieron posiciones de honor y responsabilidad en la nueva provincia. Entre ellos se encontraba José Vanegas, un indígena de Real de Bolaños, Durango, y hombre responsable y hábil que en virtud de estas cualidades fue nombrado primer alcalde o mayor de Los Ángeles desde 1786 y 1788 y, en un segundo periodo, en 1796. En 1801, después de la muerte de su esposa Máxima Aguilar, José Vanegas se trasladó a la misión San Luis Rey, donde se convirtió en mayordomo de los misioneros. Ésta era una posición de mucha responsabilidad, sobre todo desde que San Luis Rey se convirtió en una de las dos misiones más productivas de Alta California. Esta misión y San Gabriel eran las más exitosas y las únicas en producir una cantidad considerable de abastecimientos alimenticios. Durante los veinte años de residencia en Los Ángeles, Vanegas no solamente fue un buen granjero, sino también un zapatero, ya que se encuentra enlistado como tal en el censo de 1790. El hijo de Vanegas, Cosme Damián, también se fue para enlistarse como soldado del presidio de Santa Bárbara y, en 1833, recibió la concesión del Rancho Carpintería.[51]

Pablo Rodríguez, también indio de Real de Santa Rosa, Durango, y su esposa María Rosalía Noriega, vivieron en Los Ángeles durante quince años, hasta 1796, cuando se fueron a la misión de San Diego. Rodríguez mejoró su posición y se colocó como mayordomo en la misión de San Diego y después en la de San Luis Rey. Fue en este último lugar donde murió en 1817. José Moreno, un mulato casado con María Guadalupe Pérez, también mulata, fue un granjero de éxito que ocupó el puesto de regidor durante un periodo. María Guadalupe Pérez fue la persona de vida más larga entre los fundadores originales de Los Ángeles (1768-1860). Su vida transcurrió paralelamente a la de la historia del pueblo porque atravesó por el periodo colonial, el nacional mexicano y el estadunidense. Su

[51] Marie Northrop (trad.), *op. cit.*; Hubert Howe Bancroft, "California Pioneer Register", *History of California, op. cit.*, p. 461.

nieta, Catarina Moreno, fue esposa de don Andrés Pico (hermano de Pío Pico), un comandante mexicano en la batalla de San Pascual y, más tarde, senador del estado de California. Curiosamente los Pico eran, en parte, de ascendencia africana.

El poblador Manuel Camero, también mulato, era un granjero que ocupó el cargo de regidor en 1789 y murió en Los Ángeles en 1819. Basilio Rosas, un indio de la Hacienda de Magdalena, Durango, era un granjero que también aparecía en la lista del censo de 1790 como albañil. José Antonio Navarro, un mestizo de Rosario, Sinaloa, era un granjero que aparecía en la misma lista como sastre. Félix Villavicencio, un criollo de Chihuahua, fue granjero durante varios años y después se convirtió en vaquero.

Conforme fue aumentando el número de cabezas de ganado se consideró conveniente alejarlas de las cosechas, por lo que se les trasladó al Rancho de Francisco Reyes, localizado en el valle de San Fernando. Aparentemente Villavicencio estuvo encargado de este ganado. El Rancho Reyes (en la actualidad un sitio de pastoreo que ya no pertenece a Reyes) cayó en manos de los misioneros franciscanos que fundaron ahí la misión San Fernando Rey de España en 1797. Las biografías más escuetas de los fundadores son las de Alejandro Rosas y su esposa Juana Rodríguez quienes después de vivir como granjeros en el pueblo durante siete años, murieron con un mes de diferencia, él en diciembre de 1788 y ella en enero de 1789.[52]

En resumen, los fundadores del pueblo de Los Ángeles fue un grupo altamente trabajador de colonizadores que logró su objetivo principal al establecer una comunidad económicamente productiva. Si bien pertenecían a la clase humilde, en especial José Vanegas, obtuvieron un alto grado de distinción y llegaron a ocupar puestos públicos y otras posiciones de mucha responsabilidad. Contrariamente a las acusaciones de los padres franciscanos que los tacharon de incompetentes debido a los conflictos con los pobladores que utilizaban el trabajo de los indios y los recursos naturales, los fundadores eran —en su mayor parte— un grupo serio y trabajador. Si en verdad hubieran sido incompetentes o irresponsables, ni José

[52] Hubert Howe Bancroft, *op. cit.*, William Mason, *op. cit.*

Vanegas o Pablo Rodríguez podrían haberse encargado de posiciones de tanta responsabilidad como era la de mayordomo en las misiones San Luis Rey y San Diego de Alcalá.

Asimismo hubo un buen número de personas importantes o representativas de lo que fueron los primeros cuarenta años de la historia del pueblo: ellos fueron los soldados retirados de los presidios y otros colonizadores que llegaron después. El más importante de todos fue el cabo Vicente Feliz, soldado encargado de la escolta, jefe principal del pueblo durante los primeros años y, de 1791 a 1795, comisionado del pueblo o representante de la comandancia del presidio de Santa Bárbara. También fueron comisionados Ignacio Olvera, 1794-1795; Francisco Javier Alvarado, 1795-1796; Guillermo Cota, 1810-1817; Juan Ortega, 1818-1821; Anastasio Carrillo, 1821-1823.

A estos colonizadores se sumaron otros: José Sinova que llegó en 1785 y obtuvo el mismo rango social y tierras que los pobladores originales. Sinova apareció en el censo de 1790 como herrero y probablemente contribuyó mucho para ayudar a la comunidad. Cornelio Ávila llegó con su familia en 1783. En 1790 dieron informes de que Ávila poseía parte del ganado al cuidado de Feliz Villavicencio. Los Ávila (que llegaron a ser muy conocidos) se establecieron en Los Ángeles conforme los hijos de Cornelio fueron obteniendo posiciones sociales. Francisco Ávila fue alcalde de Los Ángeles entre 1810 y 1811 y fabricó el adobe con el que construyó (en 1818) la que hoy en día es la casa más antigua de la ciudad. Otro hijo de Cornelio, Anastasio Ávila, también llegó a ser alcalde de 1820 a 1821.

Entre los primeros pobladores hubo varios veteranos del presidio: José María Verdugo, Manuel Nieto, Juan José Domínguez, Felipe Talamantes y Mateo Rubio. Todos ellos eran ex soldados de la guarnición de San Diego y se retiraron en 1784. Guillermo Soto, veterano del presidio de Santa Bárbara, se jubiló en 1789 en Los Ángeles. José María Verdugo, que después llegó a ser un ranchero importante, era cabo de la guarnición de San Diego y dirigió la escolta en la misión San Gabriel. Mariano Verdugo se retiró en 1787 y se fue a Los Ángeles; también fue sargento de la guarnición de Monterrey. Mateo Rubio, nacido en Flandes, fue el primero de los colonos extranjeros que se estableció en Los Ángeles. Su apellido, Rubio, probablemente se debió a su físico.

*Concesiones de tierra*

Los veteranos de mayor éxito y los que llegaron a ser más conocidos fueron aquellos que obtuvieron permiso para fundar los primeros ranchos privados de Los Ángeles. El permiso le proporcionaba al poseedor el derecho de trabajar la tierra destinada a los pastos y con ello obtenían el título de propiedad, pero sólo después de labrarla durante varios años y con buenos resultados.

El primer permiso que se otorgó en Alta California para aprovechar los campos de pastoreo lo obtuvo el soldado Manuel Butrón en 1775, que estaba casado con una indígena de nombre Margarita de la misión Carmel, situada cerca de Monterrey. Este permiso era de 140 varas de tierra en el valle de Carmel. Los siguientes permisos pasaron a manos de tres veteranos de la compañía del presidio San Diego en 1787: ellos fueron Juan José Domínguez, el cabo José María Verdugo y Manuel Pérez Nieto.

Los tres eran soldados de cuera que llegaron a Alta California en 1769 con la expedición Portola/Serra a cargo del comandante inmediato, el capitán Fernando Rivera y Moncada, nacido en México, y para quien también trabajaron en Baja California.[53] Los tres eran del mismo pueblo, La Villa de Sinaloa, Sinaloa, y habían trabajado en Sonora, Baja California antes de trasladarse a Alta California. Parece ser que el cabo Juan José Domínguez fue el primero en pedir permiso para aprovechar los campos de pastoreo en la zona de Los Ángeles; los campos se convirtieron después en el Rancho San Pedro. Fue en 1784 que Domínguez, ayudado por sus compadres y amigos retirados (Felipe Talamantes y Mateo Rubio de quienes recibió más tierras poco después), trasladaron su ganado y posesiones desde San Diego a lo que en la actualidad se conoce como "Domínguez Hills" (las colinas Domínguez). Ellos empezaron a construir una casa de dos cuartos hecha de

[53] W.W. Robinson, *Land in California*, Berkeley, 1948, pp. 46-47.

adobe, otros edificios y corrales cerca del arroyo. Es posible que Talamantes y otro veterano, Manuel Gutiérrez (español europeo y alcalde de Los Ángeles entre 1822 y 1823) trabajaran para Domínguez porque sus nombres aparecen en varias listas como mayordomos. En el padrón de 1805 se reportó que el capital de Juan José Domínguez ascendía a "3 mil yeguas, mil potras, 100 potros, 700 vacas, 600 vaquillas y 26 toros". En ese tiempo, aproximadamente 2 mil acres de grano se cultivaron a lo largo del río San Gabriel en este rancho.[54]

El cabo José María Verdugo fue el siguiente en solicitar permiso para obtener campos de pastoreo. En 1784 Verdugo, que entonces estaba a cargo de la guardia de la misión San Gabriel, lo consiguió y los campos se convirtieron en el Rancho San Rafael que, hasta hace poco, tenía más de 36 mil acres en la zona de Glendale y Burbank. En ese mismo año Manuel Pérez Nieto solicitó permiso para ocupar el "lugar llamado La Zanja" o lo que llegó a ser el Rancho Los Nietos. Este rancho tenía, en fecha reciente, más de 130 mil acres, las cuales se dividieron en cinco ranchos durante el periodo mexicano: Santa Gertrudis, Los Coyotes, Los Alamitos, Los Cerritos y Las Bolsas.[55]

Los propietarios del siguiente grupo de ranchos fueron Francisco Reyes, José Vicente Félix, Javier, Patricio y Miguel Pico. Francisco Reyes (alcalde de Los Ángeles entre 1793 y 1795) obtuvo permiso para establecer el Rancho Encino, donde el ganado del pueblo salía a pastar y el cual fue confiscado por los misioneros franciscanos para fundar la misión San Fernando Rey de España, en 1797. Este rancho se localizaba en un lugar distinto al que ocupó después el Rancho Encino. Los hermanos Pico —tíos del futuro gobernador mexicano Pío Pico— vendieron más tarde sus intereses del Rancho Simi a Pablo de la Guerra y Noriega, comandante del presidio de Santa Bárbara. Alrededor de 1796 José Vicente Félix recibió, por sus servicios, el nombramiento de primer comisionado de Los Ángeles y además fue premiado con el rancho conocido

[54] Robert Cameron Gillingham, *The Rancho San Pedro*, Los Ángeles, 1961, p. 87.
[55] W.W. Robinson, *op. cit.*, pp. 47-48.

CONCESIONES DE TIERRAS

RANCHOS Y PUEBLOS

1781 - 1848

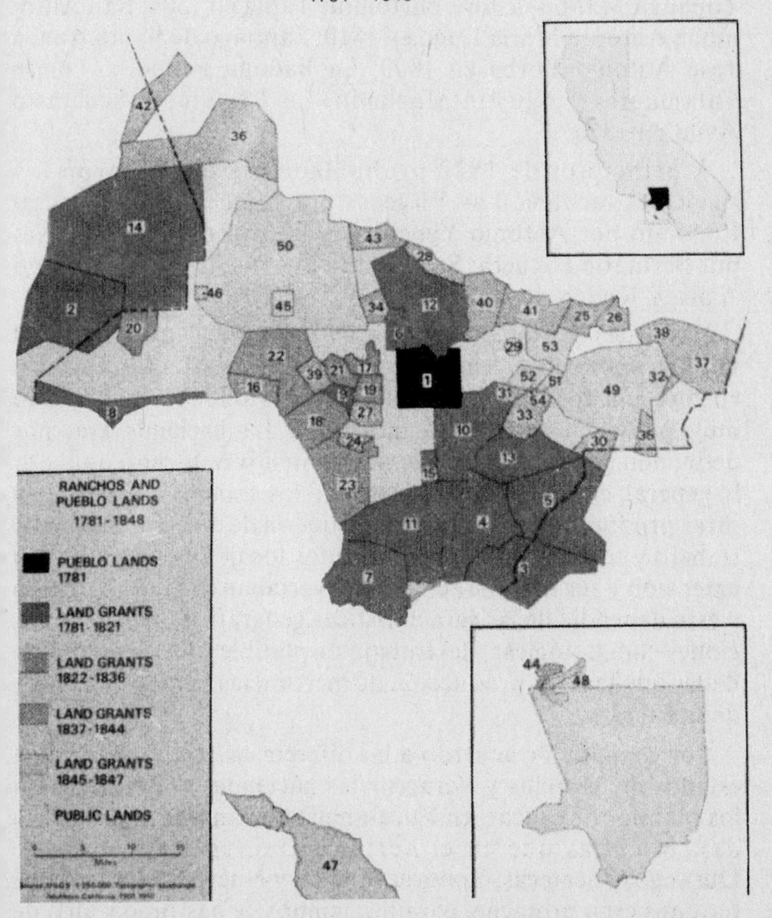


Concesión de terrenos en el área de Los Ángeles: ranchos y pueblos (1781-1848). No aparecen en el mapa las concesiones en distritos, la prefectura de Los Ángeles ni los límites de los condados.

como Los Feliz, que incluía gran parte de Silverlake y del parque Griffith.[56]

Durante el resto del periodo colonial español se otorgaron los siguientes permisos: El Conejo, donado en 1804 a José Polanco; El Portezuelo, a Mariano de la Luz Verdugo en 1802; Topanga Malibú, a José Bartolomé Tapia en 1804; San Antonio, a Antonio María Lugo en 1810; Santiago de Santa Ana, a José Antonio Yorba en 1800; La Ballona Felipe, a Tomás Talamantes y Agustín Machado; La Tajauta, a Anastasio Ávila en 1820.

A principios de 1822 probablemente se ocuparon los siguientes ranchos: Las Vírgenes por Miguel Ortega; Sausal Redondo por Antonio Ygnacio Ávila; Rincón de los Bueyes por Bernardo Higuera; San José de Buenos Aires por Máximo Alaís; y Rodeo de las Aguas por María Riva Valdez.[57]

Las haciendas españolas o hacendados que llegaron a ser un mito en épocas posteriores, no existieron en Alta California o en la región de Los Ángeles durante el periodo colonial, y hubo muy pocos en el periodo mexicano. La hacienda era, por definición, un estado económicamente diversificado que, por lo general, combinaba la agricultura, los campos de pastoreo y otras producciones, para lo cual requería de una gran fuerza de trabajo y se regía por los reglamentos locales y regionales. Su extensión y sus tipos de actividades variaban de región a región y esto dependía de las características geográficas, de las condiciones climatológicas, del trabajo disponible y de las oportunidades que tenía la producción de mercancías para la obtención de utilidades.

Por ejemplo, de acuerdo a las diferencias regionales, en los estados de Morelos y Veracruz las haciendas se destinaban a los plantíos de azúcar; en Yucatán producían fibras para cuerdas. Mientras que en el norte central, en los estados de Durango, Zacatecas, Sonora, Sinaloa y Nuevo Santander, los terrenos eran propicios para los campos de pastoreo y algo de agricultura. En cambio, Alta California tenía un potencial a largo plazo para el crecimiento de las haciendas, debido a las

[56] *Ibídem*, pp. 45-58.
[57] *Ibídem*.

grandes extensiones de buena tierra, condición que en los otros estados tomaría años en desarrollarse.[58]

En 1822 los ranchos de Alta California todavía atravesaban por el estado primario de su evolución. Fue hasta después de la secularización de las tierras de las misiones, en 1838, que se hizo la concesión de la mayoría de los ranchos de Alta California y Los Ángeles. Para que un rancho pudiera progresar, debía poseer ganado y caballos, incrementar la fuerza de trabajo y producir abastecimientos comerciables. Pasaron muchos años antes de que el ganado y los caballos empezaran a reproducirse. El desarrollo de la fuerza de trabajo se dificultó porque se obligaba a los indios de la costa a vivir en las misiones como neófitos (indios conversos) y la población indígena decrecía debido a enfermedades contagiosas. Muy pocos "gentiles" estaban dispuestos a trabajar como peones o vaqueros y la competencia entre los trabajadores aumentó conforme se elevaba el número de granjeros y rancheros, ya que se contrataba a todo aquel que lo solicitara.

Los ranchos también variaban de acuerdo a la orientación que se le daba al comercio, a las oportunidades de producción comercial y a los deseos y habilidad de cada ranchero. Por lo tanto, los ranchos no se desarrollaron con la misma rapidez. La producción entre ellos variaba de acuerdo a la calidad de la tierra, la capacidad de la fuerza de trabajo, la cantidad de animales y el nivel de producción comercial frente al de subsistencia. La mayoría de los ranchos durante los periodos colonial y mexicano hasta 1848, eran pequeños y de tipo familiar. Nunca se consideraron como "propiedades de tipo feudal" ni estuvieron habitados por "aristócratas españoles", como los describen los mitos españoles de California. Solamente en el periodo mexicano unos cuantos ranchos llegaron a tener la extensión territorial, el número de trabajadores, la escala de producción y la riqueza de las haciendas menores del norte de México central.

[58] Colin M. Maclachlan and Jaime E. Rodríguez, *The Forging of the Cosmic Race, op. cit.*, pp. 55-57. También véase, George McCutchen McBride, *The Land Systems of Mexico,* Nueva York, 1923. Enrique Florescano, *Haciendas, latifundios y plantaciones en América Latina,* México, 1975. David Hornbeck, "Land Tenure and Rancho Expansion in Alta California, 1784-1846", *Journal of Historical Geography,* vol. 4, núm. 4, 1978.

El escaso desarrollo del comercio de casi todos los ranchos se debía, en algunos casos, a las preferencias individuales de los dueños, y en general, a la falta de oportunidades de trabajo y de mercado tan necesarias para estimular el incremento de la producción. De cualquier forma, una gran parte de ellos no fueron donados sino hasta fines del periodo mexicano y, por lo tanto, en 1840 atravesaban por su primera etapa de desarrollo. Durante todo el periodo colonial, solamente se donaron treinta ranchos, a diferencia de casi ochocientos en el periodo nacional mexicano.

No fue sino hasta la etapa de secularización de las misiones, en 1838, que aumentaron las oportunidades de exportación de pieles y sebo y que se aceleró la evolución de los ranchos dedicados al comercio. Antes de esta época, las únicas propiedades de Alta California que alcanzaron el nivel y riqueza de las del norte de México central fueron las misiones de San Gabriel y San Luis Rey (las más extensas y ricas).

A pesar del capital limitado de las propiedades en desarrollo, los rancheros del periodo colonial pertenecían a una élite local y en evolución, constituida por un pequeño número de oficiales, un número mayor de oficiales no comisionados y de soldados rasos que habían trabajado en el presidio y estaban jubilados.

Debido a los pocos ex oficiales que se habían establecido en Los Ángeles, la élite del periodo colonial estaba formada, principalmente, por sargentos y cabos de las guarniciones de Santa Bárbara y de San Diego. Fue de los hijos de esta élite suboficial e incipiente que descendieron casi todas las personas y familias importantes del periodo mexicano.

Durante los primeros años de vida del pueblo de Los Ángeles, los acontecimientos seguían a los patrones regulares de la vida cotidiana y de los cambios de estaciones, en vez de inclinarse por lo espectacular o sensacional. Sin embargo, de 1781 a 1822 ocurrieron algunos sucesos fuera de lo común y de menor relevancia. Lo más significativo para el pueblo era cumplir con su objetivo, es decir, que la fundación se convirtiera en una comunidad agrícola que se bastara a sí misma y produjera grano y ganado. Los Ángeles era ya un establecimiento permanente con una población que aumentó de 46 personas en 1781 a 650 "gentes de razón" en 1820.[59] El pueblo era el más extenso de Alta California, además de ser el centro económico, social y cultural más grande del área ranchera y agrícola de la provincia. En los ochenta ocurrieron los siguientes eventos: la donación del primer permiso para convertir en ranchos los campos de pastoreo (1784); el interés del gobierno para promover la cría de ovejas y el trabajo textil; la transferencia oficial de títulos de tierra para los pobladores (1787); la venta de abastecimientos de grano a Santa Bárbara (1787); el establecimiento de un gobierno municipal (1788).

En ocasiones, el pueblo se veía amenazado por las revueltas e invasiones indígenas. En 1785 se descubrió y suprimió una revuelta planeada en contra de la misión San Gabriel Arcángel, en la que participaban varias rancherías cercanas. Toypurina, profetiza de 17 años de edad, era líder del grupo de rebeldes que quería adueñarse de la misión matando a todos los sacerdotes y soldados. Un neófito los traicionó al revelar el plan a José María Verdugo, cabo de la guardia, cuando éste último sorprendió a los rebeldes preparando una emboscada contra los soldados. Si no hubieran revelado el secreto, el ataque habría tenido éxito, lo que habría significado la posible destrucción de Los Ángeles. A pesar del bloqueo de la revuelta, la gente comenzó a sentir miedo, motivo por el cual se incrementó la vigilancia de las autoridades, quienes a su vez mandaron rifles, pólvora y municiones a Los Ángeles desde el presidio de Santa Bárbara.[60]

El acontecimiento más importante de 1780 fue la transferencia de los títulos de propiedad a los pobladores que habían cumpido con los requisitos, haciéndolos propietarios de lotes de casas y tierras. El 4 de septiembre de 1787 el gobernador Pedro de Fages dio instrucciones a Alfarez José Argüello para que fuera a Los Ángeles a entregar a los pobladores sus posesiones oficiales. El 18 del mismo mes y año se llevaron a cabo las ceremonias formales en Los Ángeles. Alfarez Argüello entregó los títulos a los propietarios correspondientes y actuaron como testigos el cabo José Vicente Félix y el soldado raso

[59] Howard J. Nelson, "The Two Pueblos of Los Angeles: Agricultural Village and Embyro Town", *Southern California Quarterly*.

[60] Thomas Workman Temple II, "Toypurina the Witch and the Indian Uprising at San Gabriel", *The Masterkey*, vol. XXXII, núm. 4, julio-agosto 1968, pp. 136-152.

Roque de Cota. Argüello preparó un reporte oficial en el que adjuntó el segundo mapa conocido de Los Ángeles el cual ya señalaba los lotes y tierras de cada uno de los pobladores. También en 1787 José Vicente Félix fue nombrado comisionado del pueblo para representar a la autoridad de la comandancia de Santa Bárbara, distrito en el que se situó el establecimiento.[61] La importancia de 1787 también radicó en que fue el primer año en que se vendió una gran cantidad de grano al presidio de Santa Bárbara en 358 000 dólares españoles. Al mismo tiempo se instituyó un impuesto local de dos fanegas de maíz por poblador para apoyar al gobierno municipal. En 1788 las autoridades reconocieron el crecimiento del pueblo y nombraron a José Vanegas como primer alcalde mayor del establecimiento. En 1789 se escogieron los primeros regidores y, ese mismo año, José Sinova, del grupo de colonizadores posteriores, fue nombrado segundo alcalde.[62] En 1790 Mariano Verdugo, un sargento jubilado y hermano del ranchero José María Verdugo fue designado alcalde de Los Ángeles.

## Los Ángeles crece rápidamente

En 1790 se hizo un censo de la "gente de razón" del pueblo y de la jurisdicción de los alrededores, el cual mostró que la población se había triplicado de 46 personas en 1781 a 131 en 1790.[63] El aumento de habitantes fue mayor ya que el censo no incluía a una o dos docenas de hombres jóvenes que se habían enlistado en el ejército y estaban en los presidios. El padrón mostró un balance aproximado de ambos sexos: 67 hombres y 64 mujeres.

El censo también registró a 26 adultos que practicaban nueve profesiones distintas. Había seis artesanos en el pueblo practicando cinco ocupaciones: un herrero, un tejedor, un albañil y dos sastres. El número mayor de hombres (doce) estaba formado por granjeros, mientras que cinco eran vaqueros. Finalmente había dos arrieros de mulas y un sirviente. En

[61] Harry Kelsey, *op. cit.*
[62] Hubert Howe Bancroft, *History of California*, vol. I, *op. cit.*, pp. 660-661, nota a pie de pág. 34.
[63] Marie Northrop (trad.), *op. cit.*

cambio, las mujeres y los niños no aparecían bajo ocupación alguna: ellos ayudaban a sus maridos y padres en sus negocios y realizaban una parte mayor del trabajo de la comunidad. La esposa e hijos de Manuel Arellanes, el tejedor, se encargaban de varias etapas del proceso de tejido, desde el hilado hasta el teñido de las telas terminadas. Los Ángeles tenía una comunidad trabajadora en la que los niños mayores de cinco años tenían que realizar sus tareas domésticas, tales como alimentar y cuidar a los animales, que en general eran pollos y cerdos.

Como resultado de esta labor, la producción agrícola y el número de animales que eran propiedad de los colonizadores, se incrementaron constantemente en 1790 hasta llegar a sumar un total de 1096 caballos, 39 mulas, 4 burros, 528 ovejas. Las cosechas ascendieron a 1848 fanegas de maíz, 340 fanegas de frijol, 9 fanegas de trigo, 9 fanegas de lenteja y 9 de garbanzo.[64] Durante los buenos años, Los Ángeles estaba produciendo consistentemente abastecimientos de comida. También aumentó el número de casas y edificios del pueblo hasta 30 en 1790. Según los informes, en este tiempo el pueblo estaba rodeado por una barda de adobe.[65]

En 1804 Los Ángeles se encontraba dentro de la jurisdicción administrativa y judicial de la comandancia del presidio de Santa Bárbara, a cargo del teniente Felipe de Goyoechea. La administración local estaba en manos del alcalde y de los regidores y bajo la supervisión del comisionado o representante del comandante del presidio. La pequeña guardia militar del pueblo se apoyaba en la guarnición de San Diego, pero bajo la dirección de Santa Bárbara.[66] En 1793 Francisco Reyes fue nombrado alcalde para sustituir a Mariano Verdugo que a su vez fue reemplazado por José Vanegas quien cumplía con un segundo periodo (1796-1797). Hubo dos comisionados en 1794, Ignacio Olvera y Francisco Javier Alvarado. Dos años después el cargo pasó a manos de Vicente Félix.[67]

La población más cercana a Los Ángeles era la misión San Gabriel Arcángel que, en 1790 llegó a tener la segunda pobla-

[64] Alejandro Malaspina, "General Summary showing... the new establishments in Upper California... to the end of 1790"; Donald C. Cutter, *Malaspina in California*, San Francisco, 1960, p. 82.

[65] Hubert Howe Bancroft, *History of California*, vol. I, *op. cit.* pp. 460-461.

[66] *Ibídem.*

[67] *Ibídem*, p. 664.

ción mayor de las misiones de Alta California con 1 037 neófitos y 4 "gentes de razón". Mientras la población indígena de las misiones aumentaba, hubo bajas en el total de habitantes debido a epidemias. De 1780 a 1790, 1 267 indígenas fueron bautizados y 1 124 enterrados en la misión de San Gabriel. La población estaba constituida por una concentración coercitiva y continua de gente de la cuenca de Los Ángeles y de otros indios del lugar. Los frailes de la misión también servían al pueblo y no hubo un sacerdote residente sino hasta 1830. A veces los frailes tenían que hacer visitas periódicas al pueblo para oficiar la misa y, con mayor frecuencia los pobladores tenían que trasladarse a la misión para asistir a ella y a otras obligaciones religiosas. Las exigencias de los colonizadores sobre los servicios espirituales enojó a los misioneros quienes ya estaban molestos debido a que el pueblo utilizaba cada vez más los recursos naturales y porque éstos últimos atraían a los indígenas que andaban en busca de trabajo.[68]

## Cronología

En 1796 el gobernador Diego de Borica se preocupó porque aumentara el crecimiento de ovejas y del tejido del área de Los Ángeles por medio de la distribución gratuita de estos animales a los pobladores que carecieran de ellos. En agosto de 1796 se ofrecieron doscientas ovejas en Los Ángeles. Según las listas del censo de 1790, ya existía algo de tejido, ya que aparece Manuel Arellanes como tejedor de la ciudad de Puebla. Sin embargo, mientras aumentaba el número de ovejas, éstas tenían un lugar secundario dentro de la actividad económica, si se comparaba con el enorme crecimiento del ganado y del procesamiento de cuero y sebo. También en 1796, el gobernador Borica ordenó que se les dieran tierras gratuitas a aquellas familias que no las tuvieran, a condición de que las cultivaran.[69] En ese mismo año, se produjo la mayor cosecha de Los Ángeles con un total de 7 800 fanegas de grano. A tal abundancia le siguió una cosecha muy pobre en 1797 de solamente 2 700 fanegas debido a la sequía.[70] También en ese año, el tejedor

[68] Hubert Howe Bancroft, *History of California*, vol. II, *op. cit.*, p. 112.
[69] Hubert Howe Bancroft, *History of California*, vol. I, *op. cit.*, pp. 620-622.
[70] *Ibídem*, p. 660.

Manuel Arellanes fue nombrado alcalde. Otro acontecimiento importante fue la fundación de la misión San Fernando Rey de España, en septiembre del mismo año, en las tierras del rancho de Francisco Reyes. El apropiarse de las tierras de Reyes —que era lugar de pastoreo— pudo haber causado el antagonismo entre los pobladores que llevaban su ganado a pastar ahí y los misioneros.

De 1798 a 1799 Guillermo Soto, un veterano jubilado, fungió como alcalde de Los Ángeles. El logro principal de su periodo como mayor fue la construcción del primer juzgado del pueblo. En 1799 Francisco Serrano fue nombrado alcalde y al año siguiente lo sustituyó Joaquín Higuera.[71] La cosecha de 1800 fue buena: 4 600 fanegas principalmente de maíz. En ese mismo año el pueblo ofreció abastecer al mercado de San Blas, Nayarit con una producción de 3 400 fanegas al año y con un costo de 1.66 dólar por cada fanega.[72]

En 1801, debido a las fuertes lluvias, se desbordó el río Porciúncula o Los Ángeles e inundó las orillas. Este suceso probablemente causó serios daños a las construcciones del pueblo, como sucedió también con las inundaciones posteriores, hasta que se controló el canal del río. De 1802 a 1809 Mariano Verdugo fungió como alcalde. De 1781 a 1800 la población de la "gente de razón" aumentó ligeramente de 315 a 365. Sin embargo, estas cifras no incluían a los hombres de la región de Los Ángeles que estaban trabajando en las guarniciones del presidio y que probablemente constituían un total de 50 personas. El número de caballos y de ganado decreció en el año de 1816 debido a la sequía y a la matanza intencional y excesiva de animales.[73]

Después de 1800 empezaron a llegar barcos extranjeros a Alta California los cuales, en su mayoría, eran rusos y estadunidenses y se dedicaban a la caza ilegal de piel de nutria y al contrabando de bienes extranjeros. Esta actividad ilegal estaba relacionada con la cacería de pieles por parte de los rusos en Alaska; el comercio estadunidense de pieles en Oregon; la pesca de ballenas y el comercio asiático en Latinoamérica. Aunque este comercio ilegal estaba estrictamente

[71] *Ibídem*, p. 661.
[72] *Ibídem*, p. 660, nota a pie de pág. 34.
[73] *Ibídem*, Hubert Howe Bancroft, *History of California*, vol. II, *op. cit.*, p. 111.

prohibido por la ley española, las autoridades de Alta California podían hacer muy poco para impedirlo debido a la falta de barcos patrulleros. En ocasiones los oficiales podían multar a los contrabandistas extranjeros o arrestarlos junto con sus cómplices locales.

La bahía de la región de Los Ángeles no tenía las características naturales adecuadas para protegerse, por lo que no estaba exenta de las incursiones de contrabandistas y cazadores de nutrias. El residente local y ranchero Máximo Alanís, tenía fama de ser cómplice de los capitanes de barcos extranjeros. Los bienes de contrabando frecuentemente llegaban a las playas de la isla Catalina y de las bahías de Santa Mónica y de San Pedro. También era bien sabido que entre los participantes más importantes de este comercio ilegal estaban los misioneros franciscanos que, después de todo, controlaban las propiedades con una mayor capacidad para esconder la producción. Después de que estalló la revolución mexicana en contra de España en 1810, se redujeron los abastecimientos de los presidios y misiones de Alta California, lo que aumentó enormemente el contrabando. El incremento se debió además a la confabulación de los oficiales gubernamentales, que se vieron forzados o sobornados a permitir el comercio como único medio para adquirir los bienes necesarios. En 1805 uno de los capitanes extranjeros, William Shaler del barco Lelia Byrd, se convirtió en el primer ciudadano estadunidense y en uno de los primeros extranjeros que visitaron Los Ángeles, quizá después de desembarcar una carga ilegal en la isla de Santa Catalina.[74]

Los años 1805 y 1806 fueron malos para la agricultura debido a las nubes de langostas que devoraron las cosechas. En 1805 se reportó que la plaga destruyó casi todas las cosechas de maíz, frijol y chícharos de los angelinos.[75]

En diciembre de 1806 la misión cercana de San Fernando celebró la consagración de una iglesia recién terminada de adobe con techo de tejas. Los Ángeles siguió siendo un centro de reclutamiento de soldados y, después de 1805, dieciocho hombres fueron reclutados en el pueblo para servir en el presidio de San Diego.[76]

[74] *Ibídem*, pp. 22-23.
[75] *Ibídem*, pp. 111.
[76] *Ibídem*, pp. 101.

En 1808 el impacto de la Revolución Francesa y de las guerras napoleónicas tuvieron sus repercusiones en Alta California a manera de rumores de guerra y del aumento de amenazas extranjeras. Dentro de este ambiente ocurrió un acontecimiento poco usual que se sumó a los temores cuando en agosto de 1808 un indio del valle central llegó a la misión de San Fernando con una bandera desconocida. El indígena sostuvo que la bandera había pasado de mano en mano "entre diez tribus de un capitán desconocido que quería saber si había sacerdotes y pobladores al oeste de la Sierra". Se mandó la bandera a Monterey en donde los oficiales la reconocieron como inglesa, aunque nunca se supo su origen.[77] A fines de 1808 el imperio español completo, incluyendo a México y Alta California, cayeron bajo una crisis política sin precedente cuando Napoleón Bonaparte depuso a la familia real española y nombró a su hermano José nuevo rey de España, con lo que instigó un levantamiento popular contra los franceses.

En 1809 Francisco Alvarado fue nombrado nuevamente comisionado, mientras Guillermo Soto fungía como alcalde de Los Ángeles. Los reportes de Alvarado en 1809 indicaron un aumento del alcoholismo, del juego y el uso frecuente del ganado para el desenmascaramiento público de los ofensores.[78] El año de 1810 estuvo lleno de sucesos de importancia local y de peligro considerable. A principios del año se desarrollaron dos controversias con los frailes franciscanos Zalvidea y Dumetz en la misión San Gabriel. Primeramente, los misioneros habían construido un dique en el río Los Ángeles sobre la toma de la Zanja, lo que obstruía el abastecimiento de agua del pueblo. Ambas partes apelaron al gobernador de Monterey y como resultado final los sacerdotes acordaron quitar el dique si se probaba que realmente afectaba a los pobladores.[79]

La segunda controversia estaba relacionada con una queja de los pobladores de que los sacerdotes se habían negado dos veces a ir a Los Ángeles a oficiar los últimos ritos a los moribundos. Este problema originó una larga correspondencia entre el gobernador y el padre superior de las misiones de Alta California. Los frailes Zalvidea y Dumetz señalaron, en su

[77] *Ibídem*, pp. 85-86.
[78] *Ibídem*, p. 111.
[79] *Ibídem*, p. 112.

defensa, que solamente había dos de ellos para atender las necesidades de más de mil neófitos, varios cientos de los cuales estaban regularmente enfermos, y que les tomaba medio día visitarlos y regresar a Los Ángeles. La solución que sugirieron fue el establecimiento de una parroquia y de un sacerdote en el pueblo. La gente de Los Ángeles sintió también la necesidad de tener una parroquia propia, para evitar viajar nueve millas hasta San Gabriel a oír misa y obtener los últimos ritos. En 1810 pidieron al padre superior permiso para iniciar la construcción de una parroquia.[80]

En noviembre de 1810 se expusieron los siguientes planes de los neófitos antes de que se ejecutaran: un levantamiento en la misión San Gabriel simultáneamente al ataque de los indios mohave. Hacía mucho que los mohave agredían a los pobladores y misioneros y, periódicamente, invadían los extremos de la cuenca de Los Ángeles para conseguir ganado y otros bienes. Los planes que revelaron los neófitos indicaban que los mohave y los neófitos rebeldes tenían intenciones de atacar y destruir no solamente la misión, sino también Los Ángeles. Más de 400 guerreros se movilizaron para lograr dichos objetivos.

Se ordenó que desde el norte fueran tropas a San Gabriel a cargo de Alfarez Gabriel Moraga y desde el presidio San Diego bajo las órdenes del sargento José María Pico, padre del futuro gobernador Pío Pico. Los pobladores mandaron una compañía de milicia desde Los Ángeles dirigida por el comisionado y sargento Guillermo Cota que se unió a las fuerzas en la misión. El 31 de diciembre de 1810 las tropas habían capturado a veintiún rebeldes neófitos y a doce "gentiles" por complicidad en la revuelta planeada. Los rebeldes fueron encarcelados en el presidio de Santa Bárbara en donde tuvieron que realizar trabajos forzados.[81]

Alta California se estaba volviendo muy solitaria a causa de la Guerra de Independencia mexicana, lo que imposibilitó que las autoridades coloniales españolas mandaran barcos con abastecimientos desde San Blas. Oficialmente, las autoridades y los misioneros franciscanos suprimieron las noticias de gue-

[80] *Ibídem,* también véase Fr. Zephyrin Engelhardt, *op. cit.*, pp. 79-88.
[81] *Ibídem,* p. 92.

rra revolucionaria en México porque recibieron órdenes de que evitaran que estas noticias llegaran a oídos de los soldados, pobladores e indígenas. A pesar de las prohibiciones oficiales, algunas noticias sobre la Independencia y los principios políticos de los líderes revolucionarios, Hidalgo y Morelos, pudieron haber llegado hasta Alta California y haber provocado la insatisfacción de las tropas del presidio. Aunque estas últimas realizaron un servicio arduo durante casi toda esta década, casi no obtuvieron salario.

El año de 1812 estuvo marcado por el terremoto que azotó a casi todo el sur de California, incluyendo a Los Ángeles, pero que causó muy pocos daños en el pueblo. En 1813 la embarcación naval española Flora de Callao, Perú, llegó a la costa de Alta California para vigilar a los barcos extranjeros. El capitán Noé, de Flora, visitó Los Ángeles y al darse cuenta de la falta de defensa en la costa dejó varios cañones pequeños a cargo de la artillería del veterano Bartolomé Tapia, que recibió el rancho Topanga Malibú y que, en caso de ataque, debía ser responsable de su conservación además de comandante.[82]

Guillermo Soto permaneció como comisionado hasta 1817, mientras que Francisco Ávila fue nombrado alcalde en 1810 y fue sustituido por Manuel Gutiérrez en 1811. Al año siguiente el comisionado asumió las responsabilidades de alcalde hasta 1816, cuando Antonio María Lugo fue nombrado mayor.[83]

Los cazadores de nutrias rusos y los contrabandistas yankis duplicaron sus actividades en la costa durante estos años. En septiembre de 1815 las autoridades locales capturaron al capitán ruso Taranoff, quien iba acompañado de un sobrecargo inglés o yanki y de varios indios *aleut,* cazadores de nutrias. Se trasladó a los prisioneros a Monterey donde finalmente se intercambiaron por los rusos.[84]

La norma de la primera escuela pública de 1817 a 1818 fue intentar establecer un desarrollo positivo. El director de este movimiento fue Máximo Piña, un soldado jubilado del presidio. Por desgracia, la falta de recursos estables obligó a que se cerrara la primera escuela del pueblo en 1818.[85]

[82] *Ibídem,* p. 270.
[83] *Ibídem,* p. 350.
[84] *Ibídem,* pp. 307-311.
[85] *Ibídem,* p. 353.

Este mismo año también estuvo marcado por la amenaza de una invasión marítima a cargo del capitán corsario Hippolite Bouchard, un francés con patente de corso del gobierno revolucionario de Buenos Aires. Bouchard invadió la costa de Alta California después de desembarcar en Monterey e incendió y robó todo lo que pudo. En 1818 en Los Ángeles, el nuevo comisionado Juan Ortega movilizó a la mayoría de los hombres adultos para formar una fuerza de milicia que enfrentara un posible desembarco y apoyara a Bartolomé Tapia, al mismo tiempo que protegiera al cañón Flora. Se mandaron vigilantes a las zonas altas que dan sobre la costa, incluyendo las actuales colinas Baldwin, de donde el arroyo Agua de Centinela y la presente calle derivan su nombre. Afortunadamente para los angelinos, Bouchard se fue de Alta California porque se decepcionó al no obtener un botín valioso y no poder quebrantar la resistencia de la gente.[86]

## Hacia la independencia

Los años 1800 a 1820 no fueron buenos para la agricultura y la ganadería a causa de la sequía y de la peste. La producción agrícola decreció durante este lapso. En el periodo 1811-1817, fue la siguiente.[87]

| | *Ganado* | *Caballos* | *Mulas* | *Asnos* | *Ovejas* | *Maíz* | *Trigo* | *Frijol* |
|---|---|---|---|---|---|---|---|---|
| 1811 | 4000 | 1687 | 458 | 29 | N/A | 4920 | 430 | 230 |
| 1814 | 6295 | 2499 | 346 | 39 | 770 | 575 | N/A | 435 |
| 1817 | 1388 | 1419 | 183 | 96 | 468 | N/A | N/A | N/A |

Esta baja en la producción debió de haber sido muy dura para la población de Los Ángeles la cual tenía, en 1820, 650 "gentes de razón" y unos 200 indígenas. Aunado a esto, hubo un aumento de invasiones indias a fines de este año. Por ejemplo, en marzo, un grupo de indios kamayaay o diegueños invadieron la zona de Los Ángeles y fueron atacados por la fuerza militar dirigida por el regidor Antonio Ignacio Ávila. El

[86] *Ibídem*, pp. 220-247; 353.
[87] *Ibídem*, pp. 349, nota a pie de pág. 24.

25 de marzo de 1820, el gobernador Sola alabó al regidor y sus tropas por haber matado al líder de los invasores en un combate cuerpo a cuerpo.[88]

A principios de 1820 las condiciones agrícolas de Alta California empezaron a cambiar a favor de una mejor y más rápida producción de las cosechas y del ganado, los cuales igualaron y aun rebasaron los niveles anteriores. También se estaban efectuando cambios en el terreno político. En 1821 hubo un golpe de estado en el ejército colonial que dirigía el criollo Agustín Iturbide. En febrero de 1821 se consumó la independencia de México y, en agosto, la nación se convirtió (por corto tiempo) en un Imperio. En 1823 el país se transformó en una República. El periodo nacional mexicano también tenía que sufrir grandes cambios que afectarían el desarrollo de Los Ángeles y las vidas de sus habitantes.

[88] *Ibídem*, p. 353.

# III. PERIODO NACIONAL MEXICANO: EXPANSIÓN Y CRECIMIENTO DE LOS ÁNGELES, 1822-1848

## Consolidación y prosperidad

El periodo nacional mexicano (1822-1848) significó un gran crecimiento y desarrollo para Los Ángeles y las regiones de los alrededores. Ya desde fines del periodo colonial, Los Ángeles se mantenía a la cabeza, como el centro de población más alta, gracias al aprovechamiento de los recursos naturales y la inmigración a Alta California. En 1836 el gobierno mexicano convirtió a Los Ángeles en ciudad, momento a partir del cual se constituyó en centro económico, social y político de la cuenca y de El Sur (región al sur de Alta California). La nueva ciudad se disputó el primer lugar del territorio con la capital de Monterey, a la que sustituyó a fines del periodo mexicano como centro político y capital.

Durante el periodo nacional mexicano los miembros de la élite angelina, y ocasionalmente otros vocales, asumieron el control de la dirección de asuntos de la ciudad, que anteriormente había estado en manos del gobernador. A diferencia del periodo colonial, cuando el gobernador tomaba decisiones sobre todo tipo de asuntos (aun los más insignificantes), en el periodo mexicano se optó por experimentar, por introducir innovaciones y mantener debates públicos. Los patrones de vida y los acontecimientos eran más complejos, se sucedían más rápidamente e involucraban a numerosas personas. Por una parte es cierto que las innovaciones políticas (en lo que en esencia era una forma débil de gobierno) fallaban, pero por otra, el desarrollo de una cultura popular masiva del norteño de Alta California tuvo un éxito enorme.

La última década del periodo colonial (1810-1821) fue difícil para los angelinos y otros habitantes de Alta California debido a la falta de provisiones, incluyendo telas, bienes fabricados y herramientas. La escasez tuvo sus orígenes en diversos factores: la visita constante de barcos de abastecimiento causada por la Guerra de Independencia mexicana, los años de malas cosechas, los rebaños debilitados, la sequía y la peste. A esto deben sumarse las amenazas e incursiones periódicas de los corsarios extranjeros, de los contrabandistas y cazadores. Sin embargo, entre 1820 y 1821, la sequía terminó y la peste disminuyó a tal grado que se reportó que la cosecha de 1821 había rebasado a las anteriores. El número de reses y de otro tipo de ganado también empezó a incrementarse rápidamente, dando como resultado que los primeros años de independencia mexicana constituyeran un periodo de recuperación y prosperidad para los angelinos.

Las noticias sobre el Plan de Iguala, el 24 de febrero de 1821, que proclamaban la Independencia de México ante los españoles, y el Manifiesto de Iguala del 4 de agosto de 1821, que establecía la regencia del antiguo coronel Agustín de Iturbide, no se conocieron en Alta California sino hasta principios de 1822. En marzo de ese año, el gobernador Joaquín Sola recibió noticias formales sobre el establecimiento del Imperio Mexicano, en donde se hacía un llamado a las autoridades de Alta California para reconocer la independencia y situación de California como territorio de una nueva nación.[1] En abril, la junta compuesta por el gobernador, los comandantes del presidio y el padre superior de las misiones franciscanas se reunieron en Monterey para acordar la aceptación de la Independencia de México por parte de Alta California. Las ceremonias públicas y las celebraciones, incluyendo la protesta de juramento, se llevaron a cabo del 13 al 20 de abril de 1822 en Monterey y en las capitales del distrito, siendo Santa Bárbara el centro administrativo de Los Ángeles. Más o menos al mismo tiempo se celebraron las festividades públicas en todos los otros pueblos, presidios y misiones, incluyendo a Los Ángeles.[2]

Un resultado inmediato de la Independencia fueron las primeras elecciones de Alta California a principios de mayo de

[1] Hubert Howe Bancroft, *History of California*, vol. II, p. 451.
[2] *Ibídem*, p. 452.

1822, para designar una junta de electores provincianos que debían, a su vez, escoger a un diputado para representar a este estado en el Congreso Mexicano. En Los Ángeles se acordó que el ranchero José Palomares fungiera como elector del pueblo. En la junta de electores el gobernador Sola fue elegido como el diputado por California.[3] Las noticias de la aceptación de la Independencia de México por parte de Alta california tardaron en llegar a México. Esta tardanza se debió, por lado, a la falta de medios de comunicación eficaces, y por otro, al temor de los oficiales y misioneros, que siendo leales a España, habían eludido su aceptación de la Independencia. Por lo tanto, el Congreso Mexicano comisionó al canónigo Vicente Fernández (de la catedral de Durango), para asegurar la lealtad de California al Imperio de México.

Fernández llegó a Monterey el 26 de septiembre de 1822, donde se efectuaron las ceremonias públicas para darle la bienvenida. Poco después, se realizaron otras ceremonias en toda Alta California para sustituir la bandera española por la del Imperio Mexicano y para jurar alianza con Agustín Iturbide, primer emperador del México independiente. La misión de Fernández en Alta California tuvo como resultado la reorganización del gobierno, el cual concedió un mayor poder administrativo a las autoridades locales y estableció un sistema de gobierno representativo a nivel territorial que operaba a través de una diputación designada por elecciones regulares a nivel local.[4] A su vez, los miembros de la diputación eligieron un diputado para el Congreso en la ciudad de México. El derrocamiento de Iturbide y el establecimiento de la República en 1823 propiciaron el incremento del interés y la participación de un mayor número de ciudadanos en el gobierno y en la política.

Durante los últimos años de la colonia en Los Ángeles, Anastasio Ávila fungió como alcalde (1819-1822) y el sargento Anastasio Carrillo como comisionado (1821-1823); a este último lo sustituyó Guillermo Cota que fue el último comisionado (1822-1825). El primer alcalde que hubo durante el periodo mexicano fue Manuel Gutiérrez (1822-1824), español de nacimiento y antiguo mayordomo de Juan José Domínguez. Gu-

[3] *Ibídem*, pp. 453-455.
[4] *Ibídem*, pp. 457-469.

tiérrez renunció a su lealtad a España y se alió al gobierno mexicano.[5]

Además del importante suceso de la Independencia de México, de los acontecimientos mayores y de las tendencias en la región de Los Ángeles en 1820, se podría sumar lo siguiente: el crecimiento de la agricultura y de los ranchos de ganado; el aumento de la población mexicana; el desarrollo de una identidad y expresión cultural californianos dentro del contexto del adelanto cultural del norteño; la evolución de una vida política local activa frecuentemente marcada por el conflicto entre individuos y facciones; el incremento de la prominencia política de los angelinos en el gobierno y de los asuntos políticos de Alta California; la creación de un distrito administrativo autónomo de Los Ángeles; la construcción de una parroquia; la reconstrucción de la Zanja.

La población de Los Ángeles en 1820 tuvo un promedio de 650 "gentes de razón" o californianos mexicanos de habla hispana en el pueblo y ranchos circundantes y, en cambio, el número de indios no fue registrado. El total de "gentiles" en busca de trabajo variaba. Bancroft dijo que el número de indígenas parecía haber variado de 150 a 350 en la década de 1820 a 1830.[6] Sin embargo, es claro que la relación de indios y mexicanos había cambiado durante el periodo colonial; así, en 1820 la población era predominantemente mexicana. De 1830 hasta fines de 1860 los mexicanos constituyeron la mayor parte de la población.

Este cambio en la composición étnica tuvo su origen en diversos factores: 1) la concentración forzada de indígenas en las misiones de San Gabriel y San Fernando; 2) un promedio alto de muertos, que excedía a los recién nacidos, en las misiones, debido a enfermedades contagiosas a las cuales los indígenas no eran inmunes; 3) la asimilación de las relaciones entre niños indios y mexicanos dentro de la población mexicana; 4) la emigración fuera del área de la costa y hacia el interior de fugitivos de las misiones y de otros indígenas que se negaban a adaptarse a esa sociedad.

Durante 1820 la población de Los Ángeles y de los ranchos

[5] *Ibídem*, p. 559.
[6] *Ibídem*, p. 557.

circundantes continuó aumentando significativamente: en 1830 llegó a tener mil "gentes de razón", de las cuales 770 estaban en el pueblo y unos 230 en los ranchos. Otras 160 "gentes de razón" vivían en las tierras de las misiones de San Gabriel y San Fernando, las cuales eran los únicos centros importantes de población de la zona. El total de indios neófitos de la misión de San Gabriel decreció de 1 636 en 1821 a 1 352 en 1830, y en la misión San Fernando de 1 028 en 1821, a 827 en 1830.[7]

El número de ranchos aumentó ligeramente durante 1820 cuando se hicieron unas cuantas concesiones de tierra. El mayor número de concesiones y el verdadero periodo de crecimiento ocurrió entre 1830 y 1840, especialmente después de la secularización de las misiones en 1836. Muchas de las concesiones existentes se enriquecieron considerablemente gracias al aumento del número de cabezas de ganado y también de habitantes. A pesar de que las manadas aumentaban y de que el comercio legal de exportación de cuero y sebo con los barcos extranjeros se incrementaba, las misiones se conservaron como únicas grandes productoras comerciales durante 1820 y principios de 1830. La gran extensión de tierras de las misiones se debió principalmente al control que éstas ejercían sobre la gran fuerza de trabajo de los neófitos, siendo mucho más numerosa que la de los ranchos privados mayores. Sin embargo, la enorme producción y comercio de las misiones no significó una riqueza inmensa, ya que tenían que utilizarse para conservarlas y para mantener a los neófitos. El gobierno territorial se adjudicaba la mayor parte de los sobrantes en forma de préstamos para sustentar a los presidios, mismos que nunca fueron pagados.

Durante este periodo, nunca se dudó de las diferencias en la escala de la producción entre las misiones y los ranchos. Se reportó que la misión San Gabriel, en 1828, poseía y operaba en los siguientes ranchos: "La Puente, Santa Ana (distrito del rancho privado Santa Ana), Jurupa, San Bernardino, San Timoteo, San Gorgonio, además de cuatro sitios en el río San Gabriel y en las tierras entre San Rafael y Los Ángeles".[8] En

[7] *Ibídem*, pp. 567-570.
[8] *Ibídem*, p. 568.

este tiempo había un gran molino hidráulico en San Gabriel y una embarcación pequeña para comerciar en la costa. La mayoría de las "gentes de razón" que vivían en las tierras de las misiones eran empleados, miembros de la guardia y arrendatarios de las tierras agrícolas y de pastoreo.

Había discrepancias periódicas entre los sacerdotes angelinos y franciscanos en San Gabriel y San Fernando a causa de las invasiones de los pobladores en tierras de las misiones, o algunas veces de los misioneros en tierras privadas. Mientras que los colonizadores ocasionalmente usaban las tierras de las misiones o las propiedades, los misioneros tenían una interpretación muy amplia sobre la extensión de las tierras que pertenecían a las misiones. Una zona de controversias frecuentes era la del este de Los Ángeles de hoy y otras ciudades entre el río Los Ángeles y la misión San Gabriel. Para la misión representaba un mayor peligro el crecimiento de los ranchos privados que, a fines de 1830, cercaban y opacaban las tierras de los misioneros, sobre todo después del Decreto de Secularización de 1838.

No solamente existían conflictos con los frailes, sino que también había un sentido de cooperación entre ellos y la comunidad, por ejemplo durante la construcción de la parroquia de Los Ángeles en la cual laboraron neófitos trabajadores y torpes que prestaron las misiones de San Gabriel y San Luis Rey. Los fondos para la obra salieron de las contribuciones especiales de dinero y materiales que dieron casi todas las misiones de Alta California después de solicitarlas el padre superior.[9]

Otro acontecimiento importante en 1820 fue la reconstrucción de la Zanja o sistema de canales de irrigación entre 1821 y 1822. A todos los jefes de familia se les pidió que constribuyeran con su trabajo personal o mandando un sustituto a que participara en este proyecto municipal. El costo y las demandas de trabajo que se requerían para reparar las zanjas y reconstruir la toma de la presa eran substanciales y quizá competían con la edificación de la iglesia en lo que se refiere a las limitaciones laborales, a los materiales y al dinero. El restablecimiento de la Zanja fue tan importante para el bienes-

[9] *Ibídem*, pp. 561-562.

tar económico de los angelinos que a veces sentían la obligación de contribuir con algún trabajo, así también los visitantes de la población. Después el gobernador Pío Pico dijo en sus memorias que en un viaje a Los Ángeles en 1821, "el alcalde Ávila le ordenó que fuera a trabajar con los ciudadanos en el nuevo acueducto, pero que como iba a caballo y armado con un mosquete libró la tarea".[10]

En abril de 1822 se celebró una fiesta en Los Ángeles para conmemorar la Independencia de México. Un mes después se escogió a José Palomares como elector provinciano de Los Ángeles en la primera elección general del pueblo. En noviembre Palomares fue electo primer diputado de la nueva diputación. En ese mismo mes, se hicieron algunos cambios en la organización de los ayuntamientos cuando se contrató a un síndico y a un secretario (además del alcalde y de los dos regidores que constituían el gobierno del pueblo).[11]

A principios de 1833 el ayuntamiento reorganizado se negó a reconocer la autoridad de Guillermo Cota que fue nombrado por el comandante del presidio de Santa Bárbara para ejercer autoridad judicial (en lugar de las autoridades municipales) sobre un gran número de veteranos jubilados que vivían en Los Ángeles. Ellos pidieron que se les eximiera de las autoridades civiles que estaban bajo las órdenes del fuero militar el cual había regido durante el gobierno colonial y continuaría haciéndolo por un tiempo en el México independiente. Parece ser que los militares fueron los que salieron más ventajosos en ese asunto, ya que en 1824 Cota también fue alcalde de Los Ángeles.[12] En 1823 un nuevo director de la escuela fue nombrado por el ayuntamiento con un sueldo pagado por el pueblo.

La agricultura y el pastoreo del ganado continuaron recuperándose y prosperando hasta que un nuevo periodo de sequía empezó en 1827. En 1823 se informó que el ganado de Los Ángeles había aumentado de la siguiente manera: 10 623 cabezas de ganado, 2 851 caballos, 183 mulas, 96 asnos y 468 ovejas. Estas cifras habían de incrementarse en 1830 hasta sumar 42 903 cabezas de ganado, 3 057 caballos y mulas y 2 469 ovejas.[13]

[10] *Ibídem*, p. 559.
[11] *Ibídem*.
[12] *Ibídem*.
[13] *Ibídem*, p. 558.

El comercio legal e ilegal también creció como resultado de las nuevas leyes mexicanas, las cuales abrieron la costa de California a barcos mercantiles extranjeros. Éstos tenían que pagar derechos de aduana en Monterey antes de que se les permitiera comerciar. Debido a las grandes ganancias que obtendrían al evadir el pago de aduana, una gran cantidad de contrabando continuaría existiendo durante el periodo nacional mexicano. A los barcos extranjeros que habían declarado sus cargos y pagado sus derechos de aduana en Monterey se les permitía comerciar legalmente en Los Ángeles y otras poblaciones de la costa. Estos barcos generalmente anclaban fuera de la costa, atrás de la península de Palos Verdes en San Pedro. Como este lugar era una rada abierta y expuesta a cambios peligrosos del viento que podía arrojar a un barco hacia la costa, estas embarcaciones tenían que estar preparadas para cortar sus amarraderos y defenderse del mar.

En 1824 Encarnación Urquides fungió como alcalde, mientras que Guillermo Cota continuó como comisionado hasta que esta oficina se canceló en 1825. Ese mismo año el comisionado Cota le escribió a José de la Guerra y Noriega, comandante de Santa Bárbara, para decirle que planeaba completar la cuota militar de reclutamiento de Los Ángeles con "el gran número de vagos del pueblo". Ésta bien pudo ser una forma de castigo para los miembros del partido político opuesto porque indujo a sus parientes al ejército.[14]

En 1825 José María Ávila ocupó el cargo de alcalde, hasta octubre que se le suspendió. Ávila perdió su popularidad y fue destituido a petición del pueblo. Una de las quejas en su contra fue que ordenó a un ciudadano que copiara documentos públicos, tarea a la que éste se negó, por lo que lo mandó a que le pusieran grilletes. El alcalde justificó esta acción argumentando que como no existía escribano alguno era obligación de cualquier ciudadano realizar esta labor.[15] También existían conflictos con los oficiales militares. En abril de ese año se le informó al gobernador que los ciudadanos de Los Ángeles se habían negado públicamente a reconocer cualquier autoridad militar. El gobernador Luis Argüello pasó el asunto a manos de su sucesor, el gobernador José María Echandia. También se

[14] *Ibídem*, p. 559.

[15] *Ibídem*.

reportó que algunos ciudadanos se negaban a pagar sus impuestos.[16]

## Algunas calamidades y conflictos políticos

La región de Los Ángeles fue afectada por fuertes inundaciones en 1825. El río Los Ángeles, que hasta entonces había pasado por una serie de pantanos que se extendían hacia el actual Washington Boulevard y hasta el arroyo de Ballona (Ballona Creek) en la bahía de Santa Mónica, rebasó su canal antiguo del río San Gabriel. El nuevo canal del río Los Ángeles seguía el curso general del actual río Los Ángeles, que era el sitio donde el río San Gabriel daba hasta el mar. Cuando se excavó un nuevo canal, el río inundó el pueblo obligando a los habitantes a refugiarse temporalmente en tierras más altas.[17] Como resultado del cambio del curso del río, las ciénegas y bosques circundantes que había al oeste de Los Ángeles se secaron, mientras que se formaron nuevos pantanos en las zonas del rancho San Pedro. El cambio en los planos del drenaje causó (en apariencia) el crecimiento de hierbas de mostaza en la zona de la bahía del sur (hasta entonces inexistentes). Pronto se reportó que estas hierbas alcanzaban la altura de un hombre a caballo y que no servían para pastar.

A la inundación de 1825 siguieron otras calamidades como el fuerte terremoto del 23 de septiembre de 1827 que se sintió en el pueblo y el resto del sur de California.[18] Los daños fueron mínimos, aunque el movimiento sísmico fue considerable. Se vino otra sequía durante los años 1827-1829 causando bajas en la agricultura. En apariencia ésta no disminuyó el número de reses, pero probablemente redujo el aumento de manadas.

Los conflictos en relación al cargo de alcalde siguieron en 1826. José Antonio Carrillo fue nombrado, pero su elección se consideró como ilegal cuando nueve ciudadanos se quejaron de que había votado por sí mismo, además de haber manejado ese puesto muy recientemente. Claudio López fue electo alcalde durante el periodo 1826-1827.

[16] *Ibídem*, p. 560.
[17] *Ibídem*, p. 563.
[18] *Ibídem*.

En 1826 llegó un grupo de cazadores de provisiones de Estados Unidos, al mando de Mountainman Jeddaiah Smith, a la misión San Gabriel. Éste fue el primer grupo de ciudadanos estadunidenses que se aproximaron por tierra a Alta California. Su llegada provocó nuevos temores de invasiones extranjeras. Smith y los miembros de su grupo aparentemente visitaron Los Ángeles durante su estancia en San Gabriel y, probablemente, propiciaron la curiosidad de los angelinos, aunque éstos ya habían visto a otros extranjeros, incluso de Estados Unidos, que vivían en esa región.[19] Uno de ellos, Joseph Chapman, un desertor de la tripulación del Bouchard (1818), era un buen artesano que había participado en la reconstrucción de la iglesia en 1822 y que además había trabajado con los misioneros en San Gabriel, donde estaba a cargo de la construcción de El Molino Viejo y de una pequeña embarcación costera para la misión. Los residentes extranjeros más importantes eran comerciantes. Varios de ellos adquirieron concesiones de tierra al casarse con hijas de rancheros prominentes y volviéndose influyentes en 1840. Uno de ellos, Abel Stearns de Nueva Inglaterra, llegó en 1828.

Los últimos años de la década de 1820 fueron de sequía y de continuos conflictos políticos en el gobierno municipal. Guillermo Cota fue nombrado alcalde para el periodo 1827-1828; José Antonio Carrillo para 1828-1829 y, a su turno, lo sustituyó Cota.[20] En 1828 el barco mercantil estadunidense se detuvo en San Pedro y naufragó. En ese mismo año se acusó al alcalde Carrillo de haber abierto el correo del padre superior Sánchez de la misión Alta California con el fin de implicar a este último en actividades de contrabando. Este intento falló y Carrillo fue castigado por el gobernador José María Echandia. En enero de 1828 se nombró como director de la escuela del pueblo a Luciano Valdés.[21] Durante la administración de Echandia se hizo un reporte de la escuela, fechado el 19 de mayo de 1829, en donde se informaba que la misma había tenido 61 alumnos inscritos, mientras que en las misiones se seguían impartiendo clases con 20 estudiantes inscritos en San Fernando y 8 en San Gabriel.

[19] *Ibídem*, pp. 558-560.
[20] *Ibídem*, pp. 560-561.
[21] *Ibídem*.

## Nuevo desarrollo de Los Ángeles

La década de 1830 se caracterizó por lo siguiente: el crecimiento económico tal como se reflejó en la gran expansión de la industria del ganado; el aumento del comercio con los extranjeros a través de San Pedro; la rivalidad entre Los Ángeles y Monterey por obtener el liderazgo militar y político de Alta California; la conversión de Los Ángeles en capital y "ciudad" por decreto del congreso mexicano; la secularización de las misiones; el incremento del número de ranchos; el surgimiento de una élite provinciana con poder político y propiedades de tierra que habían pertenecido a las misiones; el aumento de amenazas de agresiones territoriales extranjeras, principalmente de Estados Unidos.

La población mexicana del distrito de Los Ángeles sumaba un total de 1 160 habitantes en 1830, de las cuales 770 vivían en el pueblo, 230 en los ranchos y 160 en las misiones de San Gabriel y San Fernando. La población indígena en 1830 era de 2 377 habitantes, de los cuales 198 vivían en el pueblo o en los ranchos y 2 179 en las misiones San Gabriel y San Fernando.[22] De acuerdo al censo de 1836, la población había aumentado a 1 675 "gentes de razón", entre los cuales había 603 hombres, 421 mujeres y 651 niños. Pero en ese mismo año la población había disminuido a 553 personas debido a la dispersión de las poblaciones neófitas en San Gabriel y San Fernando después de la secularización de 1833. La mayoría de los indios conversos se fue de las misiones y se trasladó al pueblo y los ranchos como trabajadores. Algunos de ellos se adaptaron a la población mexicana, a menudo por medio del matrimonio; otros dejaron Los Ángeles y se establecieron con otras tribus para evadir la asimilación y la explotación económica. El número de indígenas de la región de Los Ángeles variaba de acuerdo a las posibilidades de trabajo en cada una de las estaciones; debió de haber aumentado mucho en tiempo de cosecha, de trasquilamiento de ovejas y durante los rodeos anuales, cuando quizá se necesitaron más vaqueros.

Mientras se preparaba el padrón de 1844, el historiador del siglo XIX, Hubert H. Bancroft, calculó que la población de Los

[22] Hubert Howe Bancroft, *History of California*, vol. III, p. 652.

Ángeles en 1840 había ascendido a 1 800 "gentes de razón" en esa ciudad y a unos 700 en los ranchos. La población indígena, en ese mismo año, era de 1 500 personas en la ciudad y en los ranchos.[23] El número de habitantes mexicanos estaba creciendo rápidamente debido al aumento natural y a la inmigración; la población india fluctuaba entre un gran decrecimiento en el número de indígenas locales y el de la afluencia de éstos durante ciertas estaciones por motivos de trabajo; algunos de ellos se quedaban como residentes más o menos permanentes. Los extranjeros aumentaban, pero en comparación con los anteriores, constituían un número insignificante (a fines del periodo mexicano en 1848).

El crecimiento económico del distrito de Los Ángeles entre 1830 y 1840 fue más espectacular. El depositario de los derechos de aduana en San Pedro calculó que cinco mil pieles de ganado de las misiones se exportaron en 1834, mientras que un visitante extranjero calculó que las exportaciones anuales sumaban un total de 100 mil pieles, 2 500 centenas de sebo y varios cargamentos de jabón.[24] El crecimiento de la industria de ganado y de exportación de pieles, sebo y jabón estaba relacionado directamente con la secularización de tierras de las misiones en 1833 y con el incremento del número de donaciones de tierra otorgadas por los gobernadores a partir de esa fecha.

Teóricamente, el propósito de la secularización era convertir las misiones en poblaciones civiles y a los neófitos en ciudadanos mexicanos. Las tierras y propiedades de las misiones se iban a dividir entre los indios conversos y si había exceso de ellas se donarían a otros ciudadanos. Cuando las misiones pasaban por un proceso de transición, eran dirigidas por administradores o comisionados nombrados por el gobierno. En realidad, desde que las tierras de las misiones comprendían el territorio más rico y más desarrollado de la región, el control de la secularización y las condiciones bajo las cuales éste se llevaría a cabo se convirtió en un juego político entre los diversos partidos políticos. En forma similar, cuando ocurrió la secularización, los nombramientos de los puestos administrativos de las ex misiones se convirtieron en una excusa para la manipulación política y lucrativa. De hecho, una verdadera

[23] *Ibídem*, pp. 643-645.
[24] *Ibídem*, p. 633.

élite de adinerados surgió por primera vez en la historia de Alta California, cuando varias docenas de políticos, oficiales militares, sus parientes y amigos, aprovecharon su administración de las tierras de las ex misiones (las cuales eran propiedades con características excelentes) para enriquecerse.[25]

Durante el periodo colonial español (1781-1822) y principios de la administración mexicana hasta 1833, solamente se concedieron dos docenas de tierras en la zona de Los Ángeles. Después de la secularización en 1833, hasta la ocupación militar estadunidense en 1847, aproximadamente se otorgaron otras cincuenta donaciones de tierras; unas sesenta de ellas finalmente fueron confirmadas por *Land Claims Comission* (Comisión de Reclamación de Tierras) de Estados Unidos. En toda la Alta California se concedieron 47 lotes antes de 1832 y más de 470 después de esta fecha. Así, sólo 4.5 por ciento de las donaciones se concedieron antes de 1832. En 1836, 11 o 25 por ciento del total de donaciones se entregaron. En la región de Los Ángeles la mayor parte de las concesiones se hicieron entre 1833 y 1840: solamente unas doce se dieron después de 1840.[26] En ese tiempo, la región también incluía la zona actual de Orange y los condados de San Bernardino y Riverside que fueron establecidos por "gente de razón" y grupos indígenas norteamericanos que reconocían la soberanía mexicana. Había un número considerable de granjas medianas y pequeñas dentro de las cuatro lenguas de las tierras del pueblo; desgraciadamente no se conoce el número y extensión exactos ya que sucedieron algunos hechos desde la confirmación original de las tierras del pueblo en 1786 y la anexión a Estados Unidos en 1848.

De los sesenta ranchos que había en la región de Los Ángeles, unas doce familias se consideraron como adineradas o hacendadas en menor escala a mediados de 1840. Ellos fueron propietarios de los ranchos más grandes del periodo colonial (obtuvieron su fortuna en seis años) o un grupo de políticos, como la familia Pico, que hicieron su capital como administradores de las propiedades que pertenecían a las misiones. Los rancheros, unos cincuenta, y sus familias, constituían un

[25] *Ibídem*, p. 641.

[26] Véase Hubert Howe Bancroft, capítulo XI, "Missions and Secularization, 1831-1833", *History of California*, vol. III, pp. 301-338; capítulo XII, "Mission and Indian Affairs", pp. 339-362; Alan C. Hutchinson, *Frontier Settlement in Mexican California*, New Haven, 1969.

número considerable de personas de diferente posición económica, desde los que vivían con lujo, hasta los que apenas empezaban a trabajar sus propiedades a fines del periodo mexicano.

Los historiadores posteriores que hablan de una élite ranchera, extravagante y fabulosamente rica, no describen las condiciones de trabajo arduo de los rancheros durante los periodos colonial y mexicano. Los mitos de los "hacendados aristócratas españoles" vienen siendo una verdad a medias que tan sólo refleja la experiencia de unos cuantos rancheros que pudieron conservar sus tierras durante la época de los buscadores de oro de 1848 hasta mediados de 1850. Estos últimos lograron producir grandes ganancias debido a los altos precios de las reses que se vendían en el norte de California para alimentar la afluencia de dichos buscadores. Las reclamaciones que surgían de estos mitos (sobre la ascendencia aristocrática española) no tenían fundamento, ya que en la totalidad del territorio sólo dos o tres familias descendientes de un grupo minoritario de oficiales del ejército, podían afirmar que provenían de la nobleza.

La mayoría de los rancheros ricos descendían, no de la nobleza española, sino de los sargentos y cabos de las guarniciones de los presidios, quienes lejos de ser aristócratas españoles, eran descendientes del campesinado rudo (granjeros y trabajadores de las granjas), artesanos y mineros de las provincias de la frontera de Sonora y Sinaloa. Lejos de tener ascendencia española, ellos, como sus descendientes de hoy, eran mestizos (mezcla de las razas india, africana y europea). Su verdadera nobleza provenía no de sus títulos españoles, sino de haberse constituido en "hombres y mujeres de exercicio".

De hecho, con la excepción de un grupo de familias tales como los Vallejo del norte de California, los rancheros del periodo mexicano no hacían alarde de su ascendencia española, sino más bien de su nacionalidad mexicana y de su identidad regional californiana. Las declaraciones y acciones militares de los angelinos durante la guerra con Estados Unidos (1846-1848) demostraron orgullo "de ser mexicanos". Los miembros de la élite californiana, como los Pico, Carrillo y Domínguez presumían de ser "aristócratas de ascendencia española", y lo hacían al igual que los Andrew Jackson y los

Abraham Lincoln de esa misma época, que exaltaban su ascendencia aristocrática inglesa o escocesa. Como en Estados Unidos durante ese tiempo, había familias en México que hacían alarde de su ascendencia, pero estos grupos no vivían en los territorios de la frontera, como Alta California, Illinois o Kentucky, sino en las ciudades antiguas y ricas, como Boston, Richmond, la ciudad de México y Guadalajara.

## Todavía bajo dominio mexicano

De 1830 en adelante, Los Ángeles y los políticos angelinos jugaron un papel primordial en la vida política del territorio mexicano de Alta California. La región de Los Ángeles ya no dependía del control administrativo de Santa Bárbara, sino que se convirtió en el centro administrativo de su propio distrito. Bajo la Constitución Federal Mexicana de 1824, Alta California se consideró como territorio y el gobernador fue nombrado o confirmado por el gobierno nacional. Existía una diputación territorial o legislatura compuesta por diputados que representaban cada uno de los distritos. Un grupo de electores previamente seleccionados escogían a los diputados en su propio distrito, en donde todos los ciudadanos adultos de sexo masculino tenían derecho al voto. La diputación, además de su papel legislativo, también elegía a un representante de Alta California para el Congreso de la ciudad de México.[27]

El oficial público más importante del distrito de Los Ángeles era el alcalde del pueblo o mayor; le secundaban los regidores, un procurador síndico, un secretario y un tesorero. Después de 1836, México adoptó un sistema centralizado de gobierno bajo el cual los estados y territorios se convirtieron en departamentos. El Departamento de Alta California se dividió en dos prefecturas, una de ellas la de Los Ángeles. Ésta incluía el área que iba de Santa Bárbara a San Diego (ambas zonas eran subprefecturas de Los Ángeles). A la cabeza de la prefectura estaba el prefecto, y en las subprefecturas los subprefectos. El sistema de alcaldía se abolió hasta 1845, cuando se sustituyó al alcalde por dos jueces de paz; los regidores y otros oficiales continuaron.[28]

[27] David Hornbeck, *op. cit.;* W.W. Robinson, *op. cit.*

[28] Hubert Howe Bancroft, *History of California*, vol. III.

Bajo el sistema departamental, el gobernador se convirtió en jefe político y a la diputación se le nombró Junta Departamental. Había otros oficiales bajo ambos sistemas, tales como los jueces de campo que sostuvieron la jurisdicción por medio de disputas respecto a los derechos sobre el ganado y los campos de pastoreo. Después de 1845 se restituyó al alcalde y se abolieron los jueces de paz. El alcalde de Los Ángeles con frecuencia tuvo varios subalcaldes a cargo de los lugares distantes del distrito. Durante algunos años Manuel Domínguez fungió como subalcalde de San Pedro.[29]

Entre los angelinos políticamente más activos del periodo de 1830-1848, se encontraban las siguientes personas y familias: José Antonio Carrillo, que fue el político soltero más astuto del periodo mexicano. Carrillo era miembro de la familia política más poderosa de Alta California. Su padre venía de las filas y había ascendido a capitán y comandante de presidio. Su hermano, Anastasio, fue comisionado de Los Ángeles (1818-1821), mientras que su hermano Carlos Antonio fue el representante de Alta California en el Congreso Mexicano (1831-1832) y fue nombrado gobernador del territorio, aunque no pudo permanecer en esta posición. José Antonio Carrillo fungió como miembro de la diputación en varias ocasiones, también como alcalde de Los Ángeles y otros cargos territoriales y locales. De 1835 a 1836 desempeñó el cargo de diputado de Alta California en la ciudad de México. Más significativo aún, es el hecho de que era cuñado de Pío y Andrés Pico y que generalmente se aliaba políticamente con el primero. José Antonio Carrillo, que también fue miembro de la Convención Constitucional de 1850, llegó a ser jefe político y promotor del rey durante el periodo mexicano.[30]

Pío Pico estaba asociado con San Diego y Los Ángeles (aunque no fue residente de la ciudad sino hasta 1840) y, sin embargo, llegó a ser el político más reconocido de la época mexicana en lo que respecta a dicha ciudad. Nació en la misión San Gabriel y fue hijo del sargento de guardia, José María Pico. Pío fungió como diputado de San Diego en la diputación en varias ocasiones; ahí se le conoció como el mejor orador del sur de California (o Abajo), territorio en rivalidad política con

[29] *Ibídem*, p. 586; Hubert Howe Bancroft, *History of California*, vol. IV, p. 533.
[30] *Ibídem*, pp. 633-634.

el norte de California (o Arriba), antigua capital de Monterey. En un principio Pico fue el protegido de Juan Bandini (político de San Diego) y se hizo notar en 1828 cuando, como primer diputado, propuso que la capital se trasladara a Los Ángeles.[31] Pico fue uno de los hombres más ricos de la California mexicana; es posible que haya formado su riqueza indirectamente, es decir, durante su posición como administrador de la misión más rica, San Luis Rey (en 1835), de cuyo territorio donó tres ranchos. Como miembro superior de la diputación o vocal, Pico casi pierde la oportunidad de ser gobernador en 1832. Finalmente, fue el último gobernador mexicano de Alta California en 1845.

También políticamente importante, pero generalmente reconocido por su dirección del ejército mexicano de Los Ángeles, fue el hermano menor de Pío, Andrés Pico. Este último derrotó a la caballería de Estados Unidos que estaba bajo las órdenes del general Kearney, en San Pascual en diciembre de 1847. Los dos hermanos Pico casi siempre estaban relacionados políticamente con José Antonio Carrillo y Juan Bandini, cuya finalidad era incrementar los intereses del sur de California.

Durante el periodo mexicano hubo otras dos o tres docenas de hombres, en Los Ángeles, de importancia para la política. Entre ellos pueden mencionarse: Manuel Domínguez, copropietario (con sus hermanos) del Rancho San Pedro. Domínguez tuvo diversos puestos: regidor en 1829, tres veces alcalde o auxiliar de alcalde en 1832, 1833 y 1839, juez de paz en 1842, prefecto de la prefectura de Los Ángeles en 1843 y miembro de la diputación en 1828-1829 y 1832-1833. Tiburcio Tapia, hijo de José Bartolomé del Rancho Topanga Malibú, fue miembro de las diputaciones de 1827 y 1833, alcalde entre 1830-1831, 1839 y 1844, síndico y prefecto en 1839. José Sepúlveda, ranchero prominente, fue regidor varias veces, alcalde en 1837, 1839, 1846 y subprefecto en 1845. Manuel Requena, comerciante importante nacido en Yucatán, fue regidor y alcalde en 1836 y 1844. Narciso Botello, otro comerciante nacido en Sonora, fue varias veces regidor, síndico, secretario, secretario de la prefectura entre 1839-1843, diputado representante de

[31] Hubert Howe Bancroft, *History of California*, vol. II, pp. 745-746.

Pío Pico (1801-1894), último gobernador mexicano de Alta California. (Foto hacia 1880.) (Cortesía de la Sociedad Histórica de California.)

Andrés Pico (1810-1876), rico ranchero y hermano del gobernador Pío Pico. Andrés fue el tercero en comandar las fuerzas mexicanas en la guerra México-Estados Unidos. Bajo las leyes de Estados Unidos, fue miembro del Comité Constitucional del Estado, senador y general de la milicia del estado de California. (Cortesía del *Seaver Center* para investigación de Historia del Oeste, Museo de Historia Natural del condado de Los Ángeles.)

Los Ángeles en la Junta Departamental de 1843-1846, secretario del comandante de las fuerzas mexicanas en Alta California en 1846 y 1847.[32]

Los colonizadores posteriores, Ignacio y Antonio Coronel, de la ciudad de México, se ganaron el respeto de la población por su habilidad y educación. Ignacio, padre de Antonio, fue el mejor director de la escuela entre 1838 y 1840; llegó a ser secretario del Ayuntamiento en 1838-1839, 1844-1847 e inspector de aduana en San Pedro en 1846. Antonio F. Coronel apoyó la candidatura de Carlos Carrillo para la gubernatura de 1837-1838; fue además juez de paz de Los Ángeles en 1843-1844, elector de esa misma ciudad en 1845 y se le ofreció —aunque él se rehusó— el puesto de prefecto en 1845. Antonio Coronel fue capitán del ejército durante la guerra de 1846-1847 y después fungió como el más alto tesorero del estado de California en 1867 y jefe político del condado de Los Ángeles en 1860. Abel Stearns, nacido en Nueva Inglaterra, fue el único extranjero que ejerció influencia política directamente en Los Ángeles durante el periodo mexicano; asimismo, fue comerciante y ranchero exitoso. Adquirió la nacionalidad mexicana y se casó con la hija de Juan Bandini, político prominente de San Diego. Aunque había sospechas de que era contrabandista, a principios de 1830 Stearns pudo —con la ayuda de Bandini y de su propia capacidad— llegar a síndico en 1836. Durante varios años se quedó sin influencia por haber apoyado al partido que perdió en el conflicto con los Carrillo, pero volvió a la vida pública como subprefecto de Los Ángeles de 1845 a 1847. En el periodo de guerra (1846-1848) se declaró públicamente neutral y trabajó en secreto para apoyar los intereses norteamericanos.[33]

Otros políticos importantes que tuvieron los cargos de alcalde, juez de paz o prefecto fueron Vicente Sánchez, José Pérez, Francisco Javier Alvarado, Gil Ibarra, Luis Arenas, Felipe Lugo, Juan B. Leandry, Encarnación Urquides, Ignacio Palomares, Juan Gallardo, José Salazar, Enrique Ávila y Agustín Machado. Unas cincuenta o sesenta personas más

[32] Véase Arthur P. Botello (trad.), *Don Pio Pico's Historical Narrative*, Glendale, 1973. También Hubert Howe Bancroft, *History of California*, 7 vols.

[33] Véase "California Pioneer Register", Hubert Howe Bancroft, *History of California*, vols. II-V.

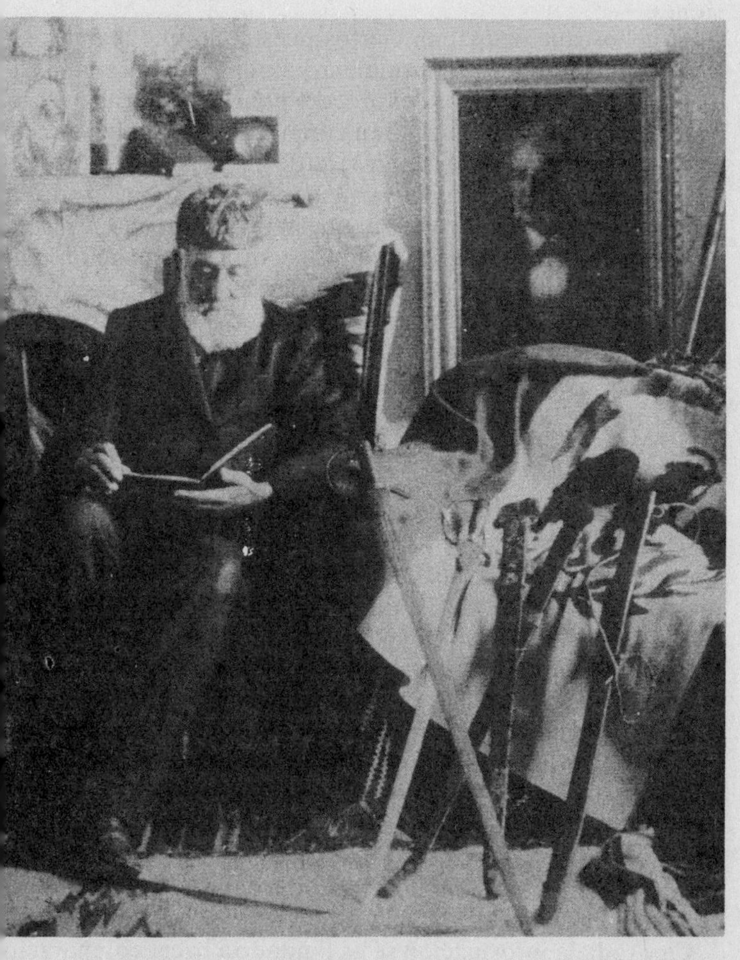

Antonio Coronel, dirigente en México y Estados Unidos, sirvió como alcalde de Los Ángeles y fue tesorero para el estado de California.

ocuparon los puestos de juez de campo, regidor, secretario síndico y tesorero de Ayuntamiento. Varios de ellos también trabajaron como electores, oficiales del ejército, inspectores de aduana o administradores de las propiedades de las ex mi siones.[34]

Aquellos que ocupaban ciertos puestos, o que iban a ocu parlos, ya fuera por nombramiento o por elecciones, no sola mente eran participantes del proceso político. En ocasiones lo líderes populares se levantaban como oradores para hacer de conocimiento público los agravios de las personas respecto a sus principios o problemas particulares. El caso más sobresa liente fue el de Servulio Varela, que junto con Leonardo Cota organizó un levantamiento popular contra la ocupación mili tar de los norteamericanos en Los Ángeles en 1847. Casi todo los otros cientos de adultos de sexo masculino participaron en el proceso político en apoyo a los líderes, con quienes sostenían relaciones sociales y económicas, o simplemente por indigna ción ante ciertas injusticias.

## Vida política de Alta California

Contrariamente a lo que afirman los historiadores cuando reseñan la vida política de Alta California como un desfile insensato de revoluciones y de "retórica pomposa", la vida política del territorio mexicano se rigió por un patrón lógico basado en problemas reales de importancia pública y de posi ciones divergentes fundamentadas en intereses económicos y principios políticos. Si hasta la fecha los historiadores no han analizado la naturaleza de la política de Alta California, e porque, o no han tenido ganas o capacidad para examinar y evaluar la vida política del territorio dentro de su contexto y del de la República Mexicana en su totalidad durante la pri mera mitad del siglo XIX.

Casi toda la información se ha limitado a hacer comparacio nes directas o simplistas entre los políticos de la California mexicana y se ha dado una versión idealizada del proceso político de Estados Unidos del siglo XIX. Invariablemente, tale

[34] *Ibídem.*

relatos tienden a condenar la vida política de la Alta California mexicana y con fundamentos erróneos. La mayoría de los historiadores han descrito la política de Alta California como caótica, corrupta y al gobierno como tiránico, y siempre en busca de sus propios intereses y propiciando el compadrazgo entre los oficiales con el único fin de enriquecerse personalmente. Tal información se fundamenta en la falsa suposición de que los intereses personales y corruptos constituían algo habitual dentro del sistema político mexicano. Pero el problema no radica en que los políticos mexicanos fueran más o menos corruptos que los norteamericanos de entonces, sino en que la contraparte de Estados Unidos compró votos a 5 dólares o una botella de brandy barato, o que movilizaron pandillas de fortachones para que disolvieran las campañas de los candidatos contrarios. El meollo del asunto consiste en que se debe hacer un intento por comprender cuáles fueron los métodos y problemas del proceso político de Alta California dentro de su contexto.

Que los políticos mexicanos de Alta California, incluyendo a los líderes angelinos, actuaran de acuerdo a sus intereses personales, familiares o de partido, no debería causar sorpresa ya que ésta es una característica intrínseca de casi todas las sociedades. Ellos se inclinaron por lo que consideraban como los intereses más valiosos de la ciudad, territorio o país y, algunas veces, con enormes sacrificios. El proceso político de la California mexicana no solamente estuvo relacionado con maniobras de tipo político, sino también con un conjunto de aspectos y principios políticos reales.

Primeramente, el proceso político comenzó como un experimento en lo que respecta a la operación para proveer a un gobierno representativo de la República que se fundamentara en ideales de igualdad para todos los ciudadanos ante la ley, la elección de oficiales públicos y la promoción del bien común. Dentro de estos esquemas se presentó un problema político mayor: el deseo de una forma de gobierno centralizado con los estados o departamentos unidos bajo un mismo sistema legal y administrativo previamente estudiado por el Gobierno Nacional o sistema federal, mismo que otorgaría autonomía regional a los estados.

De 1824 a 1836, los estados mexicanos se organizaron como

una República Federal o Federación dentro de la cual los estados gozaban de autonomía administrativa. Después de 1836 se empezó a gestar un futuro golpe de estado cuando el presidente Santa Anna abolió la Constitución Federal e impuso un sistema centralizado bajo el que los estados se convertían en departamentos administrados por el gobierno central y bajo las órdenes de gobernadores nombrados o electos por el presidente mismo y el Congreso.[35]

En Alta California (considerada como territorio hasta 1836 y como departamento después de ese año) el problema del centralismo contra el federalismo estaba relacionado con el problema de si el gobernador y otros oficiales mayores serían elegidos por los californianos nativos u oficiales de la ciudad de México y de los estados centrales nombrados por el presidente. En realidad, la postura de los políticos angelinos ante este asunto variaba de acuerdo a otros problemas tales como la secularización y las rivalidades entre el norte y el sur. Así, en diversos momentos líderes tales como los Carrillo y los Pico cambiaron de posición en lo que se refiere a este asunto, ya que un punto importante lo constituía el partido que reconocía el gobierno de la ciudad de México o autoridad legítima de Alta California.[36]

Durante el periodo mexicano surgió un problema constante: la rivalidad entre los habitantes del norte de California (o arribeños) y los del sur de California (o abajeños), siempre en pugna por controlar la gubernatura, la diputación, las rentas de la Casa de Aduana y la autoridad militar. Como dos terceras partes de la población mexicana vivían en Alta California del sur, y como Los Ángeles tenía un número de habitantes mayoritario, la idea de que esta ciudad debía ser la capital, en vez de Monterey, representaba un atractivo lógico y emotivo. Sin embargo, como Monterey había sido la capital y los arribeños habían tenido un mayor control, la maquinaria gubernamental y los oficiales más elevados les permitieron evitar que el gobierno se trasladara a Los Ángeles antes de 1845, fecha en que el Gobierno Nacional confirmó que Pío Pico sería gobernador.[37]

[35] *Ibídem.*

[36] Hubert Howe Bancroft, *History of California*, vol. III, pp. 420-521.

[37] *Ibídem*, pp. 181-239; 414-607.

También relacionada con la rivalidad entre norte y sur estaba la tendencia de los líderes del norte a buscar una mayor autonomía de México frente al sentido nacionalista de los angelinos. El norte de Alta California (con una población menor y una tradición política de una élite que provenía del gobierno en Monterey durante el periodo colonial) provocó que disminuyera el apego a México y que aumentara hacia California del sur, la cual tenía un mayor contacto con los estados del norte, especialmente Sonora. La identidad cultural mexicana y la lealtad política tuvieron más fuerza en el sur ya que contaban con una población mayor.

Otro problema político importante del periodo mexicano lo constituyó la secularización de las misiones y las condiciones bajo las cuales se implantaría. Las veintiún misiones franciscanas representaban un bloque porque poseían los campos de agricultura y de pastoreo más productivos, las manadas más grandes, las propiedades de mayor valor en territorio; esto era una cuestión crucial. El grupo, facción o región que controlaba a las misiones dominaría el destino de Alta California. En la práctica, la administración de las ex misiones finalmente tendía a dividirse entre las facciones norte y sur y un grupo menos cohesivo de políticos electos de otra parte de México, a su vez aliados a una u otra facción.[38]

La última controversia política que tenían que enfrentar los líderes de California era la amenaza de invasión por parte de Estados Unidos, misma que se hizo realidad con la anexión del territorio a este país. Los líderes del norte y sur de California, a excepción de unos cuantos como el político norteño Mariano Guadalupe Vallejo, se oponían a los deseos de los extranjeros en adquirir Alta California. Lo que ellos deseaban era continuar perteneciendo al territorio mexicano y seguir bajo el liderazgo de los políticos seleccionados en el mismo territorio. La presión de la creciente inmigración extranjera, sobre todo por parte de Estados Unidos, y la clara intención de este país en adquirir el territorio, provocaron que este asunto se convirtiera en una crisis política de los líderes sureños (como los Pico, Carrillo, de la Guerra) y norteños (como los Alvarado y los Castro). Finalmente, los californianos mexicanos prefirieron

[38] Hubert Howe Bancroft, *History of California*, vol. IV, pp. 518-520.

resistir; sin embargo, aunque el repudio fue masivo, dada la pequeña población el territorio se derrumbó bajo el poder militar avasallador de Estados Unidos en la guerra que sostuvo con México entre 1846 y 1848.[39]

Entre 1830 y 1831, Tiburcio Tapia desempeñó el cargo de alcalde; le siguieron Vicente Sánchez (1831-1832), Manuel Domínguez (1832-1833), José Antonio Carrillo (1833-1834), José Pérez (1834-1835), Francisco Javier Alvarado (1835-1836), Manuel Requena (1836-1837), Luis Arenas (1838-1839) y Tiburcio Tapia (de nuevo entre 1839-1840). En 1840 finalmente se abolió la alcaldía y se sustituyó con los jueces de paz.[40] Los registros del ayuntamiento durante este periodo muestran que el gobierno municipal de la ciudad era solvente en las finanzas y que los gastos eran proporcionales a los recibos.

En 1831 el gobierno mexicano asignó al coronel Manuel Victoria para sustituir a José María de Echandia. Victoria perdió su popularidad y enojó a los líderes políticos cuando se negó a convocar a la diputación e impuso su autoridad para gobernar sin previa consulta. En noviembre de 1831, Pío Pico, José Antonio Carrillo y Juan Bandini convocaron a una junta apoyada por el ex gobernador Echandia, para dar inicio a una revuelta en San Diego. A principios de ese año, el gobernador Victoria enfureció a los políticos angelinos cuando brindó su apoyo al alcalde Vicente Sánchez, muy poco popular. Esto sucedió durante las disputas que Victoria sostuvo con el ayuntamiento, mismo que había depuesto a Sánchez fundamentando que él no podía tener los cargos de alcalde y diputado al mismo tiempo. Como Sánchez era uno de los que lo apoyaban más firmemente, Victoria ordenó que volviera a ocupar su puesto en junio de 1831 y, al siguiente mes mandó encarcelar a sus regidores Juan Alvarado, José Pérez y otros seis oponentes importantes.[41]

Después de que se emitió el pronunciamiento de San Diego en contra del gobierno arbitrario de Victoria, las fuerzas anti-

[39] Véase Hubert Howe Bancroft, capítulo XI, "Missions and Secularization, 1831-1833", *History of California*, vol. III, pp. 301-338; capítulo XII, "Mission and Indian Affairs", pp. 339-362; Alan C. Hutchinson, *Frontier Settlement in Mexican California*, New Haven, 1969.

[40] *Ibídem.*

[41] Hubert Howe Bancroft, *History of California*, vol. III, pp. 636-637.

victorianas marcharon hacia el norte y ocuparon Los Ángeles el 4 de diciembre de 1831, fecha en que también liberaron a los prisioneros. El gobernador Victoria, que se dirigió al sur con unos treinta soldados y algunos partidarios, llegó al Paso de Cahuenga el 5 de diciembre de 1831. Aquí se libró un pequeño enfrentamiento con un grupo de 128 voluntarios y 30 soldados al mando de José Antonio Carrillo. Murieron dos hombres e hirieron seriamente al gobernador Victoria en el momento en que el angelino Tomás Talamantes, del Rancho La Ballona, lo atacó con una lanza. El 9 de diciembre, el herido Victoria (que entonces se encontraba en San Gabriel) renunció a su cargo de gobernador. Después de esto, Pío Pico, que era vocal superior u orador de la diputación, bien pudo sustituir a Victoria en la gubernatura, excepto porque el ex gobernador Echandia declaró que las demandas de Pico eran ilegales y se autonombró gobernador. Para no arriesgar que surgiera una mayor crisis, Pico se retractó en favor de Echandia. Durante 1832 tanto Echandia como Zamorano reclamaron la gubernatura.[42]

El año de 1833 fue abrumador para los angelinos. Un nuevo gobernador, el general José Figueroa, fue designado por el gobierno de México. A diferencia de Victoria, Figueroa fue un político hábil que pudo trabajar con la diputación y líderes locales para desarrollar un plan que instituyera la secularización. El resultado de esto minimizó el conflicto entre las facciones políticas mayores al dividir la administración de las ex misiones entre los líderes y sus partidarios más importantes. Aunque la secularización tendía a enriquecer a unos pocos, su resultado fue favorable si se compara con la política de la administración de Andrew Jackson de ese mismo periodo en Estados Unidos respecto a las tierras de los indios. Jackson actuó en beneficio de los especuladores de grandes tierras y de los propietarios de plantaciones del sur, a expensas de las naciones indígenas Creek, Cherokee, Chickasaw, Choctaw y Seminole.[43] En ambos casos, tanto los indios como los ciudadanos comunes salieron afectados; sin embargo, había una notable diferencia de trato respecto a los indios. En Alta California los indígenas de las ex misiones podían continuar siendo miembros de la comunidad y convertirse en trabajado-

[42] *Ibídem*, pp. 633-637.
[43] *Ibídem*, pp. 181-215, 634.

res en el momento en que perdían sus derechos de tierra. En cambio los indios del sudeste de Estados Unidos fueron deportados a Oklahoma por la fuerza; esto tuvo serias consecuencias como fueron las muertes de cientos y, en el caso de los Seminoles que optaron por resistir, el resultado fue peor cuando se les cazó como animales.

De febrero de 1833 a febrero de 1834 se hizo un nuevo intento por mantener la escuela en Los Ángeles con Francisco Pantoja como director.[44] En 1834 hubo un acontecimiento importante: el matrimonio de Pío Pico y María Ignacia Alvarado, celebrado públicamente en la iglesia de la plaza y con el gobernador Figueroa como padrino. Toda la población del pueblo y cientos de visitantes participaron en una de las fiestas más memorables del periodo mexicano.[45]

En 1835 los angelinos recibieron la confirmación pública de la condición de su estado (Alta California) como el poblado más grande. En mayo de ese año el Congreso de México mandó un decreto declarando que el pueblo sería una "ciudad" además de capital oficial del territorio de Alta California. Las celebraciones públicas se llevaron a cabo en Los Ángeles, pero el gobierno no se transfirió a esta ciudad durante la siguiente década debido a la oposición de Monterey. El año de 1836 se caracterizó por el apoyo laboral hacia el mantenimiento del sistema la Zanja y por el escándalo que causó el asesinato del marido de una mujer, en manos de su amante, cuando el primero intentó impedir que ella se fuera. Este suceso escandalizó de tal forma a la comunidad, que los ciudadanos organizaron un comité de vigilancia para linchar públicamente a los dos amantes.[46]

En abril de 1835 murió el gobernador Figueroa. A su muerte sobrevino un periodo de maniobras políticas por obtener el poder, que duró hasta diciembre de 1836. Durante este tiempo hubo cuatro gobernadores interinos. Finalmente en diciembre de 1836, el líder arribeño Juan Bautista Alvarado, obtuvo la gubernatura, misma que fue reconocida por el gobierno mexicano en julio del siguiente año: Alvarado fue nombrado jefe

[44] Véase Ronald N. Satz, *American Indian Policy in the Jacksonian Era*, Lincoln, 1975.

[45] Hubert Howe Bancrot, *California Pastoral*, p. 496.

[46] Arthur Botello (trad.), *op. cit.*, p. 64.

político del Departamento de Alta California. Fue un político hábil que, en octubre de 1837, pudo evitar que Carlos Carrillo obtuviera un nombramiento oficial del gobierno. Carrillo, hermano de José Antonio Carrillo de Los Ángeles, contaba con el apoyo sólido de esta ciudad y de San Diego, pero se retractó cuando los políticos de Santa Bárbara apoyaron a Alvarado. Este último se valió de una política de aumento en las donaciones de tierra para conciliarse con sus contrincantes y premiar a aquellos que lo apoyaron en el sur de California.[47]

La década de 1840 se caracterizó por un periodo de crecimiento en la población y por la influencia política y económica en el territorio de Los Ángeles. Sin embargo, tanta prosperidad e influencia se vieron opacadas por el deseo que tenía Estados Unidos en adquirir Alta California. A causa de la economía interna y de las contradicciones políticas y sociales que imperaban, el gobierno de México no pudo tomar las medidas necesarias para proteger su territorio más distante. El gobierno territorial y la población estaban conscientes de las amenazas constantes y en aumento por parte de Estados Unidos, pero carecían de un ejército poderoso y de recursos para detener una fuerte invasión e impedir el establecimiento ilegal de los inmigrantes angloamericanos.

A la revuelta de Texas contra México en 1826, la agresión texana y los intentos de Estados Unidos en comprar el territorio mexicano, se sumaba el temor de que se establecieran más extranjeros ambiciosos. Aunque la mayoría de los extranjeros —en especial los colonizadores estadunidenses— se encontraban al norte de California, todos los habitantes de Los Ángeles y del sur de ese estado estaban conscientes de los peligros que los amenazaban, sobre todo a partir de 1842. En agosto de 1848, el comodoro Ap Catesby Jones, comandante del United States Pacific Naval Squadron (Escuadrón Naval del Pacífico de los Estados Unidos) escuchó los rumores sobre el estallido de guerra entre México y Estados Unidos. De inmediato Jones creyó en los rumores y no esperó a verificar las noticias y, bajo las órdenes secretas del presidente estadunidense, ocupó Alta California. El 24 de octubre el escuadrón de Jones llegó a Monterey y, a pesar de las protestas de los oficiales mexicanos,

[47] Hubert Howe Bancroft, *History of California*, vol. III, p. 631.

desembarcaron los marinos, ocuparon el poblado e izaron la bandera de Estados Unidos. Cuando el cónsul de ese país informó al comodoro Jones que no había estallado la guerra, éste pidió disculpas al gobernador Manuel Micheltorena y se retiró. Lo cierto es que la acción ilegal de Jones puso en evidencia la intención definitiva, por parte de Estados Unidos, de anexar la Alta California a su territorio.[48]

## Últimos años bajo dominio mexicano

La población de Los Ángeles aumentó considerablemente en la década de 1840. El historiador del siglo XIX, Bancroft, calculó que el número de "gente de razón" se incrementó de unos mil 800 en 1841, a unos 2 mil en 1845. Aproximadamente mil 250 de ellos vivían en la ciudad y unos 750 en las ex misiones de San Gabriel y San Fernando. Bancroft calculó que la población de indios ex neófitos del pueblo, ranchos y ex misiones era de unos mil 100 habitantes. El último censo del periodo mexicano, hecho en 1844, mostró que había un total de habitantes entre el poblado y los ranchos de mil 847 mexicanos, de los cuales 627 eran hombres, 500 mujeres y 720 niños; el número de indígenas era de 650. La población total ascendía a 2 mil 497 personas, sin incluir a los indios de San Fernando y San Gabriel. El reporte de 1844 mostró 300 indígenas en San Gabriel y Bancroft calculó otros 300 en San Fernando, por lo que la cifra total de indios en el distrito de Los Ángeles debe de haber sido de unos mil 250. En suma, este distrito tuvo en 1844 unos mil 250 indígenas, mil 847 mexicanos; ambos constituían una población total de unas 3 mil 097 personas en el área que iba desde San Fernando hasta San Juan Capistrano.[49]

De 1841 a 1847 las siguientes personas ocuparon los puestos de prefecto y alcalde en el distrito de Los Ángeles: de 1841 a 1843 Santiago Argüello fue prefecto y fue sustituido por Manuel Domínguez en 1843 y José L. Sepúlveda en 1845; como subprefecto Abel Stearns en 1846. De 1841 a 1844, cuando se sustituyó el cargo de alcalde por dos jueces de paz, Ignacio Palomares e Ignacio Alvarado fungieron como tales

[48] *Ibidem*, pp. 545-578.

[49] Hubert Howe Bancroft, *History of California*, vol. IV, pp. 339-349.

en 1841; Manuel Domínguez y José L. Sepúlveda en 1842; Manuel Domínguez y Antonio F. Coronel en 1843; Antonio Coronel y Rafael Gallardo en 1844. Después de que se restituyó el oficio de alcalde (1844), las siguientes personas se hicieron cargo del puesto como primer y segundo alcaldes: Manuel Requena y Tiburcio Tapia en 1844; Vicente Sánchez y Juan Sepúlveda en 1845; Juan Gallardo y José L. Sepúlveda en 1846; José Salazar y Enrique Ávila en 1847.[50]

Un acontecimiento importante de 1842 lo constituyó el descubrimiento de oro en manos del vaquero Juan López en el cañón de Placeritas, cerca del valle de San Fernando. Esto sucedió cuando López andaba rastreando al ganado disperso y se detuvo a comer una cebolla silvestre; entonces notó que entre las raíces estaba atrapada una pepita de oro. Aunque la cantidad del metal precioso era limitada, en breve llegaron cientos de buscadores desde lugares tan distantes como Sonora y Nuevo México. En 1845 un visitante de la zona observó que treinta gambusinos —principalmente de Nuevo México— trabajaban el área y percibían un sueldo de 25 centavos al día. Este descubrimiento precedió al de John Marshall en el molino de Sutter en Sonora en 1848, pero a su vez fue precedido por otros pequeños descubrimientos a lo largo de la costa de Alta California, los cuales no llamaron la atención, probablemente porque la cantidad o la calidad eran limitadas.

Durante los últimos años del periodo mexicano, se hizo un mayor esfuerzo en Los Ángeles por mejorar el aspecto cívico: así se estimuló el crecimiento de la ciudad la cual finalmente se convirtió en capital de Alta California. En junio de 1843 se lanzó una orden municipal exigiendo a los propietarios de tiendas y cantinas que pusieran alumbrado enfrente de sus negocios, desde el atardecer hasta las nueve de la noche. Se hicieron esfuerzos para mejorar y construir nuevos edificios, incluyendo un capitolio y un cuartel. El ayuntamiento compró tierra para un nuevo cementerio público, que iba a presentarse a la iglesia, bajo la condición de que no se cobraran cuotas en los entierros. Este esfuerzo se encontró con un obstáculo cuando el obispo declaró que se cobraría una cuota, porque la

[50] *Ibídem*, pp. 628, 637-638.

consagración de un nuevo lote para entierros lo convertía automáticamente en propiedad de la iglesia, aunque lo donara o no la ciudad.[51]

En 1844 se organizó un club social llamado "Amigos del país" en un gran lote exento de impuestos que había sido comprado con donaciones. También se construyó un club que tenía salón de baile y sala de lectura. Después de unos meses el grupo se dispersó debido a algunos desacuerdos y se rifó la propiedad; la ganó Andrés Pico. En abril de 1845, el gobernador Pío Pico, a sugerencia del ayuntamiento, lanzó un decreto en el que se pedía la reparación y lavado de todas las fachadas de las casas de la ciudad.[52] También se hicieron mayores esfuerzos para sostener las escuelas. De 1838 a 1840 Ignacio Coronel mantuvo la escuela. En agosto de 1843 a julio de 1844 se le pagó a Guadalupe Medina, un oficial joven, la cantidad de 500 pesos para administrar la escuela, la cual se consideraba como excelente. En junio de 1844 se contrató a Luisa Argüello como maestra con un salario de 40 pesos al mes. En enero de 1845 nuevamente se contrató a Guadalupe Medina con un sueldo de 500 pesos al año.

En febrero de 1845 la junta departamental retiró al general Manuel Micheltorena de la gubernatura y declaró a Pío Pico miembro superior de la junta y gobernador. El gobernador Pico, cuyo nombramiento fue reconocido por el gobierno mexicano, transfirió la capital de Monterey a Los Ángeles, tal y como ordenó el Congreso de México en 1836. Los californianos del norte, o arribeños, se negaron a aceptar esto y apoyaron al general José Castro (un comandante militar del norte) para que asumiera la gubernatura. Se hicieron los arreglos necesarios para que la legislación y el gobernador estuvieran en Los Ángeles; pero la aduana y las autoridades militares debían quedarse en Monterey.[53]

## Guerra con Estados Unidos

Los dos últimos años del periodo mexicano, 1846-1848, se caracterizaron por el estallido de la guerra entre Estados Unidos y México; la invasión de Alta California por el ejército y

[51] *Ibídem*, pp. 632-634.
[52] *Ibídem*, pp. 629-631.
[53] *Ibídem*.

fuerza naval estadunidense; los intentos de Pío Pico para conseguir ayuda militar del gobierno de México; la ocupación de Los Ángeles y otros poblados de Alta California; el estallido y extensión de la resistencia popular en toda Alta California; una serie de batallas libradas en el sur de California y la capitulación de las fuerzas mexicanas en un acuerdo de armisticio para esperar los resultados de la guerra entre los dos países.

En 1845 Estados Unidos se anexó la República en Texas como estado, haciendo caso omiso de las protestas del gobernador mexicano que afirmó que dicha adquisición era un acto de guerra, ya que ese territorio estaba en rebelión contra México desde 1836. También se les advirtió que la anexión traería como consecuencia la terminación de relaciones diplomáticas entre los dos países. El presidente de Estados Unidos John Tyler (que estaba por terminar su periodo) dio órdenes al general Zachery Taylor que dirigía un ejército de cinco mil hombres, de que avanzara más allá del río Nueces, el límite histórico del Texas mexicano y el Río Bravo del Norte o Río Grande, al que erróneamente Texas consideraba como su frontera. Cuando los mexicanos resistieron esta invasión al territorio nacional hubo muertos; entonces el presidente Polk falsamente argumentó que "se había derramado sangre americana en tierra americana". El Congreso de Estados Unidos declaró la guerra contra México en mayo de 1846, después de haber ignorado las protestas de miembros del Congreso, como lo fueron el presidente anterior John Quincy Adams y Abraham Lincoln; ambos exigieron a Polk, que mostrara, en un mapa, el lugar en donde había sido derramada la sangre americana, para que probara su afirmación.[54]

En el momento en que el gobernador Pico, el general Castro y los miembros de la Junta Departamental se enteraron del estallido de guerra y conociendo de antemano el peligro que amenazaba a Alta California, acordaron reunirse en Santa Bárbara (mayo 1846) para determinar las acciones de defensa contra una invasión segura. Contrariamente a lo que afirman algunos autores, los líderes de Alta California nunca vieron con buenos ojos la posible anexión de su territorio a Estados

[54] Hubert Howe Bancroft, *California Pastoral*, p. 496.

Unidos. Fue solamente una pequeña minoría, con intereses específicos en ese país los que desearon tal posibilidad. Aun estos individuos, como por ejemplo Mariano Guadalupe, se abstuvieron de traicionar abiertamente a su país e intentaron permanecer neutrales.

Entre las posibles acciones que se discutieron en la junta de Santa Bárbara estaba la de hacer contacto con los cónsules británico o francés en Alta California para pedir el protectorado de esos países en ese territorio como medio para evadir la conquista de Estados Unidos. Dentro de este contexto se había visto, y algunas veces condenado, que el gobierno de Pico actuaba en favor de la entrega de California a los ingleses. Pero debe tomarse en cuenta que tal medida solamente se consideró como último recurso, cuando todo lo demás hubiera fallado, y aún así les quedaba la esperanza de que Inglaterra devolvería Alta California a México al final de la guerra.

Los acontecimientos se sucedieron con rapidez. En junio de 1846 los colonizadores angloamericanos del valle de Sacramento, en colaboración con un grupo de soldados estadunidenses dirigidos por el capitán Charles Freemont, se rebelaron. Supuestamente, Freemont y sus soldados estaban haciendo una expedición pacífica cuando estalló la guerra. Lo cierto es que hay pruebas de que su verdadero propósito era planear las rutas de la invasión que utilizaría el ejército de Estados Unidos al atacar a México. Los colonizadores ocuparon el pequeño establecimiento de Sonoma, al norte de la bahía de San Francisco, y proclamaron una falsa República de California, bajo la Bandera del Oso. El propósito de dicha bandera era provocar un efecto psicológico en los californianos. Ellos esperaban inspirar el derrotismo entre los habitantes de California; pero contrariamente a sus planes, tanto el uso de la bandera, como la cruda matanza de civiles inocentes, solidificó la resistencia mexicana, aún en la escasamente poblada Alta California del norte.

A la rebelión de la Bandera del Oso siguieron la llegada de los barcos estadunidenses del escuadrón naval del Pacífico en Monterey y la ocupación de la vieja capital el 7 de julio de 1846 al mando del comodoro John Sloat. El 6 de agosto de ese año el comodoro Robert F. Stockton ancló en San Pedro; ahí desembarcaron cientos de marineros que procedieron a atacar a Los

Ángeles el 11 de agosto. Los angelinos no pudieron oponer resistencia al desembarco ya que no tuvieron tiempo suficiente para reunir una fuerza militar que pudiera resistir al bien armado ejército de Stockton de casi 400 hombres. No se debe pasar por alto que la población masculina total de Los Ángeles llegaba a solamente 675 hombres, que pocos de ellos eran soldados y que tan sólo existía un pequeño cuerpo militar que no había tenido tiempo de movilizarse.

El 10 de agosto, un día anterior al desembarco de Stockton, el gobernador Pío Pico salió de Los Ángeles con el jefe militar José Castro, hacia Sonora, con el fin de apelar al gobierno mexicano para que mandara tropas y armamento para combatir al invasor. Pico iba a pasar el resto de la guerra en Hermosillo y Guaymas, Sonora, donde se le ordenó permanecer. Prepararon algunas tropas para pelear en California, pero no pudieron repartirse cuando los barcos de guerra estadunidenses empezaron a bombardear y a desembarcar sus tropas en las costas de Guaymas y Mazatlán.[55]

Después de intimidar a los angelinos, Stockton dejó una guarnición bien armada de cincuenta marinos estadunidenses bajo las órdenes del capitán Archibald Gillespie para que ocuparan la ciudad. Al mismo tiempo otras unidades navales y marinas estaban ocupando Santa Bárbara y San Diego. Gillespie humilló arbitrariamente a la gente de Los Ángeles y arrestó a muchos ciudadanos. Bancroft describió esta actitud de la siguiente manera:

> Gillespie no tenía cualidades especiales para asumir esta nueva posición; sus subordinados tenían aún menos capacidad para desempeñar sus tareas. Estaban dispuestos a ver a los californianos y mexicanos como a una raza inferior, como a unos cobardes que se habían sometido sin resistencia, como a niños o indios que debían mantenerse bajo el control de reglas arbitrarias.[56]

El racismo abierto y la brutalidad desenfrenada de las tropas estadunidenses, que ocuparon la ciudad, enfurecieron a los

[55] Hubert Howe Bancroft, *History of California*, vol. IV, pp. 513-545.

[56] Véase David M. Pletcher, *The Diplomacy of Annexation: Texas, Oregon and the Mexican War*, Columbia, 1975; K. Jack Bauer, *The Mexican War, 1846-1848*, Nueva York, 1974.

angelinos. En septiembre de 1846 la población de Los Ángeles se levantó contra sus enemigos; los líderes fueron Servulio Varela y Leonardo Cota. Los hombres de Gillespie se vieron rodeados por una fuerza patriota que muy pronto aumentó a unos trescientos hombres. El 24 de septiembre se lanzó una proclama que expresaba los sentimientos de la gente de Los Ángeles a la que se denominó "Pronunciamiento contra los norteamericanos": declaraba su lealtad a México y su resolución para echar fuera a los invasores. Casi la mitad de los adultos de sexo masculino firmaron la proclama en el distrito de Los Ángeles.

Ésta decía lo siguiente:

> Ciudadanos: Durante un mes y medio y debido a la fatalidad que proviene de la cobardía e incompetencia de las autoridades del departamento directivo, nos vemos ahora subyugados y oprimidos por una fuerza insignificante de aventureros de los Estados Unidos de Norteamérica que, poniéndonos en una situación inferior a la de la esclavitud, nos están dictando leyes despóticas y arbitrarias bajo las cuales, cargándonos de contribuciones e impuestos onerosos, desean destruir nuestras industrias y agricultura y obligarnos a abandonar nuestras propiedades para que ellos las obtengan y se las dividan. ¿Y seremos capaces de permitir que nos subyuguen y aceptar en silencio la pesada cadena de la esclavitud? ¿Perderemos la tierra que hemos heredado de nuestros padres, la cual les costó tanta sangre? ¿Dejaremos que nuestras familias sean víctimas del salvajismo bárbaro? ¿Esperaremos a ver que nuestras mujeres sean violadas y que nuestros hijos sean golpeados por el látigo norteamericano, que nuestra propiedad sea saqueada, nuestros templos profanados, que llevemos una vida llena de vergüenza y de desgracia? ¡No! ¡Mil veces no! ¡Compatriotas, primero la muerte que eso! ¿Quién no siente que el corazón le late y que la sangre hierve al contemplar nuestra situación? ¿Quién es el mexicano que no se indigna ni se levanta en armas para destruir a nuestros opresores? Creemos que no habrá nadie tan vil y cobarde. Por consiguiente, la mayoría de los habitantes de este distrito, justamente indignados contra nuestros tiranos, lanzamos el grito de guerra y con las armas en mano juramos a un acorde apoyar los siguientes artículos:

1. Nosotros, todos los habitantes del departamento de California, como miembros de la gran nación mexicana, declaramos que es y ha sido nuestro deseo pertenecer únicamente a ella, libre e independiente.
2. Por lo tanto, las autoridades intrusas nombradas por las fuerzas invasoras de los Estados Unidos serán consideradas como nulas e inválidas.
3. Juramos no bajar las armas hasta ver a todos aquellos norteamericanos que sean negativos para México fuera de este país.
4. Todo ciudadano mexicano de los 15 a los 60 años de edad que no se haya levantado en armas para cumplir con este plan, será declarado traidor y sentenciado a la pena de muerte.
5. Todo mexicano o extranjero que directa o indirectamente ayude a los enemigos de México será castigado de la misma forma.
6. Toda la propiedad de los norteamericanos residentes que directa o indirectamente hayan tomado partido con los enemigos de México o los hayan ayudado, les será confiscada y utilizada para cubrir los gastos de guerra y sus gentes serán trasladadas al interior de la República.
7. Todos los que se opongan al plan actual serán pasados por las armas [sentenciados a muerte].
8. Se invitará a todos los habitantes de Santa Bárbara y del distrito del norte para que accedan a este plan.

Campamento cercano a Los Ángeles, 24 de septiembre de 1846.

Servulio Varela, Leonardo Cota y otros trescientos.[57]

Debido a la resistencia subsecuente de los angelinos y otros habitantes de Alta California se puede afirmar que este documento expresó sus verdaderos sentimientos hacia México y la futura anexión a Estados Unidos. Después de esto, se eligieron a los oficiales de los veteranos retirados del ejército mexicano y a los líderes de la milicia local para que dirigieran la campaña contra los invasores. Los líderes seleccionados fueron el capitán José María Flores como comandante general; José Antonio Carrillo —segundo en comandancia— como general mayor; el capitán Andrés Pico como comandante de escuadrón. Servulio Varela fue el comandante de cincuenta volunta-

[57] Hubert Howe Bancroft, *History of California*, vol. V, pp. 66-76.

rios que mandaron al Rancho Chino para arrestar una guarnición de veinte angloamericanos al mando de Isaac Williams. El 26 y 27 de septiembre atacaron y vencieron al enemigo en la llamada Batalla del Rancho Chino.[58]

Alrededor del 29 de septiembre de 1846, Gillespie y la guarnición que se había atrincherado en la colina donde ahora se localiza el Departamento de Educación de Los Ángeles se rindieron ante los angelinos. El 4 de octubre del mismo año se permitió que Gillespie y sus hombres marcharan hacia San Pedro, donde se embarcaron en un navío mercantil, *El Vandalia,* y se alejaron de la zona. Después de la nueva invasión de Los Ángeles, cientos de voluntarios se unieron a las fuerzas de José María Flores. Hubo un levantamiento exitoso en Santa Bárbara y San Diego y los ataques de guerrilla empezaron en el norte de Alta California.[59]

La resistencia no se limitó solamente a los hombres: las mujeres de Los Ángeles también expresaron su oposición ante el invasor. Un viejo cañón colonial capaz de disparar cuatro balas de una libra había permanecido sin usarse en la placita cerca de la iglesia. Solamente se había disparado este cañón para saludar en las fiestas y otras ocasiones. Cuando las fuerzas del comodoro Sloat ocuparon la ciudad, Francisca Reyes, una mujer que vivía cerca de la placita, enterró el cañón en su jardín para evitar que cayera en manos enemigas. Cuando se desenterró el cañón se le llamó el "pederero de la vieja", en honor del heroísmo de Francisca Reyes. Como muestra final de rechazo hacia los extranjeros, un grupo de mujeres entregaron a Gillespie —ya de retiro— una canasta de duraznos envueltos en espinas de cactus.[60]

Toda Alta California estaba nuevamente en manos mexicanas, desde San Luis Obispo hasta San Diego, y la bandera ondeaba desafiando a los invasores. Sin embargo, los californianos mexicanos casi no contaban con armas para pelear contra el enemigo, el cual tenía más marineros bien entrenados y armados en sus barcos anclados en Monterey, que toda la población masculina de Alta California. Además de los 3 mil hombres, las fuerzas del comodoro Sloat contaban con cinco

[58] *Ibídem*, pp. 267-268; 281-282.
[59] *Ibídem*, pp. 275-279.
[60] *Ibídem*, pp. 305-306.

naves bien armadas, cada una capaz de bombardear y hacer polvo a los poblados de la costa. En contraste, los californianos tenían una fuerza de voluntarios que ascendía a 700 hombres armados principalmente con lanzas, reatas, unos cuantos rifles anticuados, flechas viejas, y un pequeño cañón para el cual no había pólvora suficiente. Unos 200 voluntarios continuaban trabajando de tiempo completo, mientras el resto se quedaba en guardia a la vez que realizaba su trabajo de rutina.[61]

El 6 de octubre de 1846, llegaron a San Pedro tropas estadunidenses adicionales en el barco de guerra *Savannah* que estaba bajo las órdenes del capitán de marinos de Estados Unidos, Mervine. Al día siguiente, Mervine procedió a invadir Los Ángeles con cuatrocientos marinos que ocuparon el rancho Domínguez, donde pasaron la noche. La milicia de Los Ángeles, dirigida por José Antonio Carrillo, contrarrestó el avance el 8 de octubre. La fuerza mexicana, compuesta de vaqueros con lanzas, atacó a las tropas estadunidenses (las cuales mantenían una formación en cuadro) desde el que podían disparar tiros mortales a los lanceros. Carrillo dividió a los angelinos en tres grupos de caballería, cada uno de los cuales cargaba periódicamente por quedarse sin municiones para el rifle. El viejo cañón de Francisca se encontraba al centro y estaba protegido por diez hombres; Ignacio Aguilar lo disparaba. Se amarró el cañón a una carreta y se le cargaba con rocas pesadas, y metal viejo, ya que los angelinos carecían de municiones.[62]

La Batalla del Rancho Domínguez significó una victoria para los angelinos que pudieron matar a seis hombres y herir a seis tropas estadunidenses con el viejo cañón. No hubo heridos mexicanos y el capitán de marina de Estados Unidos se vio obligado a refugiarse en sus barcos y esperar refuerzos. Lo cierto es que cien vaqueros derrotaron a cien marineros armados con artefactos modernos, por lo que se retrasó el avance sobre Los Ángeles.[63]

Los refuerzos estadunidenses no tardaron en llegar a Mervine y sus hombres. El 23 de octubre, el comodoro Stockton

[61] *Ibídem*, pp. 310-311.
[62] *Ibídem*, pp. 311-312.
[63] *Ibídem*, pp. 314-316.

desembarcó el navío de guerra *Congress* que traía a más de 800 hombres, aparte de la tripulación que permaneció a bordo. Stockton preparó la invasión a Los Ángeles y sus hombres pelearon contra varias escaramuzas de angelinos en los alrededores de San Pedro. Para asustar a los norteamericanos, Carrillo adoptó ciertas tácticas: como "dispersar a sus hombres conforme avanzaban hacia las colinas, de tal manera que cada uno pudiera contarse varias veces. También utilizó grandes manadas de caballos que levantaran nubes de polvo a la distancia". Las tácticas tuvieron éxito, ya que a principios de noviembre se convenció de que necesitaría un ejército mayor para tomar la ciudad de Los Ángeles y, por consiguiente, navegó hacia el sur hasta llegar a San Diego.[64]

Mientras Stockton se encontraba en San Diego planeando la siguiente estrategia, otro suceso ocurrió en el cual los hombres de Los Ángeles jugaron un papel primordial. Fue durante la Batalla de San Pascual en donde los mexicanos resultaron victoriosos los días 6 y 7 de diciembre de 1846, cerca de Escondido en el condado de San Diego. El capitán Andrés Pico estaba al frente de unos ochenta hombres armados con lanzas; se le envió a esta zona para vigilar los movimientos del enemigo. Al mismo tiempo, el general del ejército de Estados Unidos, Stephen Watts Kearney se acercaba a esta zona desde Nuevo México, misma que había ocupado unos meses antes con una gran fuerza. Guiado por Kit Carson, el general Kearney se dirigía hacia Alta California con unos 140 oficiales y hombres, todos con órdenes del presidente Polk de que ellos, y no la marina, se hicieran cargo de las operaciones en tierra firme. Siguiendo el consejo de Carson, Kearney decidió llevar una pequeña fuerza de caballería, ya que se sabía que Stockton había ocupado los poblados de Alta California sin que se le opusiera resistencia. Se mandó a Carson para que llevara esta información a Kearney y cuando se le hicieron preguntas sobre el número de tropas necesarias dijo "the greasers will not fight" ("los mexicanos no pelearán", *greaser* es una forma ofensiva de referirse al mexicano).

En la madrugada del 6 de diciembre los vigilantes de Pico vieron a los tiranos estadunidenses. Se dieron cuenta de que los

[64] *Ibídem*, p. 318.

protección. El 13 de enero, Andrés Pico y José Antonio Carrillo actuaron como representantes de la autoridad militar y civil del Departamento Mexicano de Alta California al firmar el Tratado de Cahuenga, en el rancho cercano al paso Cahuenga. La capitulación de Cahuenga no renunciaba a la soberanía mexicana de California ni a la alianza de los californianos a México. Fue más bien un acuerdo para suspender las hostilidades bajo el cual los habitantes mexicanos de Alta California pactaron terminar la resistencia armada, someterse a la ocupación y aguardar a que se promulgara un acuerdo final que pusiera fin a la guerra entre las dos naciones. Tal acuerdo determinaría el destino de Alta California y de Los Ángeles.[69]

Así fue como terminó la resistencia militar mexicana y el gobierno civil de Alta California. Nuevamente una enorme guarnición ocupó Los Ángeles. En febrero de 1848, se firmó el Tratado de Guadalupe que dio fin a la guerra entre los dos países y Alta California pasó a ser parte de Estados Unidos. De esta manera terminó el periodo nacional mexicano en Los Ángeles.

[69] *Ibídem*, pp. 334-354.

# IV. ESTABLECIMIENTO ANGLOAMERICANO EN LOS ÁNGELES MEXICANO: CONFLICTO Y PERSISTENCIA, 1848-1889

## Transición dolorosa

Durante los años de 1848 a 1889, aumentó el dominio angloamericano; fue un tiempo de transformación continua, de tensión y reto para la comunidad mexicana de Los Ángeles. Los cambios sociales, económicos, políticos y físicos fueron tan grandes que, desde el punto de vista de la población mexicana, la comunidad tuvo que pasar por diversas etapas. En un sentido más amplio, esta ciudad, en la que predomina la comunidad mexicana, dominada ya por una élite mixta de mexicanos y angloeuropeos (1840-1860), pasó a ser una población multicultural de mexicanos en descenso y angloeuropeos en aumento, además de que estos últimos empezaron a ejercer el control desde 1860 hasta la introducción del ferrocarril en 1876. Finalmente, de 1876 a 1889, Los Ángeles se convirtió en una ciudad en donde la mayoría de los habitantes era de angloamericanos y en donde los mexicanos se redujeron a una minoría con influencia ínfima en lo que respecta a los asuntos y futura dirección del desarrollo de la comunidad.

Cada etapa de transición, entre 1848 y 1889, venía a imponer nuevas tensiones y retos a la capacidad que tenían los mexicanos para mantenerse como fuerza vital en el desarrollo de la ciudad y del condado circundante. Este periodo empezó con el conflicto armado entre los mexicanos y los invasores estadunidenses en 1848 y finalizó en 1889 con la perseverancia de la comunidad e identidad mexicanas, ambas en pugna con los cambios que amenazaban con destruirlas. De hecho, al final del siglo XIX, muchos observadores angloamericanos predijeron la desaparición de la población mexicana como fuerza organizada en la vida de la comunidad. Al igual que sucedió con los indios norteamericanos, lo mexicano se circunscribió a una minoría en desaparición en Los Ángeles, California y Estados Unidos. En un sentido más general, el mayor logro de la población mexicana durante este tiempo fue la persistencia y defensa de su identidad cultural, desde fines del siglo XIX hasta el siglo XX, cuando la población mexicana y sus implicaciones en Los Ángeles empezaron a crecer de nuevo. Durante su establecimiento original de 1781, el grupo social responsable por su constancia y continuidad frente a los cambios adversos no fue el constituido por los "'Dones' españoles y míticos de una leyenda errante", sino por los hombres y mujeres de 'exercicio', es decir, la mayor parte de la clase trabajadora de la población mexicana.

La fase más difícil de transición fue el periodo 1848-1860, cuando el Los Ángeles mexicano empezó a readaptarse a una autoridad política angloamericana impuesta y apoyada por una fuerza militar y un dominio económico angloeuropeo en aumento. Existían pocos retos culturales, ya que tanto la ciudad como el condado tenían una población en donde predominaban los mexicanos y en donde la nueva comunidad angloeuropea, compuesta principalmente por mercaderes y políticos, hablaban español por conveniencia económica y política.

Los principales sucesos del periodo de 1847-1860 tomaron el siguiente curso: un periodo de ocupación militar y autoridad política hasta fines de 1848; el inicio de las hostilidades y resistencia política pasiva de la élite mexicana y del pueblo; una mayor readaptación entre el sector de la élite mexicana y la nueva élite angloamericana, compuesta por oficiales públicos, procuradores y comerciantes; el auge económico debido al alza en los precios de la carne propiciado por los buscadores de oro; el aumento en el comercio dando como resultado la pérdida de tierras a causa del crecimiento en el número de rancheros; la extensión del establecimiento angloeuropeo; el monopolio de nuevas ocupaciones a manos de trabajadores angloamericanos aptos para desarrollarlas; un periodo en donde se hace caso omiso de las leyes de 1854-1857 debido a la infiltración de bandidos, jugadores y prostitutas; la violencia angloamericana obtiene una respuesta también violenta por parte de los mexicanos; el aumento de la violencia entre los

Familia mexicana visitando a sus parientes gabrielinos (1870). (Colección de *Security Pacific National Bank*. Biblioteca pública de Los Ángeles.)

bandidos mexicanos y angloamericanos instiga la vigilancia de la élite anglomexicana; el colapso del auge del ganado y el principio de un periodo de depresión económica.

Entre 1850 y 1860 la ciudad de Los Ángeles atravesó por una fase de mayor aumento en la población y composición étnica de sus habitantes. A pesar de que la comunidad mexicana había sido la dominante, hacia 1860 los angloeuropeos constituían la mayoría. En 1850 la población de Los Ángeles sumaba un total de 1 610 personas; de éstas 1 215 o más del 75 por ciento eran mexicanos.[1] En 1860 la comunidad de la ciudad había aumentado hasta tener 4 385 habitantes, de los cuales 2 069 eran mexicanos o un 47.1 por ciento de la población total.[2]

Durante este periodo la población indígena oscilaba entre 700 y 1 000 gentes, dependiendo de la estación; ésta aumentaba en tiempo de cosecha.[3] El número de habitantes del condado de Los Ángeles (que entonces incluía los actuales condados de Orange, San Bernardino y Riverside) tuvo una mayoría de mexicanos hasta fines de 1860.[4]

Mientras que hacia 1860 los ciudadanos que no eran mexicanos habían llegado a constituir la mayor parte de la población, en realidad Los Ángeles era una comunidad multiétnica, ya que la mitad de las personas que no eran angloamericanas eran consideradas como inmigrantes europeos que aún no se asimilaban al pueblo. De hecho, a fines de 1860 el español era el idioma predominante y los angloamericanos y europeos con frecuencia lo hablaban, en vez del inglés que todavía no predominaba.[5]

Durante este tiempo la ganadería y la agricultura aún constituían las actividades económicas más importantes del condado. Después del descubrimiento de oro en 1848, una invasión masiva de buscadores del metal llegó al norte de California provocando el aumento del consumo y el alza del precio de la carne de res hasta un nivel inflacionario muy alto.

[1] Richard Griswold del Castillo, *The Los Angeles Barrio 1850-1890: A Social History*, Berkeley, 1979, p. 35.

[2] *Ibídem.*

[3] Hubert Howe Bancroft, *History of California.*

[4] Leonard Pitt, *The Decline of the Californios*, Berkeley, 1967, pp. 262-263.

[5] Véase Harris Newmark, *Sixty Years in Southern California*, Nueva York, 1916, p. 56. Leonard Pitt, *The Decline of the Californios*, pp. 123-124.

Por un tiempo el precio de la carne de res en las minas se sostuvo a 1 000 dólares por cabeza de ganado. Esto significó inmensas ganancias para aquellos rancheros que tenían la posibilidad de comerciar con ganado en California del norte. Entre 1848 y 1857 una pequeña élite de rancheros angloamericanos y mexicanos disfrutaron de cuantiosas ganancias.[6]

Fue desde este corto periodo que surgieron los mitos de la "época dorada de los dones españoles". Sólo una minoría gozaba de dicha riqueza, pero el auge provocó un efecto positivo que estimuló el comercio, los empleos y el crecimiento de la población. Sin embargo, hacia 1857 los precios de la carne cayeron, lo que causó un periodo de depresión económica que duró hasta mediados de 1860. La baja de precios se intensificó con la sequía que vino a arruinar a muchos rancheros.[7]

## Transferencia del poder

La época mexicana terminó en enero de 1847 con la ocupación de Los Ángeles y la firma del Tratado de Cahuenga. En febrero de 1848 los términos del Tratado de Guadalupe Hidalgo obligaron a México a ceder Alta California a Estados Unidos. Todavía antes de la transferencia del poder, los invasores ya habían empezado a imponer sus reglas políticas. Desde enero de 1847 hasta fines de 1848, los soldados del Batallón Mormón del regimiento del coronel Stevenson Voluntarios de Nueva York, se pusieron en guarnición en Los Ángeles.[8] En lo alto de una colina, arriba de la placita, se erigió el Fuerte Moore que es el sitio actual del *Los Angeles Board of Education* (Junta de Educación de Los Ángeles), y con sus rifles obligaron a los mexicanos a someterse a la soberanía política de Estados Unidos.

Se dieron órdenes para que los militares gobernaran Alta California y el coronel J.D. Stevenson fungiera como comandante del Distrito Militar Sur de Alta California que tenía a

[6] Robert Glass Cleland, *The Cattle on a Thousand Hills*, capítulo VI. *The Rise, and Collapse of the Cattle Boom*, pp. 102-116. Pitt, capítulo VII. "Semi-Gringo", Los Ángeles, pp. 120-129.

[7] *Ibídem.*

[8] Bancroft, *op. cit.*, vol. V, 1846-1848, pp. 626-627.

Los Ángeles como cuartel de las tropas norteamericanas.[9] Al igual que cuando Gillespie estaba a la cabeza, se obligó a los angelinos a someterse a regulaciones estrictas bajo amenaza armada. A pesar de que existía una gran hostilidad y resentimiento contra los invasores, los mexicanos podían hacer muy poco para resistirlos.

Bajo los términos del Tratado de Guadalupe Hidalgo, la gente de Los Ángeles y de Alta California pudieron trasladarse a los territorios que aún pertenecían a México, o bien permanecer ahí y adquirir la ciudadanía norteamericana. Según el Tratado, cualquier mexicano que optara por quedarse debía someterse a sus leyes, las cuales le garantizaban la transferencia automática de su antigua ciudadanía mexicana a la estadunidense, el derecho a continuar bajo la iglesia católico-romana, que se le reconocieran y protegieran sus concesiones de tierra, así como también que se respetaran sus propiedades desde que California todavía era un territorio mexicano.[10] Todo esto fue muy distinto en la práctica: la observación de igualdad de derechos y de reconocimiento a las donaciones de tierra, tal y como lo especificaba el Tratado de Guadalupe Hidalgo, fueron esporádicos, además de que con frecuencia se violaron los derechos de los mexicanos de Estados Unidos cuando obstaculizaban los intereses económicos de los colonizadores angloamericanos.

A principios de 1848 las autoridades a cargo de la ocupación militar en Los Ángeles se burlaron de las garantías del Tratado, las cuales pugnaban por la igualdad de la ciudadanía. Asimismo, la Constitución de Estados Unidos y la Declaración de Derechos intervinieron en la libre elección de los oficiales municipales.[11]

En enero de 1848, el coronel Stevenson promovió la elección para el nombramiento de alcalde, conforme lo ordenaba el gobierno militar. Los angelinos votaron por Ignacio Palomares y José Sepúlveda como primero y segundo alcaldes de la

[9] *Ibídem.*

[10] Véase Tratado de Guadalupe Hidalgo en David Hunter Miller (ed.), *Treaties and Other International Acts of the United States of America,* 8 vols, Washington, D.C., 1831-1848. Tate Gallery, *Guadalupe Hidalgo: Treaty of Peace, 1848, and the Gadsden Treaty with Mexico, 1853,* Española, Nuevo México, 1967.

[11] Bancroft, *op. cit.*

ciudad. El gobierno militar de Alta California invalidó dicha elección y nombró a Stephen C. Foster como alcalde; las fuerzas angloamericanas querían a su gente en el puesto y no a un mexicano.[12]

Los angelinos respondieron ignorando a Foster y boicotearon su autoridad. Aunque oficialmente el gobierno militar dejó de tener autoridad en agosto de 1848, su presencia se mantuvo en el pueblo y en varios otros sitios del sur de California. En diciembre de 1848 el mayor Foster convocó a una elección para votar por un nuevo Ayuntamiento. Como el nombramiento de Foster había violado los derechos de los angelinos, éstos boicotearon su elección. Más tarde, cuando se lanzó una segunda convocatoria, los ciudadanos de Los Ángeles decidieron participar porque ya habían dejado en claro cuál era su posición.[13]

En 1849 se eligió a una convención constitucional para redactar una constitución previa a la admisión de California como estado. Los delegados electos de la zona de Los Ángeles fueron José Antonio Carrillo, Manuel Domínguez, Abel Stearns, Hugo Reid y Stephen C. Foster. En este tiempo ya se había establecido una relación de trabajo entre las élites mexicana y angloamericana. Los delegados de la convención del sur de California elaboraron un consenso para proponer que California del norte se convirtiera en estado y California del sur fuera considerada como un territorio separado que se llamara "Colorado". Tanto los ricos mexicanos como los estadunidenses se pronunciaron a favor de esto con el fin de obtener los votos de 100 mil inmigrantes buscadores de oro en el norte. Esta propuesta no tuvo éxito. California se convirtió en estado en 1850 con Los Ángeles como uno de los condados recién creados.[14]

Cuando se hizo la convocatoria para las elecciones del condado (1850), los miembros de la nueva élite anglomexicana se reunieron en casa de Agustín Olvera para preparar una lista de candidatos. Cuando se llevaron a cabo las elecciones, estos candidatos ganaron, lo cual no causó sorpresa alguna. Ellos fueron Agustín Olvera como juez del condado, Benjamín

[12] *Ibídem.*

[13] *Ibídem.*

[14] Hubert Howe Bancroft, *op. cit.*,vol. VI. pp. 284-302.

Hayes como procurador del condado, Ignacio del Valle como juez recopilador del condado, J.R. Connelly como inspector del condado, George Burrill como sheriff del condado y Charles B. Cullen como juez de guardia del condado. De hecho Olvera y Hayes, además de ejercer estos puestos, eran jefes políticos de la ciudad, ya que en ese tiempo cada condado tenía su jefe y su "casa de tribunales".[15]

La población angloamericana y el asentamiento crecieron gradualmente. En julio de 1851 se estableció el primer poblado predominantemente angloamericano en El Monte, sitio habitado por un grupo de colonizadores texanos entre los que se encontraban varios antiguos guardas forestales.[16] El nuevo establecimiento debía tener una reputación que acallara la brutalidad antimexicana. Se dijo que los rancheros locales, dirigidos por José del Carmen Lugo y Andrés Pico, cabalgaron hasta El Monte amenazando con quemarse vivos a menos que "El Monte Boys" ("Los muchachos de El Monte") pusieran fin al terrorismo hacia los mexicanos vecinos. Parece ser que los texanos aplacaron las cosas después de ese suceso.

Aunque algunos miembros de la élite anglomexicana colaboraron económicamente, surgieron ciertos antagonismos entre otros miembros de este grupo. A fines de 1851 se levantó una revuelta entre los indígenas cahuilla, kanayaay y cocopa del condado de San Diego dirigidos por Antonio Garra, líder de los indios cocopa.[17] Garra fue sometido a un juicio que le hizo el Consejo de Guerra en enero de 1852, durante el cual declaró que varios angelinos mexicanos prominentes —entre ellos Antonio F. Coronel— se habían reunido con él para planear una revuelta conjunta de indígenas y mexicanos en contra de los estadunidenses, aunque se habían retractado cuando surgió la revuelta. Debido a que la violencia entre angloamericanos y mexicanos aumentaba, es posible que Garra no haya mentido.[18]

Hacia 1854 la violencia se incrementó considerablemente a

[15] W.W. Robinson, *Lawyers of Los Angeles*, p. 31.

[16] Véase Pitt, pp. 106, 107, 155, 158, 163, 164, 170, 172, 257.

[17] George Harwood Phillips, *Chiefs and Challengers: Indian Resistance and Cooperation in Southern California*, Berkeley, 1975.

[18] *Ibídem*, y véase Pitt, capítulo IX, "Race War in Los Angeles, 1850-1856", pp. 148-166.

ausa de la afluencia de bandidos, jugadores y prostitutas ngloeuropeos; en San Francisco los habían echado los vigiantes y fueron a Los Ángeles motivados por el auge del ganado. A la cabeza de los jugadores angloamericanos y otros riminales estaba Jack Powers, un maleante violento de Nueva York que había llegado a California en calidad de soldado del egimiento del coronel Stevenson.[19] Otros de los bandidos que legaron habían sido miembros de los "Sidney Ducks" ("Patos le Sidney"), una pandilla criminal australiana que había aterrorizado a los habitantes de la ribera de San Francisco. No odos los maleantes eran angloamericanos; entre ellos había lgunos mexicanos que habían sido provocados a la violencia or los mismos angloamericanos. Esta ola de crímenes violenos fue producto de la afluencia de angloamericanos y no una aracterística continua de la ciudad o de su población mexiana. Es cierto que Los Ángeles había adquirido fama de lborotadora, pero no era un sitio violento en el que predominaran el asesinato o el robo antes de 1848.

**Solidaridad cultural**

En 1856 Los Ángeles tenía dos periódicos: *La Estrella de Los Ángeles,* una publicación bilingüe y *El Clamor Público,* un diario en español que fundó Francisco P. Ramírez, de 18 años y antiguo tipógrafo del otro periódico.[20] Este diario se publicó en Los Ángeles hasta 1859 y funcionó como medio principal para vocear la inquietud pública en lo que respecta a la violencia y otras injusticias que afectaban a la comunidad mexicana. Ramírez tampoco vaciló en denunciar la crítica hacia la élite anglomexicana, aunque eran ellos los principales suscriptores y publicistas. La vigilancia estaba en manos de los miembros de esta élite y, curiosamente, fueron el blanco de su crítica. Por ejemplo, en una ocasión, Stephen C. Foster renunció a su puesto como mayor con el fin de dirigir a un grupo para que linchara a un asesino. Después de esto Foster volvió a ocupar su cargo.[21]

[19] *Ibídem,* Pitt.
[20] *Ibídem,* capítulo XI, "El Clamor Público: Sentiments of Treason", pp. 181-194.
[21] *Ibídem.*

La ola de crímenes violentos siguió hasta fines de 185
cuando bajaron los precios del ganado debido a la depresió
económica, misma que promovió el juego y la escasez de l
moneda corriente.[22] Hacia 1857 se desarrollaron otros estable
cimientos angloamericanos en el condado. El comerciant
Phineas Banning, por ejemplo, le compró tierra a Manue
Domínguez en donde empezó a desarrollarse el poblado d
Wilmington en la bahía de San Pedro.[23]

La comunidad mexicana también instituyó los medios d
comunicación, los cuales no estaban al alcance de la mayo
parte de la sociedad. Rápidamente se incrementó la prensa e
español, lo cual prueba que hispanohablantes de Los Ángele
estaban forjando una nueva identidad social. En los periodo
español y mexicano no había periódicos en Los Ángeles: d
hecho, no se sentía la necesidad para generar la comunicació
en imprenta; el pueblo tenía una población pequeña. Mu
pocos podían leer y no había motivo para que se interesaran e
los asuntos fuera de la localidad inmediata. Durante la er
americana, todo esto cambió: de repente la población se tri
plicó en los 10 años que siguieron a la conquista estadunidense
La alfabetización se difundió y muy pronto los que hablaba
español tuvieron motivos para interesarse en los asuntos mex
canos. Siguió una revolución periodística conforme aparecie
ron quince diarios en español antes de que finalizara el siglo

La prensa en español reflejó la diversidad de opiniones. Per
en general, había dos tipos de periódicos relacionados con l
orientación social de los editores, aunque una clasificació
estricta de las perspectivas sociales sería inexacta, ya que mu
a menudo los puntos de vista conflictivos se presentaba
durante un tiempo en el mismo diario.

Un grupo de periódicos reflejaba las opiniones y preocupa
ciones de los originarios del lugar: a éstos se les puede llama
prensa californiana y eran *La Estrella, El Clamor Público, L
Crónica* y *Las Dos Repúblicas.* Estaban financiados por lo
miembros más ricos de la comunidad, todos ellos hispanoha
blantes y subsistieron largo tiempo y dejaron sentir su influen
cia. *Las Dos Repúblicas,* por ejemplo, tenía sucursales po

[22] *Ibídem.*
[23] Newmark, *op. cit.*, 236-237.

odo el estado, Arizona y el norte de México. *La Crónica* era
ına casa publicitaria incorporada que contaba con facilidades
.e distribución por todo el estado.[24]

El otro tipo de periódico mexicano era popular y estaba en
nanos de la clase media: estos eran *La Voz de la Justicia, El
:co de la Patria* y *El Eco Mexicano.* Casi todos habían sido
mpulsados por inmigrantes mexicanos de escasos recursos,
or lo que no pudieron mantenerse en el mercado por muchos
ños. En general, tendían a expresar los sentimientos más
acionalistas de la población de habla hispana, especialmente
.e aquellos nacidos en México.[25]

Todos estos diarios ayudaron al desarrollo de una concien-
ia étnica entre los hispanohablantes y difundieron las noticias
obre las agresiones y persecuciones a los mexicanos. La
rensa en español contribuyó a establecer la solidaridad de
rupo entre los que hablaban este idioma y los hizo conscientes
.e las persecuciones comunes y de las discriminaciones.

La prensa tomó la delantera para condenar los linchamien-
os y las discriminaciones de trabajo. Los editores mexicanos
ambién se preocuparon por concientizar a la comunidad res-
ecto a los asuntos de las tierras y los prejuicios raciales. El
ditor de *El Clamor Público,* Francisco Ramírez, fue un alto
der de las protestas que surgieron por el robo de las tierras de
California a manos de los angloamericanos. En 1858 lanzó una
eclaración muy larga sobre las injusticias que violaban la ley
ngloamericana titulada "Expresión simultánea del pueblo de
California". En ella Ramírez hablaba de la usurpación de
ierras y del engrandecimiento cultural de los norteamerica-
os. Pugnaba por la "inconformidad bajo el dominio de los
orteamericanos" y enlistaba diez artículos de resistencia que
speraba movilizarían a la comunidad para que resistieran la
nvasión de sus tierras. Ramírez era solamente uno entre
nuchos otros editores que buscaban despertar en los hispano-
ablantes el significado social de su persecución.[26]

En 1887 José Rodríguez, editor de *El Joven,* escribió un

[24] Richard Griswold del Castillo, "La Raza Hispano Americana: The Emergence
f an Urban Culture Among the Spanish Speaking of Los Angeles, 1850-1880", Ph.
)., dissertation, Universidad de California, Los Ángeles, 1974. p. 213.

[25] *Ibídem.*

[26] *El Clamor Público,* julio 24, 1858.

artículo largo criticando la desigualdad de trato hacia los residentes mexicanos por parte del Ayuntamiento. Se alarmó porque los miembros angloamericanos del Ayuntamiento habían propuesto destruir la casa de Pío Pico cerca de la plaza que aunque estaba descuidada, tenía memorias muy valiosas para muchos mexicanos. En 1845 había sido la capital oficia de la provincia y el sitio de reunión de muchas juntas durante 1850. El que los angloamericanos consideraran este monumento con tanta dureza enojó a Rodríguez.

Los editores de *La Crónica* también denunciaron la segregación y los prejuicios hacia los mexicanos: ellos fueron Pastor de Celis, Mariano J. Varela y S.A. Cardona. En 1877 observaron que el "barrio latino" tenía calles muy inferiores a lo servicios públicos. "¿Por qué, se preguntaban, no nos dan el mismo servicio que a los demás?" Pensaron que se debía a la discriminación y negligencia de los oficiales públicos. Era necesario que la comunidad se organizara y actuara: "...todavía tenemos voz, tenacidad y derechos", dijeron, "nosotros no nos hemos ido a la tierra de los muertos".[27]

Cuando la discriminación tomó otras formas, los editores reaccionaron rápidamente. En 1877 una epidemia de viruela atacó a la comunidad y el doctor Gale se presentó en el Ayuntamiento argumentando que se debía a la falta de hábito de sanidad entre la población mexicana. Los editores ridiculizaron esta idea en la siguiente publicación e hicieron notar que solamente se habían reportado veintiún casos y que, si bien la enfermedad atacaba sobre todo a los de habla hispana, la mayoría de los chicanos estaban siguiendo meticulosamente los reglamentos de salud. En 1882 Juan de Toro, escritor en *El Demócrata,* desenterró las antiguas leyes suntuarias que había lanzado el Ayuntamiento en 1860. Las consideraba como estatutos que promulgaban "aquellos que condenan al pueblo y lo someten a los principios y máximas de un pequeño número de puritanos". De Toro tenía esperanzas de que al apoyar al Partido Demócrata en las próximas elecciones, los mexicanos podrían rechazar dichos reglamentos. Los demócratas ganaron la elección pero las leyes permanecieron en los libros.

La prensa no solamente despertó la conciencia étnica de l

[27] Griswold del Castillo, *op. cit.*, pp. 218.

población al denunciar las agresiones contra los mexicanos que eran tratados como víctimas, sino que también desarrolló un sentido de grupo. Esto se dejó ver, sobre todo, en los reportes que se hicieron de las fiestas nacionales mexicanas: el día de la Independencia, que empezaba el 15 de septiembre y se prolongaba hasta el 27 (después cambió a 15 y 16 del mismo mes) y el 5 de mayo que celebraba la victoria de Puebla sobre las fuerzas francesas en 1862. Casi siempre se hablaba de estas fiestas con anticipación y se narraban los hechos en detalle. Con frecuencia se dedicaban páginas enteras a descripciones sobre el significado histórico y nacionalista. La primera plana de *Las Dos Repúblicas* algunas veces aparecía con los tres colores de la bandera mexicana, verde, blanco y rojo, para conmemorar el 5 de mayo.

A principios de 1870 surgió una prensa popular del pueblo a imitación del nacionalismo generado por el Movimiento de Reforma de don Benito Juárez. Los encabezados de estos periódicos efímeros reflejaban un cambio en la conciencia política: *La Voz de la Justicia, El Eco de la Patria* y *El Eco Mexicano*. Su política editorial era nacionalista. *La Raza* connotaba ataduras raciales, espirituales y sanguíneas con el pueblo latinoamericano, especialmente con México. Emergió como un símbolo del orgullo étnico y de identificación. Hubo variedad de expresión al usar este término en relación a su contexto. *La Raza Mexicana* se utilizó para representar un sentido de las diferencias nacionalistas y raciales entre la comunidad de habla hispana. Pero en general, el uso de *La Raza* implicaba la membrecía a una tradición cultural distinta de la angloamericana. En *El Clamor Público* Francisco Ramírez frecuentemente usaba el término "nuestra raza" para referirse a la población de habla hispana. *La Crónica* estaba dedicada "a la defensa de La Raza Latina". Durante la década de 1870, *El Joven* publicó una novela seriada llamada *Los novedades,* la cual exaltaba la defensa de los "pueblos de la raza". *Las Dos Repúblicas* frecuentemente utilizaba las palabras *La Raza Mexicana,* o simplemente *nuestra raza* en sus editoriales. A pesar de la orientación social del diario, *La Raza* se convirtió en un término perseverante de identificación y cohesión de grupo.[28]

[28] *Ibídem.* pp. 219-223.

La prensa en español lanzó nuevas vías de comunicación y tuvo como fin el impulso de la conciencia étnica: por lo tanto, enfrentó a los hispanohablantes a su destino común al subrayar su nacionalidad mexicana. Al mismo tiempo un grupo de asociaciones y clubes sociales, políticos y culturales empezaron a unificar a la comunidad y a definir, con mayor agudeza, los límites de su identidad cultural.

Entre 1850 y 1900 por lo menos un 15 por ciento de los grupos de la población se organizaron de acuerdo a sus diferencias étnicas. La mayoría de ellos eran políticos, ya fueran conservadores del Club Republicano de América Hispana, o militares de la Compañía Militar y Los Lanceros. Después de 1863 la organización política más influyente fue La Junta Patriótica de Juárez —una organización nacionalista mexicana que patrocinaba el día de la Independencia del pueblo y la celebración del 5 de mayo (más tarde este grupo cambió su nombre por el de Junta Patriótica Mexicana). Como organización, su objetivo principal fue mantener vivo el sentido de patriotismo mexicano, al mismo tiempo que fortalecer la cultura local.

Antes de cada gran fiesta, La Junta General organizaba un desfile que precedía a los discursos y a la celebración. En 1978, durante la conmemoración del 5 de mayo, José J. Carrillo, el maestro de ceremonias, encabezó la procesión. Atrás de él iba una banda que dirigía Hinlo Silvas. Después venían los oradores respectivos del día —Reginaldo del Valle y Eulelio de Celis, presidente de La Junta— que iban en un mismo carruaje. Los seguían doscientos miembros de la Junta Patriótica y después la Guardia Zaragoza de Panteón Zabatela. También marcharon otras diez unidades en representación de algunas organizaciones sociales y políticas mexicanas.

El desfile del 5 de mayo de 1878 mostró el cambio de orientación por el que pasó la comunidad mexicana de habla hispana. En el periodo mexicano casi todas las celebraciones de la población tenían tonos religiosos. Pero en la época americana la religión dejó de tener tanta importancia y se le dio un mayor impulso a la ideología política y a los orígenes étnicos.

Como la lealtad hacia la Iglesia y los terratenientes disminuyó, en su lugar surgieron sentimientos más abstractos (que

En 1877 los funcionarios de la Sociedad Patriótica de Juárez, la más importante organización cívica mexicana en Los Ángeles, posan para esta fotografía. A la derecha: Narciso Botello, presidente de la Sociedad y prominente hombre de negocios. Botello sirvió como oficial en la guerra de 1846-1848. (Cortesía del *Seaver Center* para investigación de Historia del Oeste, Museo de Historia Natural del condado de Los Ángeles.)

tenían que ver con el nacionalismo mexicano) y empezaron a unir a la comunidad mexicana.

Las organizaciones apolíticas también fueron importantes para esta sociedad. La asociación laboral Los Caballeros de Trabajo, la asociación musical El Club Musical Hispanoamericano y la orden Fraternal o Corte Colón, contaron con el apoyo de los hispanohablantes. La organización cultural más influyente fue La Sociedad Hispanoamericana de Beneficencia Mutua o "mutualista". A lo largo del siglo XIX y de lo que va del XX, los mutualistas, financiados por la iniciativa privada, han operado como agencias de ayuda haciendo préstamos a los hombres de negocios mexicanos: se les han dado pólizas de seguros de vida y derechos a servicios médicos a bajo costo, además de otorgarles una variedad de servicios sociales que han favorecido a esta comunidad. La Sociedad no fue la primera de carácter mutualista en Los Ángeles; durante 1840 un grupo de hacendados formaron Los Amigos del País con el propósito de que se obtuvieran pensiones de seguridad social y de que se promovieran las lecturas literarias. Durante la guerra mexicana se disolvieron las asociaciones y en 1875 La Sociedad empezó de nuevo. Se incorporó bajo leyes que proponían la construcción de un hospital para los pobres y el aumento de capital con fines caritativos. El alza de dinero para los proyectos de inversión y el hospital patrocinaron conciertos y bailes. También tuvieron mucho interés en mejorar la calidad de vida de la comunidad mexicana. En 1879 mandaron una petición al Ayuntamiento en la que proponían la construcción de una escuela en donde se hablara español, y en 1894 lanzaron anuncios en *La Dos Repúblicas* solicitando propuestas para la evolución de la comunidad.[29]

Estas organizaciones permitieron el desarrollo de la conciencia étnica entre los hispanohablantes. Patrocinaron las actividades sociales y políticas que establecieron la identificación simbólica de *La Raza* como una entidad cultural independiente. El hecho de que estas organizaciones hayan sido numerosas fue un indicio de la necesidad que tenía la población de nuevos medios de comunicación.

[29] *Ibídem*, pp. 226-228.

## La realidad de la segregación

Se concentró a la mayoría de los mexicanos, tanto los nacidos en Estados Unidos como en México, en una zona específica de Los Ángeles. Casi todos ellos se establecieron en el centro de la ciudad donde se encontraba el distrito de negocios que estaba cerca de las fuentes de trabajo para gente sin previo entrenamiento. Así fue durante el siglo XIX con aquellos mexicanos que vivían en el barrio histórico. Los angloamericanos conocían esta parte de la ciudad como *Sonora Town* (poblado de Sonora) o zona mexicana y era el sitio donde la comunidad mexicana vivía segregada del resto de la población. De manera similar a la de los inmigrantes que habitaban en los ghettos orientales de Europa, había una interrelación entre las zonas residenciales y las oportunidades de trabajo.

Lo que empezó a suceder en el siglo XIX, especialmente después de la guerra entre Estados Unidos y México, fue el inicio de la concentración de mexicanos en una zona específica de Los Ángeles y la formación de barrios segregados. Este proceso de segregación tuvo ramificaciones sociales, económicas y políticas significativas para los mexicanos angelinos.

Fue durante la década de 1880 que los barrios de concentración de mexicanos o segregación residencial se completó. Richard Griswold del Castillo dice en su estudio sobre los mexicanos de Los Ángeles del siglo XIX que: "Para 1880 el barrio ya era una especie de enclave bien delimitado dentro del corazón de la ciudad y rodeado de suburbios angloamericanos."[30]

Las oportunidades de trabajo fueron las que determinaron la concentración de mexicanos en este distrito comercio-industrial del centro de la ciudad. Esto significó para los residentes largos días de labores, bajos salarios y trabajo sin previo entrenamiento. Muchos mexicanos llegaban a Los Ángeles en busca de casas baratas que estuvieran cerca de sus empleos. Estos alojamientos estaban desmantelados, atestados de gente y carecían de sanitarios. El trabajador mexicano podía obtener estos cuartos siempre y cuando pudiera pagar el costo mínimo. Con frecuencia estas casas no tenían las condiciones sanitarias

[30] *Ibídem*, p. 276.

Vista de la comunidad mexicana en el año de 1880. En ese año, los mexicanos fueron segregándose en mayor número en el centro de Los Ángeles, alrededor de La Placita, que los anglosajones erróneamente llamaron "Sonora Town".

más elementales. En forma parecida a otros grupos étnicos de la ciudad (así como a los ghettos orientales) se restringía a los mexicanos a habitar el distrito residencial del centro.

Las zonas residenciales céntricas les resultaban convenientes porque estaban muy cerca de los empleos. El trabajador mexicano podía obtener contrato en donde exigieran largas horas de labores y bajos salarios. Se les contrataba por día y no era seguro que lo obtuvieran; por consiguiente el desempleo era frecuente. Así, un grupo de patrones empleaban a los mexicanos en diferentes partes de la ciudad. Debido a estas condiciones, vivir en el área residencial del centro ofrecía al trabajador mexicano diversas alternativas de empleo, aunque éste no se consiguiera con regularidad. Era más factible que consiguieran trabajo si vivían cerca de éste.

A fines de 1880, cuando los mexicanos fueron concentrados en el centro, surgieron los barrios. Estos se encontraban en la zona norte de la plaza y al oeste de Main Street; estaban rodeados por las calles Short, Main, Yale y College. Durante este tiempo algunos mexicanos se trasladaron al río Los Ángeles para establecerse. Aquellos que se instalaron al este de la ciudad fueron un grupo pequeño; hasta principios del siglo XX aumentó la población en esta zona.

Los mexicanos que vivían en Los Ángeles constituían una fuerza de trabajo necesaria para el desarrollo económico de la ciudad. La conciencia de grupo o étnica, así como los motivos económicos fueron, en parte, responsables de la densidad de la población mexicana en el centro de la ciudad. El barrio proveía instituciones comunitarias que apoyaban las necesidades sociales, económicas y culturales de la comunidad mexicana. En suma, la vida de la vecindad del barrio proporcionaba un alivio psicológico a quienes acababan de llegar a la ciudad; por lo tanto, vivir ahí tenía ciertas ventajas sociales. El mexicano podía identificarse con su grupo étnico; esto ayudó a preservar una cultura que se estaba desmoronando dentro de un ambiente urbano. Algunos escritores han dicho que la vida en los ghettos de inmigrantes tenía como resultado la desorganización social. Pero éste no fue el caso de la comunidad mexicana. Había conciencia de grupo y orgullo dentro del barrio; todo esto floreció en el siglo XX. La vida social y cultural del mexicano contó con el apoyo de los vecinos del barrio. De hecho, la concentración residencial de los mexicanos en Los Ángeles ayudó a calmar la tensión que provocaba la inestabilidad económica, el racismo y la vida dentro de un ambiente que se estaba transformando debido a la urbanización e industrialización.

# V. CONTINUIDAD SOCIAL Y CAMBIO GEOGRÁFICO EN LA COMUNIDAD MEXICANA: FORMACIÓN DEL BARRIO, 1890-1930

## Expansión de la ciudad

En 1890 los mexicanos iniciaron en Los Ángeles un periodo de transformación constante, tanto en el terreno económico, como en la composición de su población. Glenn Dumke ha señalado en su libro sobre California del sur, que en 1890 Los Ángeles borró "para siempre las últimas señales de su economía pastoral hispano-mexicana".[1] La agricultura era más importante que la ganadería, y cuando se introdujeron las facilidades de transporte, la ciudad empezó a expanderse.[2] En 1890 Moses H. Sherman y su cuñado, Eli P. Clarke, empezaron a adquirir varias líneas de ferrocarril en Los Ángeles, incluyendo la de Charles H. Holland que fue la primera en esta ciudad.[3] Sherman y Clarke formaron la compañía Los Angeles Consolidated Electric Railway (Ferrocarriles Eléctricos Consolidados de Los Ángeles), por medio de la cual convirtieron los viejos ferrocarriles en eléctricos. La compañía empezó a construir con rapidez y se expandió desde Los Ángeles hasta Pasadena. Pero, debido al alto costo de la construcción, en contraste con las bajas ganancias iniciales de sus inversiones, los obligacionistas hundieron a Sherman y Clarke en 1895. Fue así como formaron la línea ferroviaria Los Angeles Pacific Railway Company, construyeron una vía a Santa Mónica y se

[1] Glenn S. Dumke, *The Boom of the Eighties in Southern California*, San Marino, California: Huntington Library, 1944, p. 276. Oscar Osburn Winther, "The Rise of Metropolitan Los Angeles, 1870-1900", *Huntington Library Quarterly*, 10, 1947, pp. 391-405.

[2] *Ibídem.*

[3] *Ibídem.*

expandieron hacia el occidente de Los Ángeles.[4] En 1898, los accionistas de la compañía vendieron su línea a un grupo de negociantes de San Francisco entre los que se encontraba Henry Huntington, quien se entusiasmó tanto con las posibilidades de crecimiento y expansión que la incorporó a las líneas de Pacific Electric Railway Company (Compañía Ferroviaria Eléctrica del Pacífico) en 1901.[5] Así fue como empezó la expansión geográfica y la transformación económica de la ciudad. Robert Fogelson ha dicho: "Los Ángeles y la Electric Pacific fueron cruciales como medios para estimular la subdivisión del campo y la expansión de la metrópoli a lo largo de 1910."[6]

Otro aspecto significativo del crecimiento económico y geográfico de Los Ángeles entre 1890-1915 fue el aumento de la población. Sin esta enorme afluencia de gente el incremento económico no hubiera sido tan espectacular. En el condado de Los Ángeles la ciudad que se incorporó creció más rápido que los suburbios. En 1890 la mitad de los habitantes del condado pertenecía a esta ciudad incorporada y hacia 1920 aumentó hasta constituir tres cuartos de la población. Pero mientras los habitantes del condado se habían multiplicado durante este tiempo, la población de los suburbios había disminuido de un 40 a un 15 por ciento del total. La concentración de habitantes se dio en el centro de la ciudad donde varios grupos de inmigrantes (incluyendo a los mexicanos) vivían.[7] La población total de Los Ángeles se duplicó en los años 1890 y 1900 de unos 50 395 a 102 479 habitantes.[8]

Sin embargo, la ciudad no era aún un centro industrial o comercial. Pero la expansión significó la función económica más importante de la ciudad. Un gran número de empleados fueron concentrados en los negocios de construcción, mientras que aproximadamente la mitad de los hombres trabajaron para el clero en los servicios y en el comercio. Según Carey

[4] Spencer Crump, *Ride the Big Red Cars*, Los Angeles: Crest Publications, 1962, pp. 39-40.

[5] *Ibídem*, p. 60.

[6] Robert M. Fogelson, *The Fragmented Metropolis; Los Angeles, 1850-1930*, Cambridge: Imprenta de la Universidad de Harvard, 1967, p. 92.

[7] *Ibídem*, pp. 146-147.

[8] U.S. Bureau of the Census, *Thirteenth Census of the United States, Part 5*, Washington, D.C., 1913-1914, p. 854.

Trabajadores mexicanos haciendo ladrillos de adobe. En las grandes fábricas de ladrillos, que en su mayoría empleaban ladrilleros mexicanos, los métodos de producción más industrializados fueron remplazando rápidamente a los métodos tradicionales. (Cortesía del *Seaver Center* para investigación de Historia del Oeste, Museo Natural del condado de Los Ángeles.)

McWilliams "la expansión se convirtió en el negocio mayor de la región, en la razón de su existencia. Si la influencia de población se hubiera detenido o disminuido materialmente, las consecuencias hubieran sido tan desastrosas como la sequía."[9] Con este rápido crecimiento de la población y expansión de la ciudad, las oportunidades de empleo se obtenían en la construcción y en la industria; sobre todo se empleaba a los trabajadores sin especialización. Tanto los mexicanos, como otros grupos étnicos que no eran blancos, encontraron empleo en Los Ángeles y contribuyeron a la transformación económica de la ciudad.

Al reflexionar sobre California, Charles A. Stoddard dijo que en 1894 "El sur de California se compone de grupos que con frecuencia viven en comunidades aisladas y que conservan sus propias costumbres, lengua, hábitos y asociaciones religiosas".[10] Éste fue el caso de los mexicanos y sus patrones de asentamiento en Los Ángeles después de 1890. El proceso de "barriotización" que empezó a fines del siglo XIX, se prolongó hasta el siglo XX con algunas modificaciones. La población mexicana continuó ubicándose en la zona central, junto a la plaza histórica, hasta alrededor de 1910. Los nuevos barrios se establecían en la ciudad y su aspecto más importante era su interrelación con los empleos. El barrio chicano sirvió de concentración geográfica como una "armada de trabajo de reserva" para varios patrones de la ciudad. Estos trabajadores desempleados estaban dispuestos a empezar inmediatamente.

En algunas ciudades del sudoeste había agrupaciones de mexicanos en las áreas residenciales más antiguas y en el distrito de negocios del centro de la ciudad: los primeros colonizadores mexicanos fueron los primeros pobladores de un número de ellas. Por ejemplo, en 1781 creció la ciudad y se expandió desde la plaza que se usaba para llevar a cabo una variedad de funciones: ésta constituía un centro político, económico y social. Debido a la dispersión paulatina de la población, la plaza fue perdiendo importancia.

[9] Carey McWilliams, *Southern California Country*, Nueva York; Duell, Sloan and Pearce, 1946, p. 134.
[10] Citado en *Ibídem*, p. 314.

Trabajadores mexicanos cortando naranjas en el Valle de San Gabriel (1890). (Cortesía del *Seaver Center* para investigación de Historia del Oeste, Museo de Historia Natural del condado de Los Ángeles.)

Algunos de los barrios más nuevos que empezaron como comunidades dedicadas a la agricultura, se encontraban en la periferia de la ciudad. Con la expansión de Los Ángeles, misma que se aceleró con los ferrocarriles eléctricos, los barrios se unieron a la ciudad y la gente empezó a llevar una vida semiurbana. Muchos de estos barrios conservaron sus funciones agrícolas y sirvieron de mercados de trabajo para los campesinos. Dependiendo del cambio de estaciones, algunos trabajadores encontraban tantos empleos rurales como urbanos. Aunque estos enclaves conservaban su carácter semirrural, los habitantes pronto se vieron envueltos por la ciudad en expansión.[11]

La tierra también se transformó: se utilizaba principalmente en la agricultura y, durante el siglo XX, comenzó a tener usos urbanos. Por lo tanto, los enclaves mexicanos de esas zonas se asimilaron a las actividades urbanas. La población trabajadora empezó a encontrar trabajo en otras áreas (no sólo en la agricultura); sin embargo, el barrio se conservó.[12] Conforme aumentaba el número de granjas en el condado de Los Ángeles (1890-1920), el total de tierras para la cosecha decrecía. Las granjas más pequeñas, de menos de diez acres (40 km$^2$), se duplicaron entre 1900 y 1910. Su impacto en el trabajador mexicano se dejó sentir como un cambio económico: las oportunidades de trabajo agrícola estaban disminuyendo, mientras que aumentaban en otras áreas. Esto no quiere decir que los mexicanos no se dedicaran al trabajo agrícola, ya que una característica de esta labor en California era la concentración de tierra entre unos cuantos agricultores. El apoyo laboral que recibieron las cosechas de altas ganancias se debió a la concentración de tierra, misma que en la economía de California produjo "un sistema agrícola industrializado".[13]

Otro tipo de barrio mexicano fue el campo laboral posterior o asentamiento para los ferrocarriles. Estas zonas constituían

Un ejemplo de esto es el barrio Compton, véase: Alberto Camarillo, "Chicano Urban History: A study of Compton's Barrio, 1936-1970", Aztlán, núm. 2 verano, 1971, pp. 79-106.

[12] Joan Moore y Frank G. Mittelback, *Residential Segregation in the Urban Southwest*, Proyecto de estudio mexicano-americano, Advance Report 4, Los Ángeles: Imprenta de la Universidad de California 1965, pp. 10-13.

[13] Paul S. Taylor y Tom Vasey, "Contemporary Background of California Farm Labor", *Rural Sociology*, núm. 1, diciembre, 1936, pp. 401-419.

el núcleo de un barrio que surgía en el que quedaban pocos habitantes después de terminado el trabajo. Nuevamente vemos una relación directa entre los patrones residenciales de los barrios chicanos y las oportunidades laborales. Aunque existen diferencias en el surgimiento y crecimiento de los barrios más nuevos, sí había reglas que los rigiera. Casi todos los mexicanos continuaron viviendo en una ciudad segregada en la que faltaban los servicios provistos en otras zonas.[14] Las realidades demográficas variables de la población mexicana tuvieron efectos drásticos en la ciudad.

Los Ángeles continuó experimentando el rápido crecimiento de la población y urbanización después de 1900: los habitantes se triplicaron desde este año hasta 1910, de unos 102 479 a 319 198. El barrio original mexicano que estaba junto a la plaza siguió creciendo con el aumento de población en todo este periodo. Pero con la transformación económica de la ciudad, el barrio también atravesó por diversos cambios. Con la expansión del distrito de negocios del centro, y en particular de sus actividades comerciales y el crecimiento de las industrias de construcción y de servicios, los mexicanos tuvieron mayores oportunidades laborales. Se contrató a los varones mexicanos con sus familias para trabajar en las nuevas líneas de trenes. Sin embargo, los salarios eran bajos y los empleos inestables. La expansión del transporte dio la oportunidad a las familias para trasladarse del centro a la periferia. Al igual que en las ciudades del este, el transporte alteró la forma de vida de la clase alta. Las familias ya establecidas no tenían que vivir en el centro de la ciudad para estar cerca de las fuentes de poder político y económico.[15]

Por lo tanto, las zonas residenciales del distrito de negocios del centro daban alojamiento a los trabajadores que obtenían salarios bajos (muchos de ellos no eran blancos). La vivienda barata estaba al alcance de aquellos trabajadores mexicanos sin especialización que vivían junto a las fuentes de empleo. Los barrios bajos rurales del siglo XIX se transformaron en

[14] Un ejemplo de esto es "Dogtown", al este del río Los Ángeles. Véase Gilbert González, "Factors Relating to Property Ownership of Chicanos in Lincoln Heights, Los Angeles", *Aztlán*, núm. 2, verano, 1971, pp. 107-143.

[15] Véase Sam B. Warner, *Streetcar Suburbs: The Process of Growth in Boston, 1870-1900*, Cambridge: Imprenta de la Universidad de Harvard, 1962.

Distribución de los mexicanos en Los Ángeles (1884). Con la entrada de colonizadores estadunidenses a Los Ángeles, la población mexicana disminuyó 19 por ciento, y progresivamente fueron aislándose cada vez más en el área cercana a La Placita, junto con chinos, italianos e indios.

urbanos en el siglo XX y fueron habitados por la clase trabajadora de Los Ángeles. La ciudad no tenía el tipo de vecindad característica de los ghettos orientales, pero había casas, hoteles, cuartos de adobe y vecindades casi en ruinas.

Estos cambios provocaron numerosos efectos en los modos de vida de la comunidad mexicana. Primero, con la expansión de las oportunidades económicas en el centro de la ciudad, se incrementó la densidad de la población del primer barrio. En segundo lugar, con el aumento de los habitantes mexicanos en Los Ángeles, empezaron a buscarse otro tipo de alojamientos para los trabajadores. Finalmente, se crearon numerosos barrios mexicanos en esta ciudad. El movimiento mayor de la población se dio hacia el este. Por lo tanto, lo que caracterizó los patrones de vida de los mexicanos en Los Ángeles de 1900 a 1915 fue el establecimiento de distintos barrios. Esto no quiere decir que el barrio-pueblo-plaza histórico haya disminuido en importancia. Continuó siendo el centro económico y sociocultural de la comunidad mexicana en la ciudad. Pero la aparición de más barrios tuvo un impacto subsecuente en la dispersión de la población.

Con la emigración de mexicanos a Los Ángeles, a la que se sumaron los descendientes de los colonizadores del siglo XIX, la ciudad empezó a convertirse en el sitio de mayor concentración mexicana de Estados Unidos. Junto a San Antonio y El Paso, Texas, Los Ángeles tenía el tercer lugar en la suma total de mexicanos en 1910, además de otros grupos que emigraron, como los japoneses, chinos, negros y europeos (los más numerosos eran italianos, rusos y armenios).[16] Todos ellos buscaban empleo y habitación. A diferencia de otras ciudades en el sudoeste, había una mayor diversidad étnica en Los Ángeles.

El barrio situado en la calle Main (al norte de la plaza y al oeste de Main) es de especial importancia, ya que fue la región donde los mexicanos establecieron y desarrollaron la concentración residencial más grande. Los trabajadores mexicanos con sus esposas e hijos, vivían en las calles Castelar (ahora parte de la colina norte —*north Hill*), Buena Vista, New High, Main Olivera (hoy Olvera) y Alameda, en pequeñas casas o

[16] U.S. Bureau of the Census, *Fifteenth Census of the United States: 1930. Population*, vol. I, Washington, D.C., 1932, tabla 23.

vecindades. Los hombres solteros vivían en la misma zona pero en hoteles o casas de huéspedes. Los mexicanos vivían alrededor del distrito comercial y de la zona industrial en desarrollo, al este de la calle Main. Aquí se encontraban tiendas de metales, negocios de carruajes y vagones, herrerías, zapaterías, fábricas de cerámica, establecimientos para preparar comidas, fundiciones, verdulerías y una docena más de industrias y comercios pequeños.

Si bien la población de la ciudad crecía y se expandía durante las primeras dos décadas del siglo XX, las regiones al este y sur de la plaza, desde la calle Alameda hasta el río Los Ángeles y entre las calles Aliso y First, se convertían en áreas de mexicanos. Sus viviendas se caracterizaron por su dispersión hacia varias colonias de la ciudad. No existía una zona que se llamara "México pequeño", sino numerosos barrios.

En "los Departamentos" ("the Flats"), al este del río de Los Ángeles, entre el puente de las calles First y Seventh, las familias de inmigrantes europeos se trasladaron a las calles Myers, Anderson, Río Utah y Clarence. La población de la ciudad aumentó y, por consiguiente, Los Ángeles se expandió. La región al este y sur de la plaza, desde la calle Alameda hasta el río Los Ángeles y entre las calles Aliso y First, se convirtieron en zona de mexicanos. Los residentes compraron lotes, algunas veces a plazos, y construyeron sus casas con latas, cajas viejas y arpillera. Aunque estas viviendas hayan estado en condiciones desastrosas, para los mexicanos significaban un orgullo, ya que eran de su propiedad. Como resultado, la población mexicana se hizo más permanente y estable en este lugar que en otras partes de la ciudad.

Otras comunidades menos densas se establecieron en la calle Fickett, entre la calle Seventh y el bulevar Whittier, en Boyle Heights y en terrenos que eran propiedad de la ciudad, en el bulevar Olympic y la calle Boyle. Después de 1908, Boyle Heights se convirtió en un sitio habitado por diferentes grupos de inmigrantes. También hubo pequeños grupos de familias mexicanas que se fueron para el norte de las calles Main y Mission (cerca del actual parque Lincoln, la calle Seventh y la avenida Santa Fe al oeste del río Los Ángeles), en la esquina de las avenidas Santa Mónica y Vermont (cerca de la Universidad del Sur de California), en la esquina de las calles Slauson y

Hooper (en la ciudad de Florence) y Pacoima en el valle de San Fernando.[17] En todos estos barrios la vida era difícil. Pero la clase baja mexicana encontró condiciones aceptables y accesibles cerca de las únicas opciones laborales.

## La "calidad" de la vida

No es sorprendente que casi todos los lujos de la ciudad brillaran por su ausencia en el centro de Los Ángeles y en los barrios vecinos. De hecho, la Comisión de la Vivienda de Los Ángeles (Los Angeles Housing Commission) consideró adecuado desaprobar la zona este de las calles Seventh y Utah en 1912, debido a su condición de barrio bajo y a sus servicios sanitarios tan rudimentarios. Con este movimiento, la Comisión rechazó algo más que la estructura arquitectónica y condenó a 83 familias a quedarse sin hogar y en una pobreza total.[18]

Según Jacob Riis, autor del estudio clásico sobre las condiciones de vida entre la clase humilde de Nueva York (*How the Other Half Lives,* 1890), las condiciones de la vivienda en Los Ángeles eran comparables a las peores vecindades de Manhattan.[19] Las vecindades a las que Riis se refería fueron ocupadas principalmente por mexicanos. Cuando se han hecho comparaciones con las comunidades locales japonesa y negra, se ha llegado a la conclusión de que las vecindades mexicanas eran las peores de la ciudad.[20] El historiador Lawrence De Graff, que ha escrito mucho sobre la comunidad negra de Los Ángeles ha dicho que los "mexicanos tenían las peores casas de

[17] U.S. Bureau of the Census, *Twelfth Census of the United States,* Washington, D.C., 1901; *Los Angeles City Directory,* 1910; McWilliams, *Southern California Country,* pp. 314-324; y Bessie D. Stoddard, "Courts of Sonora-town", *Charities and the Commons,* núm. 15, diciembre 2, 1905, pp. 295-299.

[18] John Emmanuel Kienle, "Housing Conditions Among the Mexican Population of Los Angeles", tesis de maestría, Universidad del sur de California, 1912, pp. 6-7.

[19] Citado en G. Bromley Oxnam, *The Mexican in Los Angeles,* Los Angeles: Interchurch World Movement of North America, 1920, p. 6 y William II, Matthews, "The House Courts of Los Angeles", *The Survey,* núm. 30, julio 5, 1913, p. 461.

[20] John Modell, *The Economics and Politics of Racial Accomodation: The Japanese of Los Angeles, 1900-1942,* Urbana: Imprenta de la Universidad de Illinois, 1977, pp. 58-59.

cualquier grupo. Eran los más pobres de todas las minorías y constituían la mayor parte de los habitantes de vecindades y colonias en ruinas y ocupaban muchas de las peores casuchas, frecuentemente llamadas *cholocourts*.[21]

De hecho, cuando el Ayuntamiento se dio cuenta de estas condiciones, creó la Comisión de la Vivienda de la Ciudad de Los Ángeles (Los Angeles City Housing Commission). Para que Los Ángeles se convirtiera en "una ciudad sin barrios bajos" se dio autoridad a la comisión para regular las condiciones de vida en los callejones, mismos que se definieron como:

> Son lotes en los cuales se agrupan tres o más habitaciones que han sido designadas o utilizadas para que las ocupen familias y en cuyo espacio o zona vacía o parte no ocupada (que rodea o está al lado de dichas habitaciones) se usa o se tienen intenciones de que se utilice como área común para todos los habitantes. Por vivienda se entiende un cuarto o la combinación de ellos utilizados o designados para que los ocupen seres humanos.[22]

La comisión estaba constituida por siete miembros, cada uno de ellos nombrado por el Ayuntamiento. Para mantener un agencia local de apoyo, se podían dar órdenes a los dueños de los lotes para que mejoraran su propiedad o bien para que se expropiaran sus edificios. Aunque los oficiales de salud y tres inspectores podían, bajo su propio criterio, entrar a cualquier unidad e inspeccionarla, la comisión no tenía poder para regularizar las condiciones insalubres ni reducir el aglomeramiento de las pequeñas vecindades, casuchas y chozas.

Como casi todas estas vecindades estaban situadas junto al distrito de negocios del centro de una ciudad en expansión, ocupaban propiedades de mucho valor.[23] Estaban construidas como cuarteles y solamente una pared muy delgada, de cartón o de madera, separaba a una familia de otra; las viviendas

[21] De Graff, "The City of Black Angels", p. 339.

[22] Matthews, "The House Courts of Los Angeles", p. 461.

[23] Kienle, "Housing Conditions Among the Mexican Population", pp. 25-26; Dana W. Bartlett, *The Better City: A Sociological Study of a Modern City*, Los Angeles: The Neurner Press, 1907, pp. 71-75; y Matthews, "The House Courts of Los Angeles", p. 461.

individuales con frecuencia no tenían más de dos cuartos. Uno de ellos se utilizaba como cocina y el otro como recámara o sala. Las cocinas medían de seis a diez pies y tenían una pequeña estufa de leña. El único otro mueble de este cuarto era una pequeña mesa. Los muebles del otro cuarto eran una cama y una silla. Los edificios estaban hechos de tablas de pino encalados en el interior y pintados de rojo o café por fuera. Los pisos también eran de pino. Como cada cuarto tenía solamente una ventana, sufrían de mala ventilación y poca luz. Cada departamento tenía una puerta que generalmente era de alambre. La plomería virtualmente no existía; varios vecinos tenían que compartir los pocos excusados que estaban afuera. No había baños y toda el agua tenía que acarrearse de los grifos que estaban en el exterior.

El aglomeramiento era un problema muy serio. Según William Mathews, casi todas las familias de cuatro o más personas vivían en alojamientos de uno o dos cuartos. Después de haberlos visto dijo "...que las condiciones de vida en las viviendas atestadas de muchas ciudades, no eran peores que las que había encontrado en algunas de estas vecindades".[24] Un estudio que condujo la comisión de la vivienda en 1912 encontró que el promedio de personas que ocupaban un cuarto era de 3.3, en dos cuartos 3.7 y en tres cuartos 3.9. De 700 casas inspeccionadas, 18 por ciento de los habitantes estaban viviendo en moradas de un cuarto, 60 por ciento de dos cuartos, 16 por ciento de tres cuartos, 3 por ciento de cuatro cuartos, 2 por ciento de cinco cuartos y 1 por ciento de seis cuartos.

Este mismo estudio encontró que 60 por ciento de todas las vecindades eran de madera, 35 por ciento estaban clasificadas como chozas y 5 por ciento estaban construidas de ladrillo. La comisión enlistó a 10 por ciento de las casas en muy mal estado, 45 por ciento en condiciones muy pobres, 40 por ciento como aceptables y 5 por ciento como buenas.[25] Se alumbraban generalmente con velas, aunque algunos utilizaban lámparas

[24] Matthews, "The House Courts of Los Angeles", p. 465 y Kienle, "Housing Conditions Among the Mexican Population", tablas 5 y 7, pp. 41-42.

[25] Oxnam, *The Mexican in Los Angeles*, pp. 6 y 8 y John Ihlder, "Housing at the Los Angeles Conference", *National Municipal Review*, núm. 2, enero, 1913, pp. 68-75.

de keroseno. No tenían ni gas ni electricidad, así que la mayoría de los residentes usaba estufas de leña para cocinar y calentarse.[26] De las 700 unidades inspeccionadas, 35 tenían gas y ninguna electricidad. Las estufas de leña se usaban en 85 por ciento de las casas, de gasolina en 10 por ciento y de gas en 5 por ciento. Casi todo el mobiliario, la mesa de cocina, el gabinete, la cómoda de la sala, la silla y la cama, habían sido fabricados por los mismos habitantes con cajas. Los lotes vacíos contiguos a las vecindades con frecuencia tenían basura apilada, lo que creaba las condiciones sanitarias más insalubres.[27] Sólo nueve de las 700 unidades contaban con un excusado interior.[28]

Las rentas variaban de 3 a 16 dólares al mes, dependiendo del lugar y su condición. El promedio de renta mensual era de 9.30 dólares. El promedio salarial mensual del trabajador mexicano era de 36.85 dólares. Después de pagar la renta sólo se quedaba con 27.55 dólares para cubrir los gastos de comida, vestido y otros gastos mensuales.[29] De los 803 hombres adultos que vivían en las vecindades en el momento en que se realizó la inspección, 795 anotaron como ocupación trabajador común y el promedio de su salario era de un dólar con 85 centavos al día.[30]

Aunado al alto nivel de desempleo, estas vecindades insalubres, aglomeradas y caras, crearon una difícil situación socioeconómica para los trabajadores mexicanos y sus familias.[31] Por una parte, los hombres que trabajaban para las compañías ferrocarrileras o de trenes eléctricos, tenían menos dificultades porque sus patrones otorgaban a sus empleados vivienda sin costo alguno. Aunque estas industrias pagaban sueldos ligeramente más bajos que en otros sectores, el trabajar para ellas

[26] Kienle, "Housing Conditions Among the Mexican Population", pp. 12-13, 18.

[27] *Ibídem*, pp. 18-19, 22.

[28] William W. McEuen, "A Survey of Mexicans in Los Angeles", tesis de maestría, Universidad del sur de California, 1914, pp. 40-41 y Kienle, "Housing Conditions Among the Mexican Population", tabla 3, p. 40.

[29] California Commission of Immigration and Housing (La Comisión de California de Inmigración y Alojamiento), *First Annual Report*, enero 2, 1915, pp. 237-238.

[30] Kienle, "Housing Conditions Among the Mexican Population", tabla 9, p. 42.

[31] California Commission of Immigration and Housing, *First Annual Report*, pp. 237-238.

El número 742 de la calle New High (1913). (Cortesía de *Los Angeles Housing Commission.*)

significaba liberarse de la obligación de pagar renta.[32] Por su parte, las compañías ferrocarrileras no cobraban renta porque querían que sus trabajadores vivieran cerca de sus establecimientos en caso de que se presentara alguna emergencia. Y era mucho más barato construir chozas que pagar sueldos más altos.[33]

Hacia 1912, un poco más de 2000 mexicanos, de un total de 15000, vivían en estas vecindades.[34] La población exacta era de 2609 habitantes; 887 hombres, 641 mujeres y 881 niños menores de 14 años. Había más hombres que mujeres debido al enorme grupo de solteros y también porque algunos hombres casados habían llegado solos con la esperanza de ganar dinero suficiente para mandarlo a sus familias o regresar a México con algunos ahorros.[35] De las 610 viviendas que inspeccionó la comisión en 1913, 18 por ciento estaban rentadas exclusivamente por mes. Las otras se habían poblado con diversas razas y grupos étnicos, pero casi siempre alojaban a grandes concentraciones de mexicanos.[36]

En 1915, Emory Bogardus se encargó de un estudio exhaustivo sobre 1202 vecindades. Encontró que los mexicanos nacidos en el exterior sumaban el total más alto de inquilinos, después de los italianos y rusos.[37] De las vecindades inspeccionadas, Bogardus encontró que 40 por ciento estaban ocupadas por mexicanos y que "el nivel económico del mexicano es el más bajo de todas las razas de la ciudad".[38]

[32] *Report of the Los Angeles Housing Commission*, febrero 20 de 1906 a junio 30 de 1908, pp. 8 y 16.

[33] Kienle, "Housing Conditions Among the Mexican Population", p. 11.

[34] *Report of the Los Angeles Housing Commission, June 30, 1909 to June 30, 1910*, pp. 4-6; *Report of the Los Angeles Housing Commission July 1, 1910 to March 31, 1913*, p. 23; y Kienle, "Housing Conditions Among the Mexican Population", tabla 8 *1913*, p. 23; y Kienle, "Housing Conditions Among the Mexican Population", tabla 8, p. 42.

[35] Samuel Bryan, "Mexican Immigrants in the United States, The Survey, núm. 28, septiembre 7, 1912, pp. 726-730; Matthews, "The House Courts of Los Angeles", pp. 461-467; y *Report of the Los Angeles Housing Commission, July 1, 1910 to March 31, 1913*, pp. 23-24.

[36] *Ibídem.*

[37] Bogardus, "The House-Court Problem", pp. 391-399.

[38] *Ibídem*, p. 398.

## La verdad más dura

En retrospectiva, es claro que conforme el centro de negocios y de comercio de la ciudad continuaba expandiéndose, los mexicanos se vieron forzados a abandonar el barrio de la plaza central histórica. Este movimiento se debió, en gran parte, al proyecto de desplazamiento de mexicanos que empezó en 1906 y duró hasta 1913.El programa otorgaba a la comisión de la vivienda el poder para expropiar las vecindades, demoler edificios y vender los terrenos a constructoras privadas. La comisión se tomó muy en serio su trabajo; entre 1906 y 1912 se demolieron 400 viviendas y se ordenó a las personas a que desalojaran otras 50 unidades.[39] En teoría, los habitantes de chozas debían trasladarse a viviendas menos congestionadas y con mejores condiciones sanitarias. Pero no se mejoraron las condiciones de la vivienda. Por lo tanto, los mexicanos vieron cómo sus barrios eran destruidos, al mismo tiempo que se enfrentaban al dolor de un desplazamiento total. Sin tener otra opción, empezaron a trasladarse a otras zonas de la ciudad.

No debe pasarse por alto que fueron causas ajenas a las laborales las que empujaron a la comunidad mexicana a establecerse en barrios de condiciones inferiores. A principios de 1900 Los Ángeles se había convertido en una ciudad racista. Aunque se ha dicho que no se habían canalizado los esfuerzos para aislar a los mexicanos en ciertas zonas de la ciudad, lo cierto es que éstos no podían rentar departamentos ni comprar propiedades en ciertas colonias. Incluso la Comisión de la Vivienda de Los Ángeles (Los Angeles Housing Commission) admitió que "los mexicanos no podían encontrar casas excepto en un distrito saturado de gente. Quieren alejarse del distrito industrial, de las restricciones del centro de la ciudad; los sentimientos raciales no nacieron en cada nuevo espacio de tierra en donde se venían lotes".[40]

[39] Kienle, "Housing Conditions Among the Mexican Population", p. 26.
[40] *Report of the Los Angeles Housing Commission, July 1, 1910 to March 31, 1913*, p. 22.

Se utilizaron convenios de restricciones raciales para conservar la segregación. Los mexicanos de la ciudad se encontraron junto con japoneses, chinos y negros en la lucha para superar las condiciones que los oprimían.[41] A pesar del orgullo de su herencia, los mexicanos de Los Ángeles se habían convertido en réprobos, con una situación económica lamentable, dentro de una sociedad angloamericana enfrascada fanáticamente en la expansión industrial.

[41] Modell, *The Economics and Politics of Racial Accomodation*, pp. 58-66; y De Graff, "City of Black Angels", pp. 337-338.

# VI. LA POLÍTICA DE LA SUPERVIVENCIA

Hacia 1900 las relaciones entre los mexicanos y los angloamericanos en Los Ángeles se convirtieron en normas de rígido comportamiento. En los negocios, la política y los círculos sociales, los angloamericanos se encontraban invariablemente a la cabeza, mientras que los mexicanos siempre estaban en desventaja. Conforme se iniciaba el siglo, la comunidad de habla hispana veía que su posición económica había empeorado, sus hijos se habían acostumbrado a la falta de oportunidades, los hombres jóvenes no podían encontrar trabajo y se condenaba a los viejos a una pobreza casi ineludible. La separación de las fuentes económicas locales era casi total.

Pero los 50 años de dominio angloamericano habían tenido efecto sobre algo más fundamental que el estado socioeconómico. Hacia 1900 la comunidad mexicana de la ciudad había pasado por un cambio interno significativo. El ser una persona de habla hispana tenía un significado político en California. Debido a la naturaleza de su nivel social y económico, los mexicanos de la ciudad de Los Ángeles se habían tornado en algo muy distinto de un grupo étnico, es decir, eran ya una enorme subclase. Los mexicanos estaban en contra del racismo, del fanatismo cultural y se preocupaban cada vez más por su futuro en la política. En un centro industrial en desarrollo que dirigían los angloamericanos, tan poco amistosos, veían motivos para tener sospechas.

En lo que se refiere a las normas residenciales, el periodo marcó un movimiento continuo hacia el noreste. Cada vez más, los mexicanos se alejaban del centro de la ciudad para establecerse en nuevas zonas que les permitieran obtener tierras y cierta estabilidad económica. El promedio de nacimientos de la comunidad aumentaba, pero la mayoría de los mexicanos pertenecían a un nivel social secundario. Lo que es más, la población emigrante (en constante crecimiento) también constituía un subgrupo que comprendía a casi todos los mexicanos que no tenían preparación para los trabajos y que esperaban que Estados Unidos les ofreciera una mejor vida que la de su país. Para ambos grupos, las expectativas de vida del sur de California eran muy distintas de las de generaciones anteriores. Encontrarse hasta abajo de la escala social se había convertido en una dura realidad, pero para la mayoría de los mexicanos de Los Ángeles esto era una realidad inevitable.

Aun en un ambiente de explotación económica y de prejuicios raciales, los mexicanos construyeron recursos de apoyo para su comunidad. En proporción a las peores condiciones sociales, el medio ambiente de las personas de habla hispana crecía en importancia. Como no les satisfacía las novedades en sí, los mexicanos preferían sus propios periodistas y comentaristas en lo que se refiere a las interpretaciones creativas de los sucesos reales. Las sociedades de ayuda mutua y asociaciones voluntarias continuaban apoyando a los miembros estancados de la comunidad para que encontraran una cultura y vida privadas dentro de una ciudad industrial despersonalizada. De esta forma, los mutualistas del siglo XX se aseguraban de que el "orgullo" y "dignidad" continuaran teniendo valor para la población de habla hispana, aun en tiempos de crisis.

## La prensa en español en el siglo XX

La vida social y política de la comunidad mexicana de la ciudad puede, quizá, comprenderse mejor si se considera a la prensa. El número de periódicos en español que se publicaban en Los Ángeles crecía constantemente entre 1910 y 1920. Solamente este hecho sugiere que la población local de mexicanos se estaba alfabetizando rápidamente e interesando en el intercambio de ideas. Era igualmente importante el hecho de que la naturaleza específica de la prensa en español tendía a reflejar a una comunidad dinámica que se dirigía a sí misma y que veía el diálogo y el debate como partes íntegras de una toma de decisión colectiva.

En la zona de la calle Main del centro, desde la calle First hasta la Plaza, la gente se reunía informalmente para leer los periódicos locales y discutir sus perspectivas. Había varias librerías en la zona y casi todas tenían una selección de publicaciones mexicanas y estadunidenses en español. Las revistas y periódicos generalmente se distribuían en carritos ambulantes en la calle Main y alrededor de la Plaza. Los artículos y editoriales de estos periódicos con frecuencia constituían el centro de discusión política entre los residentes mexicanos. A menudo los trabajadores se reunían en las salas de juego y billares que se encontraban a lo largo de la sección norte de la calle Main.[1] Leían los periódicos en voz alta y discutían puntos de interés, tanto políticos como de otros temas.

Entre 1910 y 1920, los periódicos mexicanos de mayor circulación eran los que se publicaban semanalmente. *La Prensa, Regeneración, El Heraldo de México, La Gaceta de los Estados Unidos, El Correo Mexicano, El Eco de México* y *Don Cacahuate* eran los semanarios locales populares. Cada uno se consideraba como una fuente de información confiable. También era de influencia la prensa mensual, como *La Fuerza Consciente*, y aun la semimensual como *La Pluma Roja*. En su mayor parte, estos medios se concentraban menos en las noticias y más en cuestiones sociales o sucesos políticos del día. Como tales, tenían un papel único en la comunidad mexicana.

A su tiempo, *La Prensa* fue considerada como un periódico en progresión política. Adolfo Carrillo lo editó semanalmente entre 1912 y 1924: estaba dirigido a las clases trabajadoras y proponía la reforma social. Como editor, Carrillo apoyaba firmemente la organización de la unión como una forma realista de mejorar las condiciones de vida de los trabajadores locales y de sus familias. Sus oficinas se encontraban en la calle Commercial número 108, en Los Ángeles, es decir, que se publicaba en el corazón de la ciudad industrial donde vivía y trabajaba una gran concentración de mexicanos.[2] Se imprimía cada sábado y costaba cinco centavos, lo cual permitía que muchos trabajadores lo leyeran.[3]

[1] Williams W. McEuen, *A Survey of Mexicans in Los Angeles* (tesis de maestría), Universidad del sur de California, Los Ángeles, 1914, pp. 67-68.

[2] Julia Norton McCorkle, "A History of Los Angeles Journalism", *Historical Society of Southern California*, 1915-1916, pp. 24-43; Herminio Ríos y Guadalupe Castillo, "Toward a True Chicano Bibliography, Mexican-American Newspapers, 1848-1942", *El Grito*, núm. 3, verano, 1970, pp. 17-24.

[3] *La Prensa*, diciembre 8, 1917, p. 5.

*La Prensa* era un periódico único debido a que circulaba ampliamente en California y se consideraba como la reflexión de "América Latina y de la gente hispana" más acertada del estado. Como política editorial, Carrillo optó por incluir los sucesos de México, así como las noticias relacionadas con la comunidad mexicana de Los Ángeles. De hecho, muchas de sus historias cubrían los sucesos relativos a la Revolución Mexicana (1910-1917) y analizaban los cambios que la guerra había introducido en el país.[4] El éxito de su publicación sugiere que la comunidad de habla hispana en Los Ángeles estaba, de hecho, interesada en las maquinaciones políticas de su tierra ancestral.

*El Heraldo de México,* editado por Juan de Heras, empezó a salir en 1915.[5] Al igual que *La Prensa,* las oficinas estaban en el distrito de negocios del centro de la ciudad y entre sus lectores se encontraban, principalmente, los trabajadores sin preparación de esta zona. *El Heraldo* tuvo un éxito enorme entre los mexicanos; reunió a 4 mil lectores después de un año de publicarse y continuó apareciendo semanalmente hasta fines de 1920.

*La Gaceta de los Estados Unidos* ponía un mayor énfasis en la literatura que en las noticias. Sus oficinas, en la calle West Second 314 1/2, tenían una librería conocida como *La Gaceta.*[6] Eduardo Ruiz publicó por primera vez este periódico en 1918 y, hasta fines de 1920, apareció como diario semanal en Los Ángeles y otros centros del sudoeste. Al igual que muchos editores del periodo, Ruiz sostuvo que su publicación era la voz verdadera de la gente de habla hispana en Estados Unidos. Después, en mayo de 1919, Clement G. Vincent pasó a ser propietario del periódico y trasladó sus oficinas a North Brodway 117. Como Vincent insistía en que la nueva *Gaceta* sería una "fraternidad de las dos comunidades", introdujo una página en inglés.[7] Se publicó solamente hasta mediados de 1920.

Varios de estos periódicos en español ganaron su reputación por sus puntos de vista. De hecho, muchas de sus publicaciones aparecieron debido a la actividad socialista y a la revolu-

[4] *Ibídem,* febrero 2, 1918, p. 5.
[5] *El Heraldo de México,* abril 22, 1916, p. 6.
[6] *La Gaceta de los Estados Unidos,* abril 30, 1919, p. 1.
[7] *Ibídem.*

ción mundial que caracterizaron los años 1910 a 1920. Con frecuencia, los editores asumían una postura muy fuerte respecto a los asuntos políticos cargados de emotividad. México también atravesaba por un fuerte levantamiento revolucionario y la comunidad de habla hispana de Los Ángeles quería leer los comentarios estridentes sobre el suceso. *La Pluma Roja*, editado por Blanca de Moncaleano, era una, entre otras publicaciones, a favor del congelamiento político. Pero a diferencia de la mayoría de los periódicos en español, *La Pluma Roja* cubría las actividades socialistas entre las comunidades angloamericana y mexicana.[8] Moncaleano estableció las oficinas en San Fernando 1538 y, durante varios años, se sostuvo fuertemente en el mundo periodístico de la ciudad.

*La Fuerza Consciente* tuvo una orientación aún más radical. Se proclamaba a sí mismo un diario anarquista y se publicó por primera vez en Los Ángeles y después se trasladó a San Francisco. En cada periódico, el editor Jaime Vidal escribió en la primera página que estaba "dedicada a la propaganda anárquica y revolucionaria". Vidal, que fue una especie de leyenda regional en su tiempo, escandalizó a California con su política y prerrogativas personales, entre ellas, un respeto inamovible por la liberación sexual.[9]

Pero en términos de periodismo radical dentro de la comunidad mexicana, hay un diario que sobresale: *Regeneración*. Dirigido por el anarquista mexicano Ricardo Flores Magón, este periódico era la voz literaria del Partido Liberal Mexicano. Fue un esfuerzo importante del periodismo en la historia de Los Ángeles, especialmente en lo que respecta a las noticias del estado político de los mexicanos de la región, por lo cual *Regeneración* se ganó la respuesta más legendaria de todos los diarios en español.

Flores Magón quiso que su periódico fuera un lazo de comunicación entre las comunidades mexicanas de Estados Unidos y México. Al explorar los asuntos que concernían a ambos grupos, Flores Magón creyó que se daría un cambio radical en el estado social. Su diario circulaba ampliamente en ambos países y, después de seis años de editarse, presumía contar con más de 30 mil lectores. Como editor, Flores Magón

[8] McCorkle, "A History of Los Angeles Journalism", p. 39.

[9] McEuen, "A Survey of Mexicans in Los Angeles", pp. 87-94; *La Fuerza Consciente*, enero 15, 1914, p. 1.

se pronunció a favor de una revolución violenta que cruzaría las fronteras arbitrarias, que vería el fin del capitalismo y de las inversiones extranjeras, así como también por la libertad política para todos los mexicanos, sin importar su ciudadanía. Insistió en que ambas sociedades estaban dominadas por capitalistas y sostenía que cada una se caracterizaba por un conflicto de clases. Como portavoz de la clase trabajadora, sentía que aquellos que producían la riqueza debían poseerla. Bajo su dirección, *Regeneración* se convirtió en símbolo de influencia en la lucha política y social entre los mexicanos de ambos países.[10]

En su origen, este periódico se publicaba en la ciudad de México. En 1904 las actividades de Flores Magón lo llevaron a su expulsión del país. Trasladó el periódico a San Antonio, luego a Chicago, más tarde a San Luis y, finalmente, a Los Ángeles (1907). En un principio llamó a la versión de Los Ángeles *Revolución* pero, en 1910, volvió al original *Regeneración*. Las oficinas de Flores Magón estaban en la calle East Fourth 519 1/2 y su editor era Anselmo L. Figueroa. Los miembros del Partido Liberal Mexicano fueron sus contribuyentes y sus ensayos y nuevos reportes abogaron por una revolución urbana y sin compromisos. Incluyó la página en inglés antes de que se convirtiera en una moda periodística. La escribía Alfred Sanfleben y más tarde Ethel Duffy Turner.

De 1912 a 1918, varios líderes del Partido Liberal Mexicano —y un número de otros artistas y editores que se habían incorporado al periódico— fueron arrestados y encarcelados en repetidas ocasiones. En 1912, Flores Magón y Figueroa fueron encarcelados. Hasta su liberación en 1914, *Regeneración* se publicó regularmente. Dos años después, Flores Magón y otros líderes del partido fueron arrestados y encarcelados nuevamente. A principios de 1918 *Regeneración* dejó de publicarse.[11] A menudo se ha dicho que la popularidad sin prece-

[10] Juan Gómez-Quiñones, *Sembradores, Ricardo Flores Magón y El Partido Liberal Mexicano*, Aztlan Publications: Los Angeles, 1973, pp. 45-65; *Regeneración*, septiembre 2, 1910.

[11] Armando Bartra (ed.), *Regeneración*, 1910-1918, México D.F., Ediciones Era, 1977, pp. 13-58; *Regeneración*, septiembre 3, 1910, p. 1; Gómez-Quiñones, *Sembradores*, pp. 31-42; Robert E. Ireland, "The Radical Community, Mexican and American Radicalism: 1900-1910", *Journal of Mexican American History*, núm 2, otoño, 1971, pp. 22-32.

Ricardo Flores Magón (1884-1922). Intrépido y progresista escritor, orador, organizador, político y uno de los pilares intelectuales de la Revolución Mexicana (1910). Forzado a exiliarse en Estados Unidos por oponerse a la dictadura de Porfirio Díaz, comienza a publicar el periódico radical *Regeneración,* por lo que, en 1914, fue encarcelado en Los Ángeles. Convicto en Estados Unidos por violar las leyes de neutralidad, Magón y su hermano Enrique cayeron en la penitenciaría federal de Leavenworth, donde Ricardo murió, quizá asesinado, en 1922. (*Los Angeles Times.*)

dentes del periódico, aunado a sus perspectivas radicales, llevó a los gobiernos de Estados Unidos y México a silenciarlo. La policía, los detectives privados y agentes secretos vigilaban de cerca a Flores Magón y a su personal. Sus oficinas fueron forzadas con el fin de intimidar a los editores y miembros del Partido Liberal Mexicano. Aun así, durante varios años, su trabajo tuvo un carácter flexible en lo que se refiere a la determinación cultural y a la resistencia política.

En suma, a principios del siglo XX, en la comunidad mexicana angelina se dio una fuerte cohesión cultural y social. Los periódicos en español contribuyeron enormemente para forjar esta solidaridad. Hacia 1920, varios miles de copias de diversas publicaciones se compraban regularmente y se pasaban a otros lectores o se leían en voz alta en lugares públicos. Al compartir y discutir sus opiniones, los mexicanos descubrían su camino hacia una nueva identidad. El hecho de que tantas publicaciones hayan aparecido en el centro este de la ciudad implica que la diversidad había caracterizado a la comunidad mexicana. La rápida proliferación de estos diarios muestra el interés que tuvo el populacho que sabía leer y escribir. El desacuerdo oficial que cayó sobre *Regeneración* es una prueba más del poder del medio mexicano a lo largo de este periodo.

## Autodefensa cultural

A pesar de su impacto, la prensa no fue el único medio a través del cual los mexicanos de Los Ángeles protegieron su cultura de la sociedad hostil que les rodeaba. En la tradición de sus padres, los angelinos del siglo XX continuaron formando nuevas asociaciones voluntarias y mutualistas que pudieran hacerse cargo de los asuntos de la nueva comunidad. De hecho, la combinación del rápido crecimiento y el aumento de la importancia de estas organizaciones representa una de las características más significativas de la vida social mexicana de este periodo. En lo que respecta a la autodefensa cultural, los mutualistas funcionaron como instituciones guía y parámetros regionales de una comunidad inevitablemente a la deriva en una ciudad angloamericana. Aún más importante, se ofrecieron núcleos de apoyo a pequeña escala, en donde los líderes mexicanos podían surgir y servir a su propia comunidad.

El desarrollo de estas instituciones se fundamentó en razones bien definidas y pragmáticas. Primeramente, era notorio que el gobierno local no respondía a los residentes mexicanos de la ciudad. Aun cuando los establecimientos en el poder intentaban ayudar, era imposible que resolviera las necesidades cruciales de la comunidad. La segregación de la vivienda, la enajenación de la clase trabajadora, el aislamiento de la sociedad mayoritaria, eran algunas de las causas que llevaron a los mexicanos a volverse hacia sí mismos y buscar mecanismos de defensa privados. A menudo, estas asociaciones voluntarias tenían más vínculos con la tradición mexicana que con las prácticas norteamericanas. La mayoría de ellas ponían un énfasis especial en lo "mexicanísimo" (el orgullo de su herencia y cultura mexicanas) y en el proceso, hacían que sus miembros recordaran su antiguo y noble origen. Frente a la opresión política de Estados Unidos, los mutualistas ofrecían una salida constructiva para expresar los sentimientos nacionalistas, aún muy arraigados en los mexicanos americanos. Al reforzar su lealtad a la madre patria, estas organizaciones ayudaban a la gente a adaptarse a la vida tan ardua de California.

De hecho, muchas asociaciones se establecieron expresamente para la "preservación de los principios patrióticos y raciales".[12] En esencia, eran el reflejo del nacionalismo mexicano tal y como funcionaba entre los mexicanos de Estados Unidos. A pesar del hecho de que casi todos los miembros mutualistas no habían nacido ni crecido en México, reconocían sus raíces, mismas que permanecían en ellos como un elemento vital de su propia identidad.

Por esta razón, la celebración de los días festivos mexicanos empezó a cobrar gran importancia. Cada año los diversos clubes y centros de alojamiento planeaban desfiles patrióticos y fiestas para el 16 de septiembre y el 5 de mayo.[13] En la

[12] *La Opinión*, junio 4, 1927, p. 5.

[13] El 16 de septiembre de 1810, un sacerdote, Miguel Hidalgo y Costilla, declaró la independencia de México de los españoles. El 5 de mayo de 1862, el ejército francés fue derrotado con pérdidas de más de mil hombres en la Batalla de Puebla ante el ejército mexicano, por lo que los franceses tuvieron que regresar a la costa. Ambos acontecimientos históricos se celebran cada año en México como fiestas nacionales, así como también por los mexicanos residentes en Estados Unidos.

mayoría de los casos, la comunidad entera participaba en las festividades de gala. Además del obvio propósito de ofrecer recreaciones de tipo cultural, las celebraciones anuales consolidaban el orgullo de hablar la lengua española, de la herencia mexicana y, hasta cierto punto, de la forma de vida de California. Lo más importante era que creaban una especie de amortiguador entre la vida de Los Ángeles mexicano y los establecimientos angloamericanos.

Muchas de estas organizaciones eran de protección y beneficio mutuos y su función se parecía a la de los clubes sociales de inmigrantes europeos.[14] Al mancomunar sus recursos más pobres, los emigrantes mexicanos aprendieron a ayudarse mutuamente con entierros de bajo costo, beneficios de seguros, préstamos con escasos intereses y otras formas de asistencia económica. Como señala Paul Taylor, los mutualistas también proporcionaron "...un foro de discusión y un medio para organizar la vida social de la comunidad".[15]

Una de las organizaciones sociales y de caridad más importantes en la comunidad mexicana fue la Alianza Hispano-Americana. Se estableció en Tucson, Arizona en 1894 y ofreció a sus miembros seguros de vida, actividades sociales y otros servicios financieros. En 1895, el grupo se expandió y estableció una sucursal en otra comunidad de Arizona. Casi inmediatamente, la sociedd local de ayuda mutua empezó a expanderse hasta salir de Arizona e introducirse en otras áreas. Las ramificaciones de la Alianza se establecieron en Nuevo México, Texas y California, casi siempre en centros urbanos donde los mexicanos eran los que más necesitaban un sistema de apoyo. En cada ciudad la asociación funcionaba como una sociedad fraternal de seguros que servía a las clases media y trabajadores de mexicanos. Hacia 1913, había 46 ramificaciones establecidas en cuatro estados del sudoeste.[16]

[14] Véase Nelli, *The Italians in Chicago*, pp. 170-181; Rischin, *The Promised City*, pp. 104-105, 182-183; y Virginia Yans-McLaughlin, *Family and Community; Italian Immigrants in Buffalo, 1880-1930*, Ithaca, Imprenta de la Universidad de Cornell, 1977, pp. 110-111, 130-131.

[15] Paul S. Taylor, *Mexican Labor in the United States: The Imperial Valley*, Imprenta de la Universidad de California, Berkeley, 1928, p. 45.

[16] Kaye Lynn Briegel, *Alianza Hispano-Americana, 1894-1965: A Mexican American Fraternal Insurance Society* (tesis de doctorado), Universidad del sur de California, 1974, pp. 19-22, 47-48, 68-70.

Algunas de estas sucursales eran muy grandes, aunque la mayoría eran pequeñas. Debido a que la inseguridad económica propiciaba que la membresía fuera un lujo, más que una necesidad, muchas personas se unieron un año, la dejaron al siguiente y, cuando sus ingresos se lo permitían volvían a inscribirse. Para poder comprar un seguro por medio de la asociación, los miembros tenían que probar que recibían un sueldo estable. Como resultado, a los emigrados mexicanos y a los residentes sin preparación les fue muy difícil inscribirse. Así los miembros eran estables y empleaban a mexicanos que, en general, pertenecían a la clase media alta. Según Taylor, "la Alianza generalmente se considera como una sociedad un tanto más selecta que otras".[17]

En 1918, la Alianza celebró su novena convención anual en Los Ángeles. Cerca de 250 delegados asistieron y eligieron a Samuel Brown, de Los Ángeles, como presidente supremo de la organización. Brown, cuya madre había nacido en México, se identificó como mexicano. Trabajó como herrero en Tempe, Arizona, donde se involucró en la política cuando perteneció al cuerpo legislativo del territorio del estado. Como presidente supremo, su actitud fue decisiva para el crecimiento y expansión de la asociación.[18]

Hacia 1913, había tres alojamientos de la asociación en Los Ángeles. Según los reportes de la prensa en español de aquel tiempo, la Alianza era la única sociedad latinoamericana en Estados Unidos que podía autorizar pólizas de seguro de salud hasta de 1 200 dólares y admitir a miembros de ambos sexos. Conforme proporcionaron un programa de seguros sólido, las sucursales de la Alianza prestaron servicios como organizaciones fraternales y sociales en las cuales los miembros podían intercambiar ideas y apoyar los logros de la comunidad. A pesar de todo este éxito, estaban constituidas de una pequeña élite local. Los abogados, doctores, negociantes, propietarios de pequeños negocios y otras personas con posiciones estables y relativamente desahogadas (todos ellos de nacionalidad mexicana), podían cubrir los gastos anuales de membresía.

[17] Paul S. Taylor, *Mexican Labor in the United States: The Imperial Valley*, Imprenta de la Universidad de California, Berkeley, 1928, p. 64.

[18] *La Prensa*, febrero 2, 1918, p. 5; y Kaye Briedgel, "Alianza Hispano-Americana", pp. 50-53.

Miles de mexicanos de la clase trabajadora y aquellas víctimas del desempleo crónico y bajos salarios, no podían pagar el costo de la membresía de la Alianza.[19]

Había otras organizaciones sociales en Los Ángeles y muchas de ellas ofrecían diversos tipos de membresía. El Club Anáhuac, un club social para jóvenes varones, tenía a su cargo varias actividades culturales y de caridad. También formó un equipo de baseball para competir con otros equipos de clubes similares. Al igual que los mutualistas del periodo, los miembros de este club participaban en las festividades nacionales mexicanas y apoyaban con entusiasmo a varias causas filantrópicas.[20] Se formó la Sociedad Moctezuma para las mujeres jóvenes mexicanas, una asociación popular y activa que organizaba bailes, reunía fondos para diversas actividades de la comunidad y participaba en las celebraciones de las fiestas patrias mexicanas.[21] Había pocos clubes que funcionaban como ayuda mutua y organizaciones recreativas, tanto para varones como para señoritas. El Club Alegría es un ejemplo porque, al igual que otras asociaciones, organizaba bailes, participaba en varios equipos deportivos y ayudaba a la celebración de las fiestas patrias mexicanas.[22]

Aunque algunas veces se les recuerda como clubes sociales y competitivos, varias de las asociaciones voluntarias trabajaban juntas para alimentar las mentes de la comunidad. La Sociedad Mutualista Mexicana se estableció específicamente para reunir a todos los grupos y lograr la consolidación de una comunidad mexicana unida en Los Ángeles.[23] En un baile que festejaba el primer aniversario de El Club Juvenil Recreativo, uno de los invitados propuso al público reunido trabajar para una mejor comprensión y sentido de fraternidad dentro de su propia comunidad local. El programa de la noche también incluía teatro y lectura de poesía de contenido nacionalista.[24] En suma, la velada reflejó una orientación completa de las asociaciones mexicanas del periodo. Aun cuando se hizo un

[19] *La Prensa*, diciembre 22, 1917, p. 5.
[20] *El Heraldo de México*, abril 22, 1916, p. 8.
[21] *La Prensa*, diciembre 15, 1917, p. 5.
[22] *El Heraldo de México*, noviembre 11, 1919, p. 4.
[23] *La Prensa*, septiembre 21, 1918, p. 5.
[24] *Ibídem*, febrero 23, 1918, p. 5.

balance de las preocupaciones locales frente al sentimiento nacionalista, se ofreció a sus miembros un círculo social, objetivos orientados hacia la comunidad y un lazo de unión con sus orígenes, que de otra forma se habrían perdido.

Las asociaciones también se acercaron a quienes rápidamente se estaban convirtiendo en una parte esencial de la comunidad, es decir, a los mexicanos que se identificaban fuertemente con Estados Unidos y sus ideales de patriotismo y deber militar. Lo cierto es que las medidas culturales para organizar clubes conllevó a los mexicanos a fundar el Club Pro Patria, un grupo dedicado a defender a Estados Unidos durante la Segunda Guerra Mundial. Se motivó, tanto a los mexicanos como a los angloamericanos a que se unieran a esta organización, misma que atrajo a muchos miembros.[25] Sin embargo, parece ser que la mayoría de los mexicanos de Los Ángeles se reconocieron a sí mismos, primero y ante todo, como "mexicanos". A diferenca de los inmigrantes europeos que querían involucrarse de lleno en la sociedad angloamericana, los hombres y mujeres de ascendencia mexicana buscaron un término medio entre las lealtades políticas y culturales.

Conforme pasaban los años de 1910 hacia la década de los veinte, muchos grupos trataron de involucrar a sus miembros en los asuntos políticos del momento. Algunos organizaron mítines públicos para poder ofrecer un foro de discusión y un ambiente seguro en el cual la gente expresara sus opiniones respecto a los asuntos importantes de los residentes mexicanos. Se alentó particularmente a la clase trabajadora mexicana a que asistiera, ya que eran ellos los que debían enfrentar las mayores dificultades de desempleo y un vacío cultural.

De esta forma, la influencia de estas organizaciones rebasó los límites de cualquier lista de miembros. Las asociaciones con frecuencia proporcionaban ayuda económica a personas que no eran miembros y ofrecían ayuda a cualquiera en la comunidad que tuviera problemas con la policía, patrones o caseros discriminadores. Más importante aún fue el hecho de que los clubes se convirtieron en un centro de actividad social y de solidaridad para todos los residentes mexicanos. Su lema "...el mejoramiento de la comunidad mexicana, social y

[25] *Ibídem*, mayo 18, 1918, p. 5.

moral", aparecía como reflexión pública de una comunidad más preocupada por su integridad interna que por su servilismo impuesto.[26] Como ejemplo de solidaridad social, los mutualistas y otras asociaciones voluntarias mandaron un mensaje muy claro a la comunidad: el orgullo y la autodefensa eran conceptos definidos y, como tales, eran inmunes a los caprichos e intolerancia del resto de la sociedad.

A través de lo que el sociólogo Herbert Gans llama la creación de "pueblos urbanos", la continuidad de las tradiciones mexicanas y su cultura (aunque con ciertas modificaciones) se convirtió en un proceso constante de autoafirmación, seguridad y protección entre las personas de habla hispana.[27] La conservación de la cultura puede confirmarse con los gustos musicales y teatrales. A lo largo de 1920, la música era una recreación popular y varios grupos ofrecían a los asistentes (en su mayoría mexicanos) un lazo de unión más con sus raíces. A menudo tocaban en bailes y algunas veces lo hacían para un auditorio numeroso reunido en la plaza los domingos.[28]

En sus propios teatros y clubes, los miembros de la comunidad podían disfrutar veladas de música, poesía y representaciones dramáticas en vivo. El Teatro Zendejas estaba situado en el sur de Spring, entre las calles Third y Fourth. Regularmente presentaba obras y otros eventos artísticos a un público predominantemente mexicano. El Teatro Hidalgo, localizado al norte de la calle Main 373, en el centro del distrito social y comercial mexicano de Los Ángeles, también ofrecía varios tipos de entretenimiento a bajo costo.

Durante los primeros veinte años del siglo, la calle Main (entre las calles Sixth y Macy) constituía un nexo social y de negocios de la vida comunitaria. Los restaurantes mexicanos, peluquerías, teatros, salas de apuestas, farmacias, sastrerías, joyerías y otros negocios, se extendieron por la zona y ofrecieron una gran variedad de servicios. En las noches de los fines de semana, las calles se llenaban de gente que iba hacia el teatro, la plaza o los restaurantes.

El domingo, la comunidad se reunía para escuchar tocar a las bandas o a los oradores que hablaban de temas de interés.

[26] *La Opinión*, junio 4, 1927, p. 5.

[27] Herbert Gans, *The Urban Villagers*, The MacMillan Company, Nueva York, 1962.

[28] *La Prensa*, enero 26, 1918, p. 5.

Los carritos de periódicos y revistas en español pasaban; los amigos y parientes se visitaban y se hacían nuevas amistades. La plaza fue descrita como un "foro para el proletariado".[29]

En todo esto los mexicanos encontraron formas creativas de qué vivir en Los Ángeles, aun cuando formaran una especie de subcultura aislada dentro de la ciudad. A través de su propia prensa, clubes sociales y distrito de negocios, los mexicanos se unieron y erigieron un muro simbólico para protegerse a sí mismos de la gran metrópolis.

Los mexicanos alimentaban una tradición que valorizaba a la familia, nacionalidad y continuidad cultural, al mismo tiempo que operaban como una entidad social para sí misma (aun cuando luchaban por tratar con la agresiva corriente angloamericana).

Es por ello que fallaron los intentos para incorporar a los mexicanos al orden urbano industrial de Los Ángeles. Esto no quiere decir que los trabajadores mexicanos no lograran integrarse a la estructura económica de la ciudad. Como trabajo barato y explotado, ellos ciertamente formaban parte de la expansión industrial local. Tampoco se sugiere que a los mexicanos les afectara el estar expuestos a una sociedad dominante. Se dieron ajustes significativos para adaptarse a la forma de vida de la ciudad angloamericana. Pero el proceso de asimilación que afectó a la mayor parte de los inmigrantes europeos no se dio con la población mexicana. Ellos continuaron considerándose como mexicanos porque así lo querían. Si bien con su desafío perdieron en influencia política y avance económico, consideraron que bien valía el precio.

## Los nuevos barrios

Aunque los angelinos alimentaron sus tradiciones sociales y culturales, otras calamidades empezaron a afectar sus vidas. Los distritos segregados de la clase trabajadora de fines del siglo XIX, dieron forma a una seria crisis de vivienda en 1900. La economía en expansión atrajo a más trabajadores. La población mexicana continuó aumentando, debido a la emi-

[29] *El Heraldo de México*, octubre 17, 1919, p. 3; *La Prensa*, mayo 25, 1918, p. 5.

gración y al alto promedio de nacimientos. Junto con la rápida urbanización de la ciudad, en general se forzó al mexicano local a que saliera de una única zona residencial para trasladarse a otros suburbios y nuevos sectores industriales. En poco tiempo, los nuevos barrios se habían creado y la segregación se había convertido en una forma de vida firmemente establecida en Los Ángeles.

La dispersión residencial no trajo consigo la mejoría de vivienda. Los convenios raciales tan restrictivos excluyeron a los hispanohablantes de los suburbios deseados. Los nuevos barrios se establecieron en sectores de la ciudad que otros grupos mayores se habían negado a habitar. Así como en el siglo XIX la proximidad a los empleos había determinado ciertos patrones de vida, la finalidad ilusoria de un empleo estable predominó en el curso de readaptación a un nuevo sitio en 1900. Ya fuera por estar cerca del distrito de los nuevos negocios, de ferrocarril o la industria pesada, los mexicanos se trasladaron cerca de la actividad económica, en donde podían buscar trabajo sin tener que gastar diariamente en transporte.

Varios nuevos barrios se establecieron al este del río Los Ángeles. Las familias mexicanas de bajo ingreso se cambiaron a Boyle Heights, cerca del parque Lincoln y a Belvedere. Se crearon otros barrios en el centro de Los Ángeles, en las zonas de fábricas cerca del barrio chino (*Chinatown*) y al sur de la ciudad. Al igual que el viejo barrio cerca de la Plaza, estas nuevas vecindades estaban físicamente aisladas y carecían, casi inevitablemente, de los servicios básicos y facilidades que disfrutaban las comunidades locales angloamericanas.[30]

Las vecindades mexicanas en Los Ángeles variaban de tamaño, desde grupos de pequeñas casas y chozas, hasta espacios grandes para miles de personas. Como ya no estaban reunidos en un solo distrito del centro, las familias mexicanas se esparcieron por toda la ciudad y sus barrios se transformaron, de un solo centro urbano, a una serie de comunidades en pequeña escala, unidas por su pobreza y por sus tradiciones. La separación física que mantenía a los mexicanos distantes de

[30] Paul Herbold, *Sociological Survey of Main Street; Los Angeles, California* (tesis de maestría), Universidad del sur de California, 1936, p. 128.

los angloamericanos de Los Ángeles no fue accidental, sino el resultado de las barreras raciales y económicas construidas conscientemente. Carey McWilliams apuntó en detalle las razones básicas del desarrollo histórico de los barrios mexicanos: "El lugar de establecimiento ha sido determinado por una combinación de factores: bajos salarios, rentas baratas, tierras de poco valor, prejuicios, cercanía a los empleos, sitios no deseados, etcétera."[31]

Los poderes políticos y económicos dominantes de aquel tiempo, obligaron a los mexicanos a segregarse. En raras ocasiones un establecimiento angloamericano intentó integrar a los mexicanos a la estructura social dominante. Aun cuando el complejo industrial abrazaba a la comunidad de habla hispana, ofrecía oportunidades de empleo que, efectivamente, descartaban toda posibilidad de seguridad económica, de desarrollo profesional y, consecuentemente, de mejoramiento en la vivienda. Lo que es más, la emigración de la clase trabajadora mexicana arruinó los esfuerzos de la comunidad para mejorar económicamente.

Después de que estalló la Primera Guerra Mundial, la evolución de los barrios se aceleró. Un aumento de las industrias al servicio de la guerra promovió la economía del sur de California. A su vez, un alza de producción y venta de mercancías, desde barcos hasta frutas, crearon nuevas demandas para los trabajadores. Una vez más, la afluencia de mexicanos imposibilitó que muchas familias encontraran casa en la vecindad sobrepoblada de la Plaza. Sin otra alternativa, los hombres y mujeres se trasladaron a la parte noreste de la ciudad, donde podían pagar las rentas. Después de unos años, la zona al norte de la Plaza —desde el este del parque Elysian (Elysian Park) hasta Brodway al oeste y de la Avenida 10 al norte hasta Alhambra del sur— se había convertido en el sitio de la comunidad de la clase trabajadora.[32] De hecho, una investigación demostró que, en 1916, los mexicanos e italianos constituían el 80 por ciento de los grupos étnicos en la vecindad del parque Elysian.

[31] Carey McWilliams, *North Form Mexico, The Spanish Speaking Peoples of the United States*, Imprenta de Greenwood, Nueva York, 1968, p. 217.

[32] Walter V. Woehlke, "Los Angeles-Homeland", *Sunset Magazine*, 36, enero 1911, p. 11.

En una investigación dirigida por La Sociedad de Los Ángeles para el Estudio y Prevención de la Tuberculosis (Los Angeles Society for the Study and Prevention of Tuberculosis), se investigó acerca de su salud, a unos 1 650 individuos en 331 casas. Del grupo, 51 por ciento eran mexicanos y 30 por ciento italianos. El estudio encontró que un común denominador entre los mexicanos era la juventud: solamente 2 por ciento de los residentes tenían más de 30 años, a diferencia de un 13 por ciento entre los otros grupos. Un 56 por ciento de los mexicanos que vivían en esa zona tenían entre cinco y nueve años. Aunque la familia mexicana promedio estaba constituida por cinco miembros, más de la mitad de los mexicanos entrevistados vivían en pequeños apartamientos o vecindades.

Al final de la guerra, la comunidad mexicana ya se había trasladado hacia la dirección noreste y estaba por dar su mayor paso hacia el este.[33] En 1920, numerosos asuntos en desarrollo desembocaron en el traslado de los mexicanos hacia el este de la ciudad. Casi proféticamente, un observador del periodo sugirió que en 1920 "era muy posible que los mexicanos ahora situados alrededor de la Plaza en el Distrito de la Escuela Macy (Macy School District), se verán forzados a ir a otras partes de la ciudad en los próximos cinco años".[34]

De todas formas, existían otras normas, además de las relativas a la sobrepoblación, en los patrones de restablecimiento de la comunidad mexicana local. Por un lado, era casi seguro que la comisión de ferrocarriles del estado, colocaría a la estación de pasajeros de la Unión del Pacífico (Union Pacific) en la zona adyacente a la Plaza. Esta región, con sus casas de huéspedes, pequeños hoteles y chozas de uno o dos cuartos, era extremadamente popular entre los inmigrantes mexicanos. Para un observador de aquel tiempo, parecía casi inevitable que la Plaza se escogiera como construcción y explicó las consecuencias que tal decisión tendría para los residentes mexicanos:

[33] Baist's Real Estate Atlas, "Survey of Los Angeles", Los Angeles County Museum of Natural History, láminas 4, 5, 12, filadelfia, 1910. John S. McGoarty (ed.), *History of Los Angeles County*, vol. I. Nueva York, 1923, pp. 13 y 281.

[34] Oxnam, "The Mexican in Los Angeles", p. 23.

> Esto quiere decir que entre cinco y diez mil mexicanos tendrán que cambiarse a otros sectores de la ciudad. Se piensa que un gran número irá a la región de Palos Verdes... que un grupo mayor cruzará el río y se situará alrededor de la avenida Stephenson, en lo que se llamará South Boyle Heights. Y otro grupo más buscará un nuevo Distrito Industrial justo al sur de los límites de la ciudad.[35]

Irónicamente, el restablecimiento sirvió para unir, y no separar, a la comunidad mexicana. Si no hubiera sido por el servicio regular y las cuotas baratas previstas para el sistema interurbano de ferrocarriles, la comunidad podría haberse dispersado hacia zonas residenciales sin conexión. Pero los tranvías eléctricos hicieron posible que los mexicanos se resituaran en áreas residenciales a varias millas de distancia del distrito de negocios del centro y aún permanecieran física y culturalmente en contacto con sus parientes, amigos y patrones. Debido a que el movimiento hacia el "nuevo" lado este ocurrió en el momento en que los Ferrocarriles Eléctricos del Pacífico de Los Ángeles (Los Angeles Pacific Electric Railway) iniciaron sus servicios hacia Brooklyn Heights, Boyle Heights y Ramona, el servicio de trenes para las comunidades tales como Maravilla y Belvedere hicieron posible que muchas familias de la clase trabajadora dejaran las comunidades mexicanas más antiguas del este del río Los Ángeles. Las comunidades que estaban esparcidas al este, pronto se convirtieron en un enorme barrio subcultural. En contraste con la población angloamericana, hacia 1930, los mexicanos se habían transformado en un grupo muy cerrado. Irónicamente, era apropiado que los mexicanos fueran los principales beneficiarios del sistema de trenes interurbanos, después de todo, su trabajo había sido de mucha responsabilidad para su construcción.

Mientras que los mexicanos continuaban usando los carros rojos (*red cars*) como medio de transporte diario, los angloamericanos empezaron a utilizar, cada vez más, el automóvil. La creciente popularidad de este nuevo vehículo, tuvo un impacto sorprendente en la estructura urbana de los residentes mexicanos de la ciudad. Después de la Primera Guerra Mun-

[35] *Ibídem*, p. 23.

dial, el registro de autos en Los Ángeles se multiplicó. En la nación, a mediados de 1920, uno de cada siete norteamericanos poseía un auto. En California, uno de cada cuatro residentes tenía uno. En Los Ángeles, la ciudad pronto se proclamó como la capital de automóviles del mundo: el promedio era un carro por cada 2.25 personas. El impacto final de esta "locura" de autos fue muy simple: los choferes disfrutaban de una movilidad mayor que sus vecinos que utilizaban trenes. Como aumentaba el registro de autos, la población general gravitaba hacia las zonas más alejadas.[36] Al igual que otras ciudades en el campo, Los Ángeles fue anexando, gradualmente, varias de las nuevas comunidades que dependían de los trenes. En 1910, Los Ángeles abarcaba unas 100 millas cuadradas (160.900 km$^2$) y, en 1930, tenía 441 millas cuadradas (709.569 km$^2$). Conforme la población de la ciudad se dispersó, grandes núcleos de viviendas de una sola familia empezaron a surgir. Y, conforme se separaron las familias, así también la industria.

Aunque la nueva comunidad al este de la ciudad aumentaba, los enclaves mexicanos más antiguos encontraron la manera de superar el impacto del desarrollo urbano. Una de estas comunidades —dividida en tres secciones— se localizaba en Pasadena. De acuerdo a una investigación hecha en 1922, los tres barrios de Pasadena tenían 1 736 mexicanos y 296 familias. Según Christina Lofstadt, la difícil zona era una guarida urbana "situada en esa pequeña franja de tierra al sur de la avenida Colorado, atravesada por dos vías, con tanques de gas, plantas de energía eléctrica, varias fábricas, lavanderías y un montón de moradas heterogéneas".[37] Al vivir en Pasadena, los mexicanos tenían la posibilidad de encontrar trabajo (de acuerdo a las estaciones del año) en las granjas y ranchos de cítricos cercanos. "Casi todo su trabajo —escribió un observador— se realiza en los huertos, recogiendo fruta, en la jardinería, cavando, en lavanderías, canterías, fábricas de cemento y en albañilería."[38]

En otro barrio al sudoeste de Los Ángeles, la investigadora Elizabeth Hummer encontró que las condiciones de vivienda

[36] Ashliegh E. Brilliant, "Some Aspects of Mass Motorization in Soutern California, 1919-1929", *Southern California Quarterly*, 47, 1965, pp. 191-206.

[37] Lofstedt, "The Mexican Population of Pasadena, California", p. 260.

[38] *Ibídem*, p. 262.

eran mejores que aquellas de la colonia mexicana de Watts. En 1924, escribió que la comunidad es "un grupo racial heterogéneo, con judíos, negros y mexicanos predominantemente de la clase alta". Un estudio reveló que casi dos terceras partes de ellos querían tener vecinos norteamericanos —lo que indicaba que ellos tenían "un deseo definitivo de asimilarse al orden social norteamericano".[39]

Una mayor diversidad industrial en Los Ángeles trajo consigo mejores oportunidades económicas. Las industrias llanteras y las compañías empacadoras de carne, por ejemplo, veían los bienes raíces de escaso costo, los impuestos bajos y la gran fuerza de trabajo que se podían obtener en las zonas dispersas, extremadamente alentadores. Otras compañías, tales como aquellas que dependían del intercambio marítimo, se asentaron en la zona de la bahía que rodeaba a San Pedro y Wilmington. Y las compañías que se ocupaban de negocios mayores dentro del sistema ferrocarrilero. el lado este les ofreció muchas ventajas.

La fábrica de llantas, en particular, escogió el lado este para la construcción de sus instalaciones. Casi todas estas compañías habían tenido su primer ímpetu industrial después de la Primera Guerra Mundial, cuando el automóvil tuvo una gran popularidad. A mediados de 1920, la industria llantera empleó a 8 mil trabajadores y produjo un promedio anual de sueldos de 14 millones de dólares. Una parte consistente de su fuerza de trabajo era mexicana y, aunque la paga era baja, había trabajo disponible. La Compañía Llantera Samson (Samson Tire Company), en particular, contrataba a empleados del este. Cuando compró 40 acres (160 km$^2$) de tierra en Atlantic Boulevard al complejo Parque Industrial de la Unión del Pacífico (Union Pacific Industrial Park), adquirió una posición que podía abrir posibilidades de trabajo a una gran número de mexicanos. Gracias a Samson y a otras compañías que se establecieron en esta región, el este se fue haciendo más y más popular entre los emigrantes mexicanos que buscaban trabajo.[40]

[39] Elizabeth E. Hummer, *A Study of the Social Attitudes of Adult Mexican Immigrats in Los Angeles and Vicinity* (tesis de maestría), Universidad del sur de California, 1924, pp. 2, 3 y 25.

[40] John C. Austin, "Pioneering the World s Second Tire Center", *Southern California Business*, núm. 8, febrero 1929, pp. 9, 10 y 47.

Hacia mediados de 1920, una emigración fenomal de familias mexicanas a Los Ángeles contribuyó a que la ciudad adquiriera la reputación de ser la "capital mexicana" de Estados Unidos. De hecho, entre 1920 y 1930, la población mexicana de la ciudad se triplicó de 33 644 a 97 116 habitantes. La ciudad pronto aventajó a San Antonio en el número de residentes mexicanos. El condado, en su totalidad, llegó a tener 167 mil mexicanos, un número significativamente mayor que la población de todas las ciudades mexicanas, a excepción de unas cuantas en México.[41]

El mayor crecimiento ocurrió en las zonas este y sur del centro de Los Ángeles. El Distrito de la Plaza Central (Central Plaza District) y la comunidad de Boyle Heights (a la que se le conoció como Asamblea de Distritos 60 y 61 en 1930) tuvo el mayor aumento. En el Distrito 60, que en 1930 incluía a la Plaza Central, al parque Lincoln y a los sectores de Boyle Heights, los mexicanos sumaban casi 35 mil habitantes; o como el doble del tamaño del segundo barrio mayor situado en el Distrito 61.[42]

Varios de los centros sociales y religiosos que daban servicio a la población mexicana, también se fueron hacia el este. En 1928, el Asentamiento de Viviendas Brownson (Brownson House Settlement), el más antiguo de emigrantes mexicanos en Los Ángeles, se trasladó a la avenida Eastside's Pleasant. Solamente así pudo continuar prestando sus servicios a la comunidad de habla hispana. Originalmente construida en 1901, cerca de la Plaza al oeste del río Los Ángeles, la Casa Browson (Browson House) se vio obligada a cambiar, a transformarse, junto con los tiempos. Mary J. Desmond, la directora residente de ese establecimiento, recordaba así sus primeros días: "Era un valle rodeado de casas agradables y jardines atractivos, pero en años recientes la invasión de empresas comerciales fue tan rápida que la casa de asentamientos se encontró completamente rodeada por fábricas y

[41] U.S. Bureau of the Census, *Fifteenth Census of the United States, 1930*, vol. II: Population, Washington, 1933, p. 266, Ricardo Romo, "The Urbanization of Southwester Chicanos in the Early Twentieth Century", *New Scholar*, 6, 1977, p. 185.

[42] U.S. Bureau of the Census, *Fifteenth Census of the United States, 1930*, vol. III: Population, Washington, 1933, p. 287.

continuó su labor bajo tres grandes torres de tanques de gas."[43]

A fines de 1920, Belvedere, con 30 mil residentes mexicanos, se había convertido en la población mayor de hispanohablantes de los distritos de Los Ángeles. Tenía un índice de población más alto que el del barrio central de la ciudad. Los mexicanos habían comenzado a trasladarse a la zona a fines de 1910, cuando sus lotes y casas eran significativamente más baratos que los de otros suburbios. Al igual que Santa Ana, esta comunidad de la parte este tenía a su servicio un sistema de trenes a bajo costo, dentro y fuera del centro de la ciudad.[44] Este sistema de transporte ayudó a que los mexicanos obtuvieran mejores oportunidades en la adquisición de tierras, ya que les permitía vivir lejos de su lugar de empleo, en zonas que ofrecían terrenos accesibles a sus posibilidades económicas.

Belvedere (que estaba más cerca del centro de la ciudad que Watts o Santa Ana) floreció durante los diez años que siguieron a la Primera Guerra Mundial. Significativamente, el censo de 1930 muestra que solamente trece residentes negros vivían en la región. En otras partes pobres de la ciudad, los mexicanos y los negros rivalizaban en número mayoritario y en las oportunidades de empleo cercanos. La competencia que caracterizó las relaciones entre negros y morenos en estas zonas los llevó a crear una tradición de conflictos que duraron muchos años. En el lado este, los mexicanos constituían la mayoría. Su fuerza en número les aseguró los primeros derechos en todas las oportunidades de trabajo, especialmente en negocios de madera, ladrillo, arcilla y manufactura pesada.[45]

Como se establecieron industrias adicionales en las zonas este y sur de Belvedere, los mexicanos disfrutaron de mayores opciones de empleo. Por orden de las autoridades de la ciudad, las empacadoras de carne y las compañías de acero y autos, tuvieron que seguir operando en zonas que se encontraban fuera de los sectores residenciales. Al establecerse en Vernon, Maywood, Commerce, Bell y Cudahy, estas plantas ofrecieron

[43] Mary J. Desmond, "New Brownson House", *Playground*, 22, noviembre 1928, p. 456.

[44] Crump, *Ride the Big Red Car*, p. 236.

[45] *Fifteenth Census of the United States, 1930*, vol. II: Population, Washington, 1933, pp. 259-263.

a la comunidad mexicana en desarrollo una riqueza en los trabajos relacionados con la industria.

Ninguno de estos establecimientos llenaba los requisitos fundamentales de empleo de la clase trabajadora mexicana. A pesar de la abundancia de puestos, la trabajadora social Mary Lanigan notó, una vez más, que la segunda generación de mexicanos en Belvedere se había convertido en un grupo desilusionado. "Acostumbrado a la segregación y [refiriéndose a] los norteamericanos como 'blancos'", escribió que habían llegado a comprender "que hay ciertos tipos de trabajo para los mexicanos y otros para los norteamericanos". Y en lo que respecta a la verdadera integración económica. Lanigan concluyó que "América ha rechazado a los emigrantes mexicanos en cada uno de los pasos que ha tomado para dicho fin".[46]

Las nuevas subdivisiones abastecían abiertamente a los blancos norteamericanos y a los emigrantes de ascendencia del norte de Europa. En un artículo titulado "Tierra de las casas asoleadas" ("Land of Sunny Homes"), un escritor advirtió que

> para el hombre cuyo capital consiste tan sólo en sus manos vacías, las oportunidades del sur de California son limitadas. Si bien el distrito ha producido un alto crecimiento industrial, gracias al bajo costo del petróleo y de la energía eléctrica, y aunque el número de fábricas se ha duplicado en cada cinco años, todavía la afluencia de trabajadores excede a las demandas.[47]

Así, casi todas las llamadas "oportunidades doradas" de la región, han beneficiado a los trabajadores especializados o semiespecializados angloamericanos.

El Movimiento Mundial entre las Iglesias (Interchurch World Movement) —IWM— de Los Ángeles, encontró ciertos datos que sugirieron que la vida de los mexicanos en esa ciudad había mejorado considerablemente después de la Primera Guerra Mundial. Asimismo, indicó que el 50 por ciento de los residentes de habla hispana vivía en alojamientos de

[46] Mary Lanigan, *Second Generation Mexicans in Belvedere* (tesis de maestría), Universidad de California, 1932, p. 45.

[47] Walter V. Woehlke, "The Land of Sunny Home", *Sunset Magazine*, 34, 1915, p. 472.

cuatro o cinco cuartos, en contraste con el 5 por ciento de 1912. Aun cuando esta cifra optimista salió por primera vez, el avance que reportaba parecía notable. De hecho, la cifra se ha puesto en duda desde que se realizaron otros estudios. Más revelador que el total de porcentajes fue la recomendación final de que "una comisión razonable de rentas fuera nombrada para investigar a los mexicanos que ahora pagan rentas exorbitantes".[48]

En lo que se refiere a los negocios que eran propiedad de los mexicanos, el periodo que siguió a la guerra propició un rápido crecimiento y expansión. Hacia 1922, 239 establecimientos, propiedad de mexicanos, habían abierto sus puertas en la parte este. Dicho surgimiento reflejó un sentido de permanencia en lo que respecta a la comunidad de habla hispana y ayudó a que se desvaneciera el mito de que los mexicanos de Los Ángeles contribuían a la economía local solamente a través del trabajo en función del cambio de estaciones. Antes de la guerra, casi todos los negocios de mexicanos se desarrollaban en la comunidad de la Plaza. Conforme pasó el tiempo, los empresarios tuvieron que enfrentar el mismo problema que las familias individuales: rentas más altas y falta de espacio que hacían que el centro de la ciudad fuera inaccesible. Cuando la comunidad se dispersó hacia los nuevos distritos del este, le siguieron los nuevos negocios.

En 1920, cerca de una sexta parte de todas las tiendas de abarrotes, propiedad de mexicanos, se localizaban en la avenida Brooklyn, al este. Evidentemente, el negocio de abarrotes era un mercado popular para los negociantes mexicanos porque constituían 25 por ciento de la actividad comercial de la comunidad. Los dos negocios que le seguían en popularidad eran los restaurantes y los establecimientos de limpieza, probablemente porque en esa zona vivían muchos hombres solteros.[49]

En muchos sentidos, estos negocios delimitaron una nueva fase en el desarrollo de la historia de lo mexicano en Los Ángeles. Aunque con frecuencia operaban sin un apoyo finan-

[48] Oxnam, "The Mexican in Los Angeles", p. 8.

[49] Estas cifras han sido calculadas con base en datos publicados en el Los Angeles Directory Company, *Los Angeles City Directory*, Compañía Publicitaria del sur de California, Los Ángeles, 1920-1930.

ciero adecuado y resultaban menos provechosos que los de la contraparte angloamericana, lograron sobrevivir. Su supervivencia se mantuvo como un reflejo más de una comunidad que insistía en forjarse una forma de vida propia, aun cuando el resto de la ciudad sufriera un cambio en el proceso industrial.

## Un retrato social, hacia 1930

Al analizar la literatura disponible y escudriñar entre una variedad de fuentes oscuras, se obtiene una imagen muy generalizada de la comunidad mexicana de 1930. Sin embargo, este proceso retrata a una población creciente y una comunidad que repetidamente ha sido empujada a vivir en las zonas menos deseables de la ciudad. Ante todo, revela el proceso de un grupo que se enfrentó a los prejuicios raciales y a la corrupción económica con un impulso tenaz para sobrevivir.

Los datos demográficos muestran que, para fines de 1920, la población mexicana de Los Ángeles estaba llegando a un promedio fenomenal. En 1927 y 1929, el exceso de nacimientos (que superaba al de las muertes entre la población blanca de la zona de Los Ángeles no incorporada), era de 241 bebés. Para los mexicanos, la cifra ascendía a 4 070: entre 1918 y 1927, los nacimientos ascendieron a 20 por ciento sobre el promedio de fallecimientos. Un estudio realizado en 769 viviendas y conducido durante este mismo periodo reveló que entre las personas entrevistadas, el promedio de niños por pareja era de 4.3. Más del 25 por ciento de estas familias tenían cinco o más niños y sólo 40 por ciento tenían menos de tres.[50]

El estudio también confirmó los bajos salarios que percibían la mayoría de los trabajadores mexicanos en Los Ángeles. De 701 familias mexicana con sueldos mensuales, 29.2 por ciento recibían 100 dólares, 10.5 por ciento entre 100 y 150, 5.9 entre 150 y 200 y solamente un 4.4 por ciento de 200 dólares o más. Debido a los bajos salarios, cada una de las personas de una vivienda se veía obligada a contribuir con los gastos familiares. Un segundo estudio que analizó a 435 familias mexicanas de

[50] U.S. Departament of Labor, Bureau of Labor Statistics, "Labor and Social Conditions of Mexicans in California", *Monthly Labor Review*, núm. 32, enero 1931, 86-87.

Los Ángeles reportó que 35.2 por ciento de todos los entrevistados admitieron que permitían que sus hijos trabajaran, ya fuera de tiempo completo o —más cómodamente— de medio tiempo.[51]

Conforme la población mexicana aumentaba y se dispersaba por toda la ciudad, las colonias empezaron a dividirse de acuerdo a las diversas líneas raciales. Por ejemplo, en Watts, un investigador observó que la calle "Main dividía a la comunidad en dos secciones: en el norte de esta calle se establecieron los blancos, sobre todo aquellos que se aislaban, mientras que la mayor parte del sur de Main estaba ocupada, en su mayoría, por mexicanos, y un poco más tarde, por mexicanos y negros".[52]

Aunque los mexicanos residían en todos los distritos de Los Ángeles, existía una discriminación generalizada y profunda en lo que se refiere a la vivienda de casi todas las comunidades. Antes de la Primera Guerra Mundial, y utilizando contratos hipotecarios restrictivos, los residentes angloamericanos del distrito de la Avenida Central (Central Avenue District) habían resistido con el éxito la "invasión" de vecinos mexicanos. Al igual que los negros y asiáticos, los mexicanos experimentaron la segregación de viviendas en casi todos los sectores de la ciudad y zonas dispersas. En Santa Ana una mujer explicó cómo la población mexicana llegó a vivir cerca de las vías de ferrocarril en la zona conocida como distrito de Santa Fe:

> Los mexicanos se fueron a vivir ahí porque las rentas eran bajas. Así también, en aquel tiempo, existía un sentimiento terrible entre los blancos de Santa Ana. No les gustaba vivir cerca de los mexicanos. Un hombre blanco prefería que su casa estuviera vacante antes que rentársela a un mexicano, aunque este último y su familia fueran limpios y pudieran pagar la renta. Así que, ya fuera que los mexicanos quisieran vivir o no aislados en un distrito, tenían que hacerlo. No había otro lugar donde pudieran encontrar casa.[53]

[51] *Ibídem*, p. 89.

[52] Smith, "The Development of the Mexican People in the Community of Watts, California", p. 10.

[53] Helen Walker, "The Conflict of Cultures in First Generation Mexicans in Santa Ana, California" (tesis de maestría), Universidad del sur de California, 1928, p. XIV.

Pero después de la Primera Guerra, un número mayor de mexicanos se establecieron en zonas donde los angloamericanos ya poseían casas. Tal cambio de ubicación con frecuencia fue decisivo para un aislamiento total. Como dice la socióloga Clara Smith: "Cuando el mexicano compra propiedad en un distrito de blancos, se convierte en un desterrado de su propio grupo, al mismo tiempo que sus vecinos norteamericanos lo rechazan."[54]

Según la trabajadora social Helen Walker, los mexicanos de la comunidad de Santa Ana querían "inscribir a sus hijos en escuelas con niños norteamericanos". Ella reportó que "muchos mexicanos sienten que las escuelas mexicanas, con sus edificios viejos y feos, no son tan buenas como aquellas a las que asisten los niños norteamericanos".[55] Pero la urgencia de dar a sus hijos una mayor educación, significó un cambio en los patrones residenciales de la nueva población inmigrante.

En 1927, la Cámara de Comercio de Los Ángeles (Los Angeles Chamber of Commerce) les pidió a las ciudades circunvecinas e incorporadas, que reportaran su promedio de crecimiento de población y desarrollo industrial. Los resultados de esta investigación arrojaron luz sobre el problema de la segregación local y, más importante aún, sobre las actitudes de los líderes de las comunidades hacia los nuevos residentes mexicanos. La ciudad costera de El Segundo dijo con orgullo que ahí "no había ni negros ni mexicanos". En 1930, Lynwood —una de las nuevas zonas industriales al sudeste de la zona central— reportó: "Siendo Lynwood una zona restringida para blancos, puede producir mucho trabajo de la mejor clase." Estos comentarios no fueron aberraciones de aquel tiempo. Aparentemente, cada ciudad con deseos de atraer nuevos propietarios e inquilinos angloamericanos se sintió obligada a negar a grandes números de residentes extranjeros o racialmente mixtos. Long Beach, una ciudad que, de hecho, tenía una gran población de mexicanos, una vez anunció que

[54] Smith, "The Development of the Mexican People in the Community of Watts, California", p. 10.

[55] Walker, "The Conflict of Cultures in First Generation Mexicans in Santa Ana, California", p. XIV. Véase del mismo autor, "Mexican Immigrants and American Citizenchip", *Sociology and Social Research,* núm. 13, mayo 1929, 465-471.

tenía "una población de 140 mil y de esta cifra 98 por ciento pertenece a la raza anglosajona".[56]

En general, la discriminación de la vivienda estaba dirigida a los pobres inmigrantes mexicanos de la clase trabajadora. Los agentes de bienes raíces y los propietarios estaban dispuestos a cambiar las reglas de segregación que estaban por formularse, si es que la minoría con posibilidades de comprar algo había adquirido un nivel social aceptable. Ramón Navarro y Dolores del Río —dos de los primeros actores de mayor éxito en Hollywood— compraron casas en Westside, una zona casi exclusivamente de blancos, pero solamente pudieron hacerlo después de haber vivido ahí un tiempo.

Otros inmigrantes mexicanos se establecieron en Westside, en casas muy modernas de los bulevares Adams y Wilshire. En general, ya no conservaban su nacionalidad mexicana y habían sido miembros de la clase dominante durante la dictadura de Porfirio Díaz. Estos residentes incluían al barón exterrateniente de Chihuahua Luis Terrazas, que ya había sido gobernante de un imperio minero y ganadero valuado en 200 millones de dólares. Los exgobernadores de Baja California y Oaxaca también eran residentes en Los Ángeles.[57] En sus casas privadas de Westside podían protegerse entre sus jardines tan espaciosos, parecidos a los del México prerrevolucionario. Y, por su parte, los anglosajones sofisticados se sentían satisfechos de entablar relaciones con estos miembros de la comunidad "española". *Los Angeles Times* una vez reportó que en el bulevar West Adams, cerca del popular Centro Hispánico Americano, las señoritas mexicanas se mezclaban con la clase alta de la ciudad.[58]

Durante 1920 y 1930, la vida de los mexicanos se caracterizó por sus viviendas deficientes. La comunidad sufría una especie de plaga de una imagen pública distorsionada. Quizá el mito más difícil de superar era el de la vagancia. A la Asociación de Desarrollo de California (California Development Association)

[56] Los Angeles Chamber of Commerce files. Cartas localizadas en City Hall Library bajo el título "Industrial Surveys of Los Angeles Chamber of Commerce"; estas cartas fueron escritas por los secretarios y presidentes locales de la Cámara de Comercio (*Chamber of Commerce*) a los cuarteles generales de Los Ángeles. Box R330-979.

[57] *Lo Angeles Times*, enero 2, 1916.

[58] *Ibídem*, noviembre 22, 1922.

le hubiera gustado que la gente creyera que todos los angelinos mexicanos se dedicaban a la agricultura y que regresaban a México al final de la época de la cosecha. En un esfuerzo por perseguir al Congreso de Estados Unidos de que México no debía aparecer en la lista de cuotas —tal y como se había hecho con los países europeos orientales— la Asociación adoptó una gran variedad de percepciones falsas. Su argumento principal era que "los mexicanos que habían venido a California habían puesto en evidencia su tendencia masiva para permanecer en colonias permanentes".[59]

Era políticamente posible retratar a los mexicanos como una fuerza de trabajo casual. La Cámara de Comercio de Los Ángeles (Los Angeles Chamber of Commerce), por ejemplo, contribuyó al mito del trabajador mexicano eventual. En 1929, el importante vocero de la Cámara, doctor George Clements, autorizó un reporte extensivo que él mismo llenó con las falsas concepciones típicas de ese tiempo. De tres categorías arbitrarias de trabajadores —permanentes, casuales y climáticos— Clements colocó a los mexicanos en las dos últimas. Se dio cuenta de que los trabajadores mexicanos del sector "casual" se enfrentaban a las demandas empresariales, tanto agrícola como pública, y que argumentaban que "la labor climática exigía un tipo de trabajador que, por hábito y especialización, son capaces de soportar las condiciones más adversas".

Además Clements aseguró que la labor "casual" necesitaba de la región, "que era totalmente antiamericana, ya que la constituían nómadas sustituidos por mexicanos, tanto inmigrantes como de ciudadanía americana de extracción mexicana". La última parte de sus comentarios reveló el mito común del periodo: que aun los mexicanos nacidos en Estados Unidos no querían pertenecer a la sociedad norteamericana. Al responder a una pregunta sobre qué tanto los trabajadores inmigrantes no especializados (especialmente mexicanos) habían reemplazado a los norteamericanos, Clements escribió que "en la industria general, los trabajadores extranjeros —sobre todo los mexicanos— se acercan para suplir un pequeño mercado laboral. Un trabajador norteamericano

[59] Orfa J. Shontz, "The Land of 'Poco Tiempo'", *Family*, núm. 8, mayo 1927, pp. 74-75.

dispuesto a trabajar tiene preferencia". Los mexicanos, concluyó Clements, "vienen a los Estados Unidos principalmente a vender su trabajo por dinero americano para poder regresar a México y convertirse en hacendados".[60] Lo absurdo de estas afirmaciones y el hecho de que muchos mexicanos en Estados Unidos hayan procreado familias, comprado casas y mandado a sus hijos a la escuela, no concordaba con lo estipulado por Clements.

Robert McLean, un líder religioso y escritor de principios de 1930, delineó la imagen de los mexicanos como vagos nómadas que regresaban a México para el invierno. En una docena de casas establecidas desde San Antonio hasta Los Ángeles, McLean encontró que de "1 021 individuos estudiantes, 833 habían estado en Estados Unidos durante cinco a más años. De ese grupo, 982 contestaron que tenían la intención de permanecer en ese país; 15 no estaban seguros; y 24 dijeron que, con el tiempo, deseaban regresar a México". De un grupo entrevistado después, "ninguno señaló que tuviera la costumbre de pasar el invierno en México". En un estudio anterior, Gladys Patric encontró que 31 por ciento de los 495 mexicanos entrevistados de la comunidad del noreste de Los Ángeles, había vivido en la ciudad de cinco a nueve años. Una porción aún mayor, 34 por ciento, había estado en la ciudad entre diez y diecinueve años.

Se hizo un tercer estudio a mediados de 1920 sobre el establecimiento y patrones migratorios de los inmigrantes mexicanos. Un poco más de la mitad de los entrevistados dijeron que esperaban regresar a México. Otro 35 por ciento prefirió no contestar. Cuando se volvió a repetir la misma pregunta, 29 por ciento expresó su deseo de quedarse permanente en Estados Unidos, mientras que 49.2 por ciento prefirió no contestar.

## Un giro hacia sí mismos

Si bien a principios del siglo XX surgió la expansión industrial y el aumento de las oportunidades de trabajo, se cometió el

[60] George P. Clements Papers, Departamento de Colecciones Especiales de Los Ángeles, Universidad de California, Los Ángeles.

error de no incluir a la comunidad mexicana de Los Ángeles en la cosecha del botín tecnológico o la abundancia de los tiempos de guerra. Los años 1900 y 1930 enseñaron a los residentes de habla hispana de la creciente metrópolis de California, que la sociedad circundante no se preocuparía por sus necesidades, ni aseguraría sus derechos.

Para entonces, los mexicanos, como subclase, pasaron este periodo aprendiendo la política de la supervivencia. Mientras que los angloamericanos renunciaron a los lazos culturales en favor de la expansión económica, los mexicanos se volvieron hacia sí mismos. Dentro de los confines de sus propios barrios deteriorados, ellos plantaron semillas de un renacimiento cultural que afloraría en los años venideros.

# VII. LA DEPRESIÓN, LA GUERRA Y LA RESISTENCIA

Cuando se desató la Gran Depresión de 1930, la mayoría de los mexicanos del sur de California fueron contratados, por lo menos, parte del año. Pero hacia 1933 se obligó a muchos de ellos a pedir un subsidio del gobierno. Como en la ciudad los negociantes luchaban desesperadamente por sobrevivir, los patrones de todo el país despidieron a miles de trabajadores. Casi inevitablemente, los mexicanos fueron los primeros en ser eliminados. Sin embargo, tan dura como pudo haber sido su partida forzada, constituía un vínculo más con lo que se había convertido en una larga cadena de problemas laborales. En suma, mientras que en 1930 surgió un cambio económico dramático para la mayoría de los norteamericanos, para la comunidad mexicana de Los Ángeles significó una inestabilidad de trabajo más e insufribles salarios.

En 1929, Los Ángeles tuvo el más alto nivel de empleo de todas las ciudades de California; ni siquiera San Francisco podía ofrecer a sus residentes tantos prospectos laborales. En la primavera de 1930, la situación cambió y, durante muchos años, Los Ángeles se mantuvo a la sombra de la actividad económica de Bay City. De hecho, no fue sino mucho después de la Depresión, cuando una gran sucursal colectiva y nuevas compañías aéreas establecieron sus oficinas en Los Ángeles, que la metrópoli del sur de California nuevamente obtuvo un buen nivel de oportunidades de trabajo. Aun entonces, esta mejoría tuvo un impacto menor entre los trabajadores mexicanos. En 1940, Los Ángeles tenía empleos que ofrecer pero, por altas y bajas, los angloamericanos los obtuvieron, ya que sus antecedentes educativos eran mejores para desempeñar este tipo de trabajo.

Con el estallido de la Segunda Guerra Mundial, miles de mexicanos encontraron motivos para enlistarse. En parte, su integración al ejército era el reflejo de una comunidad que todavía creía que podía disfrutar de los privilegios de una cultura dominante —si solamente estuvieran dispuestos a pagar el precio—. La suposición colectiva resultó tener bases equívocas. Hacia el final de la guerra, la comunidad había perdido muchos de sus hombres jóvenes y permanecía en peores desventajas que nunca.

## Un perfil del empleo

Es difícil establecer una distribución ocupacional precisa de la población mexicana de Los Ángeles durante 1930. Sin embargo, es seguro que la comunidad estaba relativamente estática, en vez de continuar creciendo. Entre 1911 y 1920, alrededor de 219 mil ciudadanos mexicanos cruzaron hacia Estados Unidos. Otros 460 mil ciudadanos mexicanos llegaron durante 1920. Es un hecho que hacia 1930 solamente 97 116 mexicanos vivían aún en Los Ángeles. Con una población total de 167 024, la comunidad constituía más del 13 por ciento de todos los residentes regionales, pero solamente 22 mil más (de nacionalidad mexicana) entraron a Estados Unidos durante la década de la Depresión.[1]

La mayoría de los angelinos mexicanos vivían en las zonas central y este de la ciudad. Una gran mayoría trabajaba en ocupaciones urbanas, principalmente en prendas de vestir del centro y en muebles industriales. Sin embargo, una mayor cercanía a los campos del este de Los Ángeles también les dio la oportunidad de trabajar en la agricultura, por lo menos parte del año. De hecho, la agricultura era la industria de salario más alto para los mexicanos que vivían en el valle de San Gabriel. Aquellos en el norte de ese valle probablemente trabajaban en los plantíos de cítricos de Pasadena, mientras que los que estaban en las partes al este del valle, trabajaban en granjas alrededor de El Monte. Muchos mexicanos vivían en el valle de San Fernando, y ellos también trabajaban en la agricultura. Asimismo, los residentes de habla hispana de Venice y Culver City. Algunas familias mexicanas vivían en Watts y, junto con

[1] Douglas Monroy, *Mexicanos in Los Angeles, 1930-1941: An Ethnic Group in Relation to Class Forces*, tesis de doctorado, Universidad de California, Los Ángeles, 1978, p. 74.

los trabajadores de habla hispana de las zonas de Harbor, los hombres laboraban en la industria del pequeño puerto de la ciudad o en algún aserradero.

En base a los promedios de matrimonios de 1936, más del 77 por ciento de todos los hombres mexicanos de Los Ángeles eran trabajadores no especializados o semiespecializados. 31 por ciento de ellos se anotaron simplemente como "obrero". El resto anotó que tenía poca o ninguna especialización. A pesar de ello, estos promedios también indican el surgimiento de una clase media mexicana más o menos exitosa. Casi 10 por ciento del total de hombres entrevistados afirmaron tener un trabajo especializado. Lo que es más, una porción alta, más del 13 por ciento, eran "empleados de confianza" o "propietarios de un pequeño negocio".[2]

Según los récords de 1936, un tercio de todas las mujeres mexicanas trabajaban fuera de sus hogares. La gran mayoría, más de 85 por ciento, no tenía experiencia en el trabajo. Menos de 1 por ciento una especialización, aunque cerca de 14 por ciento eran empleadas de confianza o tenían un pequeño negocio. Es importante notar que todas las mujeres que se anotaron como vendedoras —3.3 por ciento del total de mujeres entrevistadas— fueron consideradas como "empleadas de confianza". Como este tipo de labor no tenía prestigio y estaba mal pagado, el calificativo resultaba muy engañaso. Un poco más de 34 por ciento de todas estas mujeres anotaron ser "amas de casa". Otro tanto trabajaban como costureras, 19 por ciento eran modistas y casi 5 por ciento "operadoras de máquinas".

Otras investigaciones realizadas alrededor de 1930 corroboraron estos datos. La ciudad misma hizo un estudio entre 1934 y 1935. Los investigadores encontraron que de 99 familias mexicanas que vivían en Los Ángeles, 56 por ciento obtenía un salario medio como obreros no especializados (éste era su sueldo principal); 29 por ciento tenía un sueldo de trabajador no especializado; 8 por ciento como trabajador especializado; por su parte, el 7 por ciento de las familias angloamericanas dependían principalmente de un trabajador del clero; 17 por ciento de un trabajador especializado; 28 por ciento de un

[2] *Ibídem*, p. 77.

trabajador semiespecializado y 10 por ciento de trabajadores no especializados.[3]

Aunque las estadísticas dan una idea de las condiciones de trabajo de los mexicanos a lo largo de los años treinta, no proporcionan un panorama exacto. Esto se explica porque había una fuerte movilización entre los trabajadores de habla hispana del periodo. "Los mexicanos son como golondrinas en la vieja misión", decían los agricultores. "Vienen y se van en la misma época cada año." Llegaban y se iban, pero siempre en búsqueda de otros trabajos en Los Ángeles, porque no se regresaban a México.

Primero se dio atención a este ciclo de empleos durante la Depresión de 1907-1913, cuando los oficiales públicos se dieron cuenta de que los mexicanos vivían en los barrios todo el invierno. Después, en la primavera, desaparecían. Otros patrones migratorios similares se dieron en otras partes del país, pero Los Ángeles era un sitio único por ser una ciudad agrícola durante todo el año. Miles de granjeros se establecieron permanentemente dentro de los límites del condado. Cada año, cuando terminaba la época de la cosecha, buscaban trabajo en la industria urbana durante el invierno. Desgraciadamente, tenían que competir con la afluencia de residentes que llegaba sólo en invierno; granjeros que viajaban de un centro agrícola a otro buscando trabajo, de acuerdo a la estación del año, donde fuera que pudieran encontrarlo. A pesar del hecho de que la industria estaba en auge, no podía emplear a todos los que solicitaran trabajo. Y debido a que había tanta demanda, aquellos que conseguían el trabajo obtenían salarios muy bajos.[4] Después vino la Depresión con el subsecuente desempleo. Prácticamente no había trabajo disponible. A mediados de la década de los treinta, el invierno fue la época del año más dura para los mexicanos en Los Ángeles.

El problema consistía en que muchos mexicanos trabajaban enlatando frutas y verduras, que era una ocupación urbana relacionada con la agricultura. En 1928, casi uno de cada cuatro de estos obreros era mexicano. Aún entonces, cuando la industria estaba en auge, las enlatadoras no podían ofrecer empleo durante largos periodos de tiempo. Cuando estalló la

[3] *Ibídem*, p. 78.
[4] *Ibídem*, p. 79.

El número de mujeres mexicanas que trabajaban fuera de su hogar, como ésta que hace tortillas, aumentó considerablemente hacia 1930.

Depresión, las cosas empeoraron. Si se considera que 100 era el número promedio de obreros empleados en una enlatadora en cualquier tiempo, a mediados de los años treinta, solamente 16 trabajadores tenían empleo en diciembre. Sólo 17 estaban trabajando en enero. Sin embargo, en agosto, 354 podían conseguir empleo en las enlatadoras. En todo California, entre 60 mil y 70 mil personas encontraron trabajo en las enlatadoras durante el verano, mientras que de 10 mil a 13 mil lo obtuvieron en invierno. El promedio de empleos sumaba de 10 a 11 semanas al año.

Sin embargo, miles de trabajadores en las enlatadoras lograron sobrevivir de sus escasos salarios. Con un total de 26.64 dólares a la semana, la mitad de los empleados varones percibían menos de 300 dólares al año. Para las mujeres, el promedio salarial era de 16.55 dólares. Eso significaba que menos de 25 por ciento percibía un sueldo de 300 dólares o más. Uno podría imaginarse que muchos de estos trabajadores obtenían empleo durante el invierno en otras ciudades industriales. Pero no fue así. De hecho, la Comisión de Reservas de Desempleados de California de 1937 (California Unemployment Reserves Commission of 1937) encontró que solamente 1 por ciento de todos los hombres que trabajaban para las enlatadoras, obtuvieron empleos fuera de la época del año en industrias distintas de ésta. Sólo 10 por ciento de todos los obreros de las enlatadoras conservaban su empleo durante todo el año. Debido a la naturaleza de la situación de desempleo en California, es dudoso que los mexicanos comprendieran una mayoría dentro de este grupo. En suma, durante el invierno, más de 70 por ciento de todos los obreros (varones) de las enlatadoras, o encontraban empleo temporal o simplemente no lo obtenían. Las estadísticas resultaron igualmente alarmantes en el caso de las mujeres y también más difíciles de analizar. Parece ser que sus sueldos en las enlatadoras se consideraban como una ayuda salarial a sus hogares. De hecho, 61 por ciento de todas las mujeres entrevistadas estaban desempleadas en el invierno y no tenían deseos de encontrar trabajo. De todas formas, más de 31 por ciento de las mujeres mexicanas que trabajaban en las enlatadoras locales sí deseaban conseguir empleo durante el invierno pero no lo encontraban.

Estas cifras demuestran la forma en que las industrias, de

acuerdo a la época del año, dejaron a muchos mexicanos sin empleo o casi sin él. Aunque los obreros de las enlatadoras en Los Ángeles sufrían menos que los del resto del estado, porque vivían en el centro agrícola del sur de California y contaban con un mayor número de productos que podían enlatarse, los efectos del desempleo (en relación al cambio de estaciones) eran devastadores.

Desde luego que existían otras industrias en las cuales podían obtener trabajo. Pero, con algunas excepciones, todas ellas ofrecían empleos inestables dependiendo de la variación de estaciones. Los trabajadores que hablaban español en las industrias textil, mobiliaria, constructora y carpintera, se encontraban a merced de empleos inestables. Los mexicanos siempre estaban en desventaja respecto a los angelinos que trabajaban en estos sectores y que dependían también del cambio de estaciones. Se encontraban en el último escalón de los desempleados y eran los primeros a los que corrían cuando llegaba el invierno. Como resultado, el promedio de desempleo en esta época del año fue el más alto de todos los que se obtuvieron en la industria.[5]

En todos estos datos, hay una tendencia obvia: el invierno era la estación en que cualquier industria no contrataba a los mexicanos. Así, un obrero que trabajaba en una enlatadora no podía hacerlo en una construcción local o en una tienda de ropa del centro en este tiempo. Junto con miles de agricultores que pasaban esta época en Los Ángeles, ya fuera con parientes o amigos, además de los desempleados durante la Depresión, estos obreros urbanos representaban un enorme grupo laboral que excedía las oportunidades de invierno.

No era por mero accidente que los trabajadores mexicanos no se concentraran en estas industrias. La economía de Los Ángeles necesitaba de un grupo de obreros que aceptara las condiciones laborales, mismas que dependían de la época del año. Debido a que los puestos mejor pagados y más estables casi nunca estaban disponibles, la comunidad de habla hispana se vio obligada a ocupar los trabajos menos atractivos en cualquier industria que los contratara, aunque fuera por un tiempo limitado. Así, los mexicanos constituían una fuerza de

[5] *Ibídem*, pp. 79-81.

trabajo explotada y señalada que se podía identificar por su raza y que tenía que soportar la discriminación y el racismo. Algunos aspectos de la situación vivida por el trabajador marginado, había llegado a convertirse en tradición: así, sólo unos cuantos miembros de la comunidad podían adquirir experiencia profesional, mientras que la mayoría permanecían como braceros. En dicho ambiente, los hispanohablantes de Los Ángeles se vieron menos afectados por el nivel de experiencia laboral que tenían unos cuantos, que por la inestabilidad y el desempleo afectaba a tantos.

El problema de estabilidad en el empleo muestra el abismo que comenzó a dividir a los angelinos mexicanos durante los años treinta. Un nuevo grupo de la población de habla hispana estaba surgiendo: los empleados de confianza. Aunque la mayoría de los mexicanos de Los Ángeles eran pobres, un pequeño grupo se interesó por superarse haciendo carrera, misma que le permitiría conquistar su seguridad económica. En El Monte, por ejemplo, casi todos los mexicanos vivían en los campos deplorables de Hicks (Hicks Camps). Pero algunos vivían en sitios confortables con casas y jardines muy bien cuidados. Estas viviendas eran humildes, con cuatro o cinco cuartos, pero definitivamente mejores que las demás.

La propiedad mexicana no era rara en Los Ángeles durante la década de 1930-1940. De acuerdo a un censo especial realizado en 1933, menos de 5 por ciento de todas las familias japonesas vivían en casas propias. Entre los residentes chinos, la cifra aumentó hasta 8 por ciento. En las familias mexicanas llegó hasta 18 por ciento. Este mismo estudio encontró que el ingreso anual variaba bastante entre las personas de habla hispana. De 99 hogares mexicanos, 21 percibían un sueldo anual de 500 y 900 dólares. Otras 35 familias recibían entre 900 y 1 200 dólares, 24 entre 1 200 y 1 500 dólares. Un total de 12 familias dependían de 1 500 y 1 800 dólares y 7 de las 99 obtenían un sueldo anual de más de 1 800 dólares. Para quienes vivían con 500 y 1 500 dólares, el promedio de trabajador por familia no variaba: cada una dependía de 1.34 a 1.58 asalariados. Pero las familias con más de 1 800 dólares dependían de un promedio de 3.28 asalariados.

El promedio de ingreso por familia mexicana llegaba a 1 201

dólares al año, pero una vez más, existía desigualdad de percepciones entre los miembros de la comunidad. Había grandes diferencias en lo que se refiere al salario anual y a la propiedad de casas, mismas que no pueden explicarse por la especialización en el trabajo. Solamente el hecho de que algunos mexicanos pudieron encontrar trabajo estable y seguro explica la falacia de las percepciones anuales: lo cierto es que había grandes diferencias económicas entre las familias, las cuales no tenían el mismo acceso al consumo de lujos y a obtener propiedades, seguridad física y psicológica.

Algunos trabajadores mexicanos aseguraron sus empleos al formar grupos de unión. Por ejemplo, 10 por ciento de los Teamster's Local I eran mexicanos. Entre los trabajadores de cemento que estaban organizados en Los Ángeles, se encontraban muchos mexicanos que habían participado en la unión. Aunque tenían los empleos menos deseables de la industria, constituían 10 por ciento de la unión de yeseros (Hollywood Ornamental Plasteres Local). En las empacadoras, los obreros de habla hispana tenían empleos poco atractivos, pero estables, así como también la reputación de ser antiguos colaboradores en la industria. Un agente de negocios de la unión de trabajadores de aserraderos (Lumber and Sawmill Workers), mencionó que los obreros mexicanos constituían una población antigua y una fuerza de trabajo que databa de los años treinta.

Algunos hechos menos formales contribuyeron a asegurar la estabilidad laboral. Los contactos familiares y otro tipo de relación con los empleados y capataces fueron decisivos. Desde luego que los hombres y mujeres que habían estado en el norte de la frontera tenían mejores oportunidades. Tal y como estaban organizados en las uniones, los contactos con la comunidad y la familiaridad con la cultura dominante les permitía obtener seguridad en su trabajo. En esencia, ellos conocían la ciudad: habían vivido dentro de su estructura económica y social el tiempo suficiente como para sentirse seguros entre los residentes angloamericanos y, por lo tanto, podían adaptarse a las condiciones laborales. Aunque sus salarios eran bajos, trabajaban durante todo el año, lo cual les permitía aventajar a los miembros menos adaptados de la comunidad, gente que soportaba diariamente el choque cultural y que aceptaba las únicas oportunidades de trabajo, que eran temporales y variaban de acuerdo al cambio de estación.

## Peores tiempos

A mediados de los años treinta, la estabilidad en el trabajo marcó una línea divisoria entre las comunidades mexicana y angloamericana de Los Ángeles. De hecho, se presentaba también entre las familias locales mexicanas, ya que algunos dependían de su salario estable; otros tenían que subsistir con el sueldo de unos cuantos meses durante todo el año. Había un problema que afectaba a todo mexicano, sin importar sus antecedentes profesionales: el racismo. La discriminación se había extendido hasta llegar a determinar algo más que el nivel social: dictaminaba el ingreso, la movilidad profesional y la seguridad económica.

Por ejemplo, en 1928, los mexicanos comprendían casi 54 por ciento de todos los trabajadores de ladrillo, cerámica y azulejo de California. Hacia 1940, había 2 mil mexicanos en las uniones de trabajadores de estos materiales (United Brick and Clay Worker Union), pero la fuerza numérica no tenía sentido para el obrero. Al contrario, el trabajador de habla hispana estaba sistemáticamente segregado en empleos de producción y raramente podía ascender a los puestos de gerencia. En la Unión, los representantes del grupo mexicano se dieron cuenta de que ellos y los mexicanonorteamericanos tenían valor en la industria porque recibían sueldos bajos, anormales, ante los cuales los "espaldas mojadas" no tenían otra alternativa más que trabajar durante los años que van de 1920 a 1935, y se veían obligados a aceptar los empleos más sucios y agotadores. Como estaban concentrados dentro de la fábrica (en áreas específicas), los mexicanos cumplían con una función importante dentro de la industria. Se les contrataba con salarios inferiores y, si eran indocumentados, se veían forzados a aceptar los trabajos más sucios e indeseables. Tal era el patrón y la función del trabajo segregado en Los Ángeles durante los años treinta.

Desde luego que también otro tipo de patrón laboral afectó a los trabajadores mexicanos. Muchos de ellos estaban empleados en los servicios industriales de la ciudad, donde los sueldos bajos, el desempleo, los ofrecimientos de trabajo (que variaban de acuerdo a la época del año) y los pocos incentivos laborales eran una realidad que no parecía tener fin. Lo que es más, debido a que estos mercados tendían a ser locales, estaban sujetos a la inestabilidad. El sector de servicios se caracterizaba por su sobrepoblación, y como estaba equipado con una inversión de capital relativamente pequeña, casi cualquiera podía echar mano de ella.

Precisamente por esta razón, las industrias tenían un ambiente de trabajo indeseable. Las pequeñas tiendas intentaron desarrollarse cortando sus gastos al mínimo. Desde el punto de vista de los obreros mexicanos, esto significaba que las condiciones de trabajo fueran muy pobres en las industrias de bajo nivel. De todas formas, para estos mexicanos era muy difícil conseguir empleo de tiempo completo, durante todo el año, con buen sueldo y en un sector atractivo de California; por consiguiente tenían que someterse a las condiciones que este país les brindaba. Así, se veían obligados a aceptar trabajo en peluquerías, restaurantes, estaciones de servicio y lavanderías, bajo cualquier término.

La industria de ropa es un buen ejemplo de cómo la dinámica laboral de fines de 1930 y 1940 afectó a los mexicanos en Los Ángeles. Hacia 1939, había 634 fábricas de vestido en Los Ángeles. En total estas fábricas empleaban a 15 890 trabajadores, de los cuales 75 por ciento eran mujeres y niñas mexicanas. Una vez dijo un organizador de la Unión que los patrones consideraban a sus obreros como trabajadores temporales, y los colocaba dentro de la misma clase que los emigrados que se contrataban para las cosechas de fruta y verdura. A excepción de unos cuantos, estos patrones explotaban las diferencias de idioma, y por lo tanto no se permitía que los empleados de habla hispana participaran de tiempo completo en la industria. Ellos decidieron manejar un sistema de retaguardia en donde los trabajadores se veían obligados a regresar parte de sus bajos salarios. Como medida de protección en contra de la disidencia del organismo de trabajo, ellos mismos mantenían, conscientemente, un alto nivel de cambio de personal.

Aún después de las huelgas de los años treinta y del establecimiento de una Unión de Costureras, el salario semanal que recibían las obreras (20 dólares) era el más bajo de toda California —a excepción de los empleados de hoteles y restaurantes—. En 1935, antes de que se organizara la Unión, y a pesar de que el estado permitía un salario mínimo de 18.90 dólares a la semana, los sueldos en la industria de ropa tenían un promedio de 13 y 17 dólares semanales. Durante la Depresión, cuando el salario mínimo bajó a 16 dólares a la semana, un empleado irregular de esta industria llegó a ganar hasta 5 dólares semanales.

La industria mobiliaria también era un importante negocio para los mexicanos. En 1929, las compañías muebleras emplearon a 5 904 trabajadores. Aunque la Depresión afectó particularmente a dicha industria, hacia 1939 llegó a aumentar su fuerza de trabajo hasta 5 888 empleados. De hecho, en 1940 Los Ángeles se convirtió en la cuarta ciudad manufacturera de Estados Unidos. Varias grandes compañías, como S. Karpen, Nachman Spring, Gillespie, Los Angeles Period y Angelus, dominaban la industria. Pero en general los establecimientos eran pequeños y empleaban a 25 personas.

Así como las industrias del vestido florecían y se acababan en el mercado, las tiendas muebleras estaban extremadamente expuestas a la quiebra. Por ejemplo, en 1929, había 193 fábricas de muebles en la ciudad. Hacia 1933, el número bajó a 126. Las cifras de todo el estado muestran que, después de la quiebra del año 29, toda la industria atravesó por un grave desplome económico. En 1933, los salarios disminuyeron hasta 1.50 dólar al día en las tiendas no organizadas. Muchos trabajadores tuvieron que enfrentarse al desempleo. A mediados de los años treinta, la situación empezó a mejorar; en 1935 había 166 tiendas muebleras en la ciudad, y hacia 1937 hasta 182. En 1938 la Unión de los Trabajadores de Muebles (United Furniture Worker's Union) ganó fuerza. Los sueldos aumentaron hasta 1.50 y 1.25 dólar por hora y, en 1939, llegó a haber 268 tiendas en Los Ángeles.

Aún así, los obreros mexicanos permanecieron segregados dentro de los trabajadores más mal pagados y más indeseables. Los blancos del sur, que eran empleados especializados, dominaban el campo de trabajo en madera. Los judíos habían abarrotado la industria tapicera, así que los hispanohablantes solamente tuvieron como opción los trabajos de terminado y no especializados. Después de la Segunda Guerra Mundial cambió la situación, cuando los empleados negros se convirtieron en una gran fuerza de trabajo. Al llegar éstos, se les obligó a realizar el trabajo no especializado y, por consiguiente, los mexicanos tuvieron la oportunidad de mejorar de nivel.[6]

Obviamente, las prioridades laborales estaban en pugna con las necesidades humanas. Así comenzó a surgir un nivel de disensión entre los hispanohablantes, que estaban frustrados y enojados debido a tantas experiencias negativas. Fue por ello que los mexicanos dieron los primeros pasos para quejarse públicamente. Empezaron a sublevarse contra la explotación, algunas veces llevando sus quejas a todas las uniones mexicanas (tal como la Confederación de Uniones de Campesinos y Obreros Mexicanos) y otras a las uniones interraciales (American Federation of Labor y Congress of Industrial Organizations).

Sus puntos de vista políticos también se hicieron de conocimiento público. En organizaciones tales como el Partido Comunista, los mexicanos se levantaron para expresar públicamente su desdén hacia los patrones que se sentían con derecho para tratar a todos los obreros de habla hispana como niños ignorantes. Estas luchas políticas, al igual que su contrapartida laboral, eran sólo un aspecto de la batalla que se sostuvo entre la inversión del capital y el trabajador local. Lo que es más, dieron cabida a un elemento nuevo y crucial en lo que se refiere a la evolución del concepto de identidad de la comunidad mexicana.

En la primavera y verano de 1933, en El Monte estalló una huelga en contra de los agricultores japoneses. La mayoría de los huelguistas (un 75 por ciento) eran angloamericanos; 20 por ciento eran mexicanos y 5 por ciento japoneses. En un principio, todos los huelguistas dijeron que sus salarios eran muy bajos. Pero en el invierno, los mexicanos se decepcionaron tanto de la huelga como de sus patrones. Después de medio año de penalidades, sólo podían estar seguros de una cosa: habían perdido su sueldo del verano. Lo que es más, los agricultores los culparon de haber desatado el desorden y estaban furiosos de haber perdido la cosecha. La comunidad

[6] *Ibídem*, pp. 85-90.

local se unió a los agricultores, primeramente porque los granjeros japoneses tenían la reputación de trabajar mucho, durante varias horas y a bajo costo. Para los trabajadores mexicanos que querían integrarse al movimiento laboral americano, el episodio de El Monte fue perjudicial, pero al mismo tiempo les hizo ver que su futuro económico se veía decididamente afectado por la aceptación o rechazo colectivo del movimiento laboral.[7]

Los campesinos no fueron los únicos en llamar la atención de los organizadores de la Unión a principios de la década de 1930. Rose Pesotta, una de las líderes organizadoras de la Unión Internacional de Costureras de Ropa Para Dama (International Ladies Garment Worker's Union —ILGWU—) llegó a Los Ángeles en septiembre de 1933 con la esperanza de organizar a las mujeres mexicanas en las fábricas de ropa. Encontró que 75 por ciento de ellas eran de ascendencia mexicana y que necesitaban urgentemente de dicha Unión. El 12 de octubre de 1934, las mujeres mexicanas se lanzaron a huelga denunciando que los fabricantes locales no estaban obedeciendo los códigos de la industria que había lanzado el Acta y Administración de Relaciones Industriales Nacionales (National Industrial Relations Act and Administration). En noviembre, los patrones de la industria de ropa prometieron poner más atención a los códigos. Las mujeres regresaron al trabajo y, en diciembre, la ILGWU se convirtió en un grupo unitario oficial en Los Ángeles.

También surgió un grupo político importante durante esa misma década: el Congreso de las Personas de Habla Hispana de Estados Unidos (Congress of Spanish-Speaking People of the United States) "la organización secular más grande que ha habido para los mexicanos... fue organizada en 1938 y disuelta con la guerra". El historiador John Burma la describió como la federación sudoccidental de muchos grupos, con una membresía total de hasta 6 mil personas. Su preocupación fundamental fue el avance cultural, social y económico de los mexicanos y promover las relaciones entre éstos y los angloamericanos;

[7] Robin Scott, *The Mexican American in the Los Angeles Area, 1920-1950: From Acquiescence to Activity*, tesis de doctorado, Universidad del sur de California, 1971, p. 108.

Trabajadoras mexicanas de la industria del vestido. Desde el principio de la industria textil en Los Ángeles, los mexicanos y otros latinos fueron la base de la fuerza de trabajo y los que dirigieron la organización laboral Unión Internacional de Trabajadores del Vestido.

por lo tanto, el Congreso luchó contra la discriminación por medio de boicoteos locales. Trató de promover organizaciones de trabajadores proporcionándoles uniones de intercambio y luchando en contra de las condiciones adversas de trabajo. En todas sus actividades, el Congreso enfatizó los derechos económicos, políticos y civiles, tanto de los ciudadanos mexicanos como de los que no lo eran. Irónicamente, su orientación le costó el apoyo de muchos miembros de la comunidad, particularmente de algunas personas de edad que lo consideraron políticamente radical.

La Federación de Votantes de Habla Hispana (Federation of Spanish Speaking Voters) fue, quizá, el primer grupo exclusivamente político organizado por los mexicanos en Los Ángeles. Lanzó candidatos para oficios locales y del estado en 1930, ninguno de los cuales salió electo. Antes de la Segunda Guerra Mundial, el Movimiento Mexicano Americano para Promover Atletas (Mexican-American Movement to Promote Athletes) fue un grupo apolítico, aunque después de la guerra, algunos miembros utilizaron la organización para promover su propia agenda política. De hecho, no fue sino hasta después de la guerra, cuando este tipo de organización empezó a publicar las realidades políticas de la vida de los mexicanos en Los Ángeles, que la comunidad logró obtener algunos avances sociales significativos.[8]

Aun cuando estas facciones políticas empezaron a desarrollarse, la comunidad local de habla hispana se enfrentó a una de las pruebas más duras. Debido a la economía tan pobre (clara manifestación de un racismo profundamente arraigado) y a la hegemonía cultural, los mexicanos de Los Ángeles se vieron atrapados por una nueva política de emigración. Hacia 1930, la población mexicana del país llegó a sumar 1 422 533 habitantes (619 998 nacidos fuera de Estados Unidos y 805 535 nacidos ahí). Pero durante la Depresión, el gobierno federal decidió limitar el número de personas que venían de México. El promedio legal de emigrantes se redujo de 58 mil al año, a 16 mil. Durante el año fiscal 1927-1928, un total de 58 146 visas se expidieron a originarios de México. Entre julio de 1933 y junio de 1934, el número descendió a 1 523, una reducción de inmi-

[8] *Ibídem*, pp. 109-110, 147-148.

gración de 97 por ciento. Entre 1928 y 1933, 160 mil mexicanos de California fueron repatriados. En 1931 solamente 7 500 dejaron la zona de Los Ángeles y regresaron a México.

Durante los años treinta, fue mayor el número de repatriados a México que de inmigrantes a Estados Unidos. Muchos de ellos se fueron porque no podían sobrevivir económicamente en las ciudades norteamericanas. El racismo obligó a muchos a regresar a sus hogares. En un país devastado por el desempleo, con colas para comprar pan y poblaciones de chozas, estalló el furor entre los norteamericanos de que los mexicanos estaban fuera de su tierra natal y usurpándoles sus puestos. Mientras que los angloamericanos pobres caminaban por las calles sin trabajo ni dinero, no parecía justo —por lo menos desde el punto de vista de la clase dominante— que los emigrantes de habla hispana obtuvieran empleo. Unos años antes todavía se consideraba que el trabajo al que tenían acceso los mexicanos era muy inferior al de los angloamericanos. Pero los tiempos duros cambiaron las prioridades y cualquier trabajo resultaba igualmente bueno durante la Depresión; muy bueno para los emigrantes mexicanos.

Durante épocas más prósperas, la deportación de los nacionales mexicanos se puso en manos de autoridades migratorias que nunca dieron la cara. Después del colapso económico de 1929, la histeria pública se apoderó de Estados Unidos. El país necesitaba una válvula de escape. La gente tenía que sentir que una fuerza no identificable era la responsable del caos que los dominaba. En algunos sitios —y Los Ángeles era el principal de todos— los mexicanos se convirtieron en esa válvula de escape. A fines de 1933 se obligó a miles de mexicanos a regresar a su país.[9]

Los gobiernos locales organizaron la fuerza de repatriación de mexicanos. En enero de 1931, la necesidad de mejorar financieramente se hizo más difícil. El cónsul mexicano fue a las asociaciones de caridad (Associated Charities) para pedir fondos para la repatriación. El cónsul dijo que hubiera sido mejor pagar para que los indigentes mexicanos regresaran a su país que tener que mantenerlos durante todo el invierno en Los

[9] Abraham Hoffman, *Unwanted Mexican Americans in the Great Depression: Repatriation Pressures, 1929-1939*, Tucson, Arizona, 1976, pp. 39-51.

LA OPINION

11 MEXICANOS PRESOS EN U

APARATOSO RAID A LA PLACIT

NAKANO HA CONTINUADO SU DEFENSA

El 27 de febrero de 1931 en el periódico *La Opinión* apareció el siguiente encabezado: "11 Mexicans Arrested in a Raid at the Placita" ("11 mexicanos fueron arrestados en una redada en La Placita"). Durante la Depresión, miles de mexicanos presos en los mítines populares, fueron repatriados a México. (Cortesía de *La Opinión*.)

Ángeles. La compañía ferrocarrilera Southern Pacific Railroad Company ofreció su cooperación otorgando "tarifas mexicanas de caridad" fuera de la ciudad.

Por su parte, muchos inmigrantes mexicanos tuvieron el temor de que se les negara toda asistencia si no dejaban Estados Unidos. Como todas las opciones de trabajo fueron eliminadas, y como se lanzó un nuevo reglamento migratorio, muchos mexicanos prefirieron regresar a su tierra. En un principio, se dieron órdenes de que 9 mil residentes de Los Ángeles salieran para México, lo que le costó al condado 155 mil dólares. Si se considera el hecho de que el costo anual de asistencia para este mismo grupo hubiera llegado hasta 850 mil dólares, el programa de repatriación parecía una ganga irresistible.[10] Hacia 1940, entre 80 mil y 100 mil mexicanos habían dejado el condado de Los Ángeles y había menos residentes de habla hispana que los existentes antes de la Depresión.[11]

Finalmente, la repatriación se convirtió en un asunto tragicómico: trágico porque surgían muchas calamidades junto al progreso; cómico porque la mayoría de los mexicanos que se mandaban a México, a la larga regresaban a Los Ángeles, después de haber viajado a expensas del gobierno del condado.

## Al borde de la Guerra

Hacia 1940, y con la Gran Depresión ligeramente atrás, la comunidad mexicana de Los Ángeles empezó a desarrollarse muy lentamente. Pero así como había sido parte de los primeros grupos que sufrieron los infortunios financieros del país, también fue de los últimos en disfrutar de los beneficios de recuperación económica de los años cuarenta. La Depresión había dejado una marca honda en la comunidad mexicana de Los Ángeles: aminoró el crecimiento de la comunidad y, como resultado de la revisión de la política de inmigración, se detuvo la expansión de los barrios locales.

[10] *Ibídem*, pp. 85-107.
[11] *Ibídem*, pp. 100-101.

La Depresión también afectó a muchos negocios de propietarios mexicanos y organizaciones de la comunidad. Durante el auge de los años veinte, un gran número y amplia variedad de empresas, propiedad de los hispanohablantes, surgieron para servir a los mexicanos. Casi todos estos negocios se encontraban constantemente en deuda y tenían un acceso mínimo a créditos, por lo que tenían un nivel de ganancias muy bajo. Como casi siempre se encontraban en aprietos, no pudieron salir adelante después de los primeros sucesos de 1929.

Los años veinte también presenciaron el florecimiento de los mutualistas y de los clubes. Como resultado del nivel masivo de desempleo durante la Depresión, de la baja de salarios y descenso de la inmigración, muchas de estas organizaciones desaparecieron. Los pagos anuales y la membresía incidental resultaron muy caros. Los bajos fondos se hicieron invaluables y, para los mexicanos desempleados de la ciudad, el tiempo se pasaba mejor cuando se buscaba trabajo que al organizar los bailes. Hubo otro punto que contribuyó al decrecimiento de los clubes mexicanos y de los negocios locales: muchos inmigrantes de la clase media, algunos de los cuales habían sido líderes en rotación dentro de la comunidad (presidentes de los clubes y empresarios de los barrios del este y centro) tuvieron que regresar a México. Y como muchos de los miembros más respetables carecían de una base sólida para operar socialmente (además de que no tenían seguridad económica), se vieron forzados a dejar Los Ángeles.

El censo estadunidense de 1940 mostró un total de habitantes en Los Ángeles de 1 504 277. De ese número, 107 680 eran mexicanos.[12] Para todo el condado, la población total era de 2 785 643 personas, pero una cifra de mexicanos que estaba aparte no se incluyó. Sin embargo, el Departamento de Censos de Estados Unidos (United States Bureau of the Census) reconoce que tanto en 1930 como en 1940 el número de residentes mexicanos no es exacto. En suma, muchos más mexicanos de los que aparecieron en cualquier censo vivían y trabajaban en la zona. En parte, el problema se debió a que las definiciones y métodos de recuento de población fueron inconsistentes. Por

[12] United States Bureau of the Census, *Sixteenth Census of the United States: 1940*. También, "Population: Special Report: Nativity and Parentage of the White Population", *Mother Tongue*, p. 34.

ejemplo, en 1930, se enlistó a los mexicanos como a un grupo racial separado. En 1940, se les anotó como "blancos", pero se podían identificar en un recuento separado porque habían dicho que su idioma materno era el español. Los prejuicios raciales y culturales y la casi ausencia de un censo de los hispanohablantes provocaron que la cifra total de mexicanos fuera inexacta.

De cualquier forma, los conocedores del periodo estiman que, durante los años cuarenta, la comunidad mexicana de la ciudad y condado de Los Ángeles se acercó al 10 por ciento de la población total. Por ello, después de la Depresión se encontraron con muchísimos obstáculos. Si no hubiera sido por la disminución de inmigrantes y la repatriación forzada, los mexicanos hubieran constituido una porción aún mayor de la ciudad. Más tarde, cuando se eliminó tanta limitación, la comunidad floreció.

Geográficamente, la población de habla hispana más alta de la ciudad permaneció concentrada en la zona del centro, al este de Los Ángeles. Los pequeños enclaves mexicanos también se esparcieron a lo largo de otras áreas del condado.[13] A excepción de muy pocas comunidades (zonas que se incorporaron específicamente para los ricos, como Beverly Hills, San Marino y Rolling Hills Estates), cada una de estas nueve ciudades tenían su propio barrio mexicano. En Santa Mónica, Asuza, Burbank, Glendale, Torrance, Pacoima, Pasadena, Monterey Park, Pomona, San Gabriel, Culver City, Long Beach, Placencia, Fullerton, La Puente, San Fernando, Norwalk, El Monte, Gardena, Florence, North Hollywood, Inglewood, Vernon, Claremont, Lattabra y Venice, los mexicanos establecieron sus propias comunidades. Iban de compras a sus propios negocios, se asociaban a las iglesias de habla hispana, organizaban sus propios clubes sociales y planeaban celebraciones aparte de los días de fiesta anuales mexicanos.[14]

Los barrios también se establecieron en áreas no incorporadas del condado. Las comunidades surgieron en un número pequeño de colonias que estaban en colinas y campos de

[13] Robert Michael Demuth (ed.), *Los Angeles Country Almanac: A Guide no Government*, 19a. edición, Los Ángeles, 1980, pp. 214-215.

[14] Kay Lyon Briegel, "Alianza Hispano Americana, 1894-1945: A Mexican Fraternal Insurance Society", tesis de doctorado, Universidad del sur de California, 1974.

trabajo, que originalmente se habían construido para los ferrocarrileros y agricultores mal pagados. En varias de estas zonas dispersas, había un gran número de comunidades mexicanas.

Rodeando al centro de Los Ángeles, en el Distrito Central (Central District) había todavía otros barrios. Extendiéndose desde Palos Verdes o Chávez Ravine al norte (donde hoy se encuentra el estadio Dodger), después de la calle Figueroa al oeste y cerca del bulevar Exhibition, al sur, grandes comunidades mexicanas estaban comprando casas y educando a sus familias. Los mexicanos también vivían en comunidades multiétnicas. Al este, por ejemplo, el Distrito Central surgía cruzando el río Los Ángeles con poblaciones culturalmente mixtas de Boyle Heights, Lincoln Park y Belvedere Park. En partes que recientemente se anexaron a la ciudad, había grandes comunidades mexicanas en Sawtelle, San Pedro, Wilmington, Watts, West Los Ángeles, Van Nuys, Hollywood y Northridge. En casi todas estas zonas, existían pequeñas vecindades mexicanas dentro de comunidades angloamericanas mayores. Aun así, desarrollaron su propio sentido de identidad urbana. Incluso cuando la urbanización que siguió a la Segunda Guerra Mundial los transformó de enclaves pequeños e independientes a puntos en el mapa del extenso Los Ángeles, algunos de estos mexicanos se las ingeniaron para conservar su propia identidad.

En lo que respecta al origen y tradición de los mexicanos, sus nuevos patrones residenciales estaban muy relacionados con la discriminación en la vivienda, el presupuesto y el empleo. Aunque vivían en casi todas las ciudades del condado, se les siguió aislando en áreas específicas de aquellas ciudades. Por ejemplo, en la comunidad del lado oeste de la playa de Santa Mónica, el barrio mexicano La Viente se extendía a lo largo del bulevar Olympic. Y a la gente que por su aspecto se le reconocía como mexicana no se le permitía comprar casas o rentar departamentos al norte del bulevar Wilshire.

De igual manera, se respetaba a Santa Mónica por sus excelentes escuelas públicas, pero los niños mexicanos que vivían dentro de los límites de la ciudad no podían disfrutar de las ventajas de dicha educación superior. Se les restringía a las escuelas primarias e institutos de segunda enseñanza inferiores de ciertas zonas: solamente unos cuantos podían asistir a un instituto de enseñanza superior de la ciudad. Aun para ellos, la discriminación era una barrera casi impenetrable. Estaban sistemáticamente atrapados en clases no académicas y se les mantenía aparte del resto de los estudiantes: así, a los jóvenes mexicanos se les negaba la especialización que proporcionaban sus escuelas a otros grupos étnicos.

En Los Ángeles, Glendale, Burbank, Pasadena, Culver City, Pomona y El Monte, la historia se repetía. La discriminación se diferenciaba tan sólo en intensidad y, con frecuencia, era aún peor que la experimentada en Santa Mónica.

En 1940, la enorme mayoría de trabajadores mexicanos estaban muy mal pagados.[15] En su mayor parte, el empleo era marginal, temporal e irregular. Sin embargo, las personas que todavía conservaban empleos de tiempo completo y regulares se autoconsideraban *suertudos*. Después de todo, más de 10 por ciento de la fuerza nacional de trabajo permanecía desempleada. Aun aquellos trabajadores de habla hispana que habían podido ascender a puestos especializados o semiespecializados de la industria durante los años del auge a fines de la década de los veinte, tuvieron que enfrentar el desempleo en 1938.

La discriminación significaba que cualquier mexicano que todavía trabajara en 1940 estaba realizando el empleo más mal pagado, sucio y peligroso en la fábrica, campo o tienda de servicio local. Altamente subrepresentados en puestos tales como empleados de confianza, servicio civil, semiprofesionales y profesionales, los mexicanos generalmente estaban relegados al rango de agricultores, obreros por día y sirvientes domésticos. Las industrias de construcción emplearon un gran número de mexicanos durante los años cuarenta, como obreros, yeseros, peones y albañiles. Las enlatadoras también contrataban a los hispanohablantes como empacadores y cortadores. En las fábricas de muebles trabajaban en el aserradero y tapicería. En las fábricas de ropa, operaban las máqui-

[15] Leo Grebler, *et. al.*, "Patterns of Work and Settlement", *The Mexican American People*, Nueva York, 1970, pp. 82-100. También Fred E. Ramero, *Chicago Workers: Their Utilization and Development*, Los Ángeles 1979; Federico López, *A Historical Analysis of Occupational and Employment Patterns of Mexican American in California, 1950-1965*, honors paper, Universidad de California, Los Ángeles, 1976; Fred H. Schmidth, *Spanish American Employment in the Southwest, Washington, D.C., 1960.*

nas y tenían a su cargo el acabado y planchado. En las lavanderías de la ciudad trabajaban lavando y exprimiendo la ropa. Las bodegas los contrataban para cargar, clasificar y separar la chatarra. Las compañías empacadoras de carne les pagaban por despellejar y por hacerse cargo del trabajo manual; las empacadoras de fruta por empacar. Los ferrocarriles siempre necesitaban peones y en otros lados los agricultores requerían de campesinos (en ciertas estaciones). Las fábricas de ladrillo los ocupaban para operar los hornos; los semilleros en la mano de obra y, en los servicios domésticos, como criados. Los mexicanos constituían una fuente de trabajo explotada de la cual todas las industrias podían escoger el número de trabajadores necesarios, ya fuera por día, por semana o por mes.

Al realizar el trabajo más pesado, los mexicanos, y otras minorías, recibían los sueldos más bajos. En 1941, en plena guerra y con la industria volando bajo, el presupuesto medio que recibía la familia mexicana residente en Estados Unidos era de solamente 700 dólares —un total de 520 dólares menos de los que el gobierno federal consideraba necesario para que una familia de cinco llevara un nivel de vida decente—.[16] Aún después del ataque a Pearl Harbor, cuando la nación se dedicó a la producción armamentista, los mexicanos ganaban menos en los peores trabajos. A pesar de la política laboral que prohibía la discriminación, muchas industrias de guerra se negaron a emplear mexicanos. Como dijo uno de los patrones más importantes en 1942, "los norteamericanos simplemente no trabajarán con los mexicanos".[17] Irónicamente, se les hizo más fácil morir junto a ellos.

## Campos de batalla: en casa y en el extranjero

Cuando Estados Unidos se involucró en la Segunda Guerra Mundial cambió la vida de los mexicanos en Los Ángeles, así como también la de toda la población del país. La situación

[16] *Robin Scott Fitzgerald, The Mexican American in the Los Angeles Area, 1920-1950,* tesis de doctorado, Universidad del sur de California, 1971, p. 195.
[17] *Ibídem,* p. 205.

laboral mejoró ligeramente y, conforme se aceleró la producción de guerra, los trabajadores empezaron a ser más fáciles de conseguir. Como respuesta a las demandas del gobierno para que aumentara la producción militar y a su promesa de ganancias "más el costo" garantizado, los empleadores de todo el país empezaron a contratar mujeres, negros y mexicanos en labores que antes les habían negado. Miles de mexicanos de la zona de Los Ángeles, incluyendo una gran cantidad de mujeres, pudieron conseguir empleos semiespecializados y aun especializados.

Sin embargo, la vida para los hispanohablantes no se convirtió en un ejercicio de igualdad de oportunidades. Los avances logrados en ese periodo, tan sustanciales e importantes como pudieron haber sido, eran sin duda menos impresionantes que el progreso que había hecho la sociedad dominante. Es cierto que Estados Unidos se convirtió en la tierra de oportunidades en expansión, pero éstas se extendieron en dirección de los blancos norteamericanos. De hecho, las ganancias sociales, educativas y económicas de los angloamericanos, excedieron, por mucho, a las de los mexicanos, hasta tal punto que el abismo entre ambos se intensificó.

No todos los sectores de la comunidad mexicana compartieron el avance de los años cuarenta. Frecuentemente limitados por la falta de educación —misma que provenía de la discriminación— un gran sector de la comunidad permaneció excluido de los mejores puestos y salarios altos. Así, muchos mexicanos iban quedando rezagados, no sólo detrás de los angloamericanos, sino también de los miembros más afortunados de su propia comunidad. Los inmigrantes que habían llegado más recientemente, fueron los que más sufrieron. Aunque con frecuencia lograban superarse por esfuerzo propio y duro trabajo, y obtenían una situación económica mejor, estos mexicanos se vieron forzados, por la discriminación, a comenzar desde el último peldaño de la escala social y económica norteamericana. No es de extrañar el hecho de que estos inmigrantes se hayan establecido en uno de los barrios más antiguos de la ciudad. Se fueron a vivir en departamentos, con rentas bajas, mismos que los mexicanos con mejor suerte habían dejado atrás cuando, ya con un salario más alto y un empleo especializado, se trasladaron a un suburbio de trabajadores sindicalizados. De esta forma, la Guerra incrementó la división comunitaria que se había iniciado años antes. Los mexicanos ya no estaban solamente aislados por la sociedad angloamericana que los rodeaba, sino que se estaban subdividiendo desde adentro, separándose en una multiplicidad de clases sociales, económicas y aun culturales.

La Guerra en sí transformó a la comunidad porque se llevó a muchos de sus mejores jóvenes. Durante la Segunda Guerra Mundial y la de Corea, miles de jóvenes mexicanos de Los Ángeles y del condado sirvieron en todas las ramas de las fuerzas armadas de Estados Unidos. Se ha estimado que durante la Segunda Guerra Mundial, los mexicanos abarcaban del 5 al 10 por ciento de la población de la ciudad, sin embargo, los apellidos en español dan cuenta de casi 25 por ciento de los nombres en las listas de desaparecidos.[18] El porqué los mexicanos tuvieron que defender tan encarnizadamente a una nación que les había negado la igualdad de oportunidades —de hecho una nación que los deportó fuera de sus fronteras— es una de las ironías más trágicas de la historia reciente de la comunidad. Parte de la explicación seguramente subyace en la campaña pública de Estados Unidos que describió a la Segunda Guerra Mundial como una lucha noble para la democracia, una guerra en contra de la agresión fascista, una guerra que defendió los derechos civiles de todo el mundo.

Para una comunidad que había sufrido las injusticias del racismo y del boicoteo, los conceptos de libertad engendraban fuertes pasiones. El gobierno federal habló de la abundancia que siguió a la Guerra y los mexicanos de todo ese país creyeron en sus promesas. Se enteraron de las aseveraciones que prometían que el servicio militar de hoy les proporcionaría seguridad a los veteranos del mañana y, por lo tanto, ellos actuaron de acuerdo con tales promesas.

Por todas estas razones, la mayoría de los conscriptos mexicanos respondieron con entusiasmo al llamado de voluntarios. Los hombres y mujeres jóvenes de la comunidad mexicana sirvieron en todos los teatros de la guerra —desde Berlín hasta

[18] Fitzgerald, pp. 156, 195, 256, 261. También, Raúl Morín, *Among the Valiant*, Alabama, 1966.

Tokio—. De hecho, muchos buscaron las tareas más peligrosas. Muchos murieron. Debido a su extraordinario heroísmo en el combate, entre todos los grupos étnicos, los mexicanos fueron los que ganaron más medallas de honor (Congressional Medal of Honor), con la excepción, quizá, de los japoneses americanos. Sin embargo, solamente una minoría de estos soldados tuvieron acceso a las promociones en el campo de batalla. La valentía, como el trabajo duro, evidentemente sería su única recompensa.

Cuando terminó la Guerra, los veteranos también tuvieron que enfrentarse a la dura decepción. En breve, ellos aprendieron que la medalla distintiva (Distinguished Service Medal), la cruz naval (Navy Cross) y aun la medalla de honor del Congreso (Congressional Medal of Honor), no podían persuadir a un agente de bienes raíces para que aceptara sus títulos y préstamos de veteranos como depósito por la compra de una casa en un sector de blancos. Sus cicatrices de batalla no eran suficientes para inscribir a sus hijos en las escuelas superiores para blancos que se habían construido del otro lado de los límites que marcaba la zona asignada para ellos.

Es cierto que aún antes de que terminara la guerra, se había puesto en evidencia el hecho de que los sacrificios de los mexicanos a favor de Estados Unidos no podían alterar los prejuicios sociales tan arraigados. Las tensiones de la guerra, que primero se manifestaron con la reclusión de los japoneses americanos, se aplicó a los mexicanos en 1942, cuando una campaña periodística maliciosa describió a todos los jóvenes mexicanos como "pachucos" (*zootsuiters*) a quienes se les llamó "elementos criminales" y se les acusó de atacar a los hombres del servicio militar.[19]

El terror a los mexicanos aumentó, a pesar de que ciertas fuentes policiacas admitieron que la juventud mexicana tenía un promedio menor de crímenes que los jóvenes angloamericanos y que, de 30 mil adolescentes mexicanos en Los Ángeles, solamente mil eran pachucos; así fue como un pánico fabricado se apoderó de la ciudad en poco tiempo.[20] El capitán de

[19] Mauricio Mazón, *Social Upheaval in World War II: Zoot Souters and Servicemen in Los Angeles, 1943*, tesis de doctorado, Universidad de California, Los Ángeles, 1976.

[20] Fitzgerald, *Ibídem*, p. 220.

policía de Pomona, Hugh D. Morgan dijo que "cuando se trata de delincuencia juvenil de la variedad *zootsuit*, se involucra a un porcentaje menor de jóvenes mexicanos que aquellos nacidos en Estados Unidos de padres norteamericanos". Pero los periódicos estaban más interesados en el sensacionalismo que en los hechos. Así, una vez más, los periodistas destacaron las afirmaciones más dramáticas de los oficiales públicos y de los oficiales que revisaban las leyes, mismos que usaron tácticas de alarma como camino para utilizar el presupuesto de los departamentos de policía y oficiales de justicia.

El sensacionalismo zootsuit culminó en el caso *Sleepy Lagoon* de 1942, cuando un grupo de jóvenes mexicanos se vieron involucrados en el cargo de un crimen: la prensa los inculpó más que la exposición de pruebas en una corte de justicia. Como admitió un pequeño grupo de pachucos en la ciudad actual, se les absolvió solamente después de una campaña de defensa muy larga realizada por activistas y liberadores civiles de la comunidad. Luego, en 1943, las revueltas de los zootsuits instigaron a que se crearan nuevas y más espeluznantes historias sobre la violencia de los pachucos; casi todas ellas inventadas. En el mejor de los casos, se distorsionaban las historias debido a los prejuicios y al miedo. Las peleas callejeras entre militares intoxicados y civiles mexicanos, no diferían de los pleitos de cantina que ocurren en las grandes ciudades. Pero en la atmósfera tan tensa de Los Ángeles de 1943, los altercados se transformaban en "terrorismo pachuco" de amplia difusión.[21]

Como cualquier novedad, los zootsuits tenía mayor relación con la extravagancia adolescente que con cuestiones étnicas. Lo que es más, los mexicanos no eran los únicos jóvenes vestidos de zootsuits, ni tampoco la gran mayoría que había convertido el atuendo en algo tan popular. Los jóvenes anglosajones, los negros y algunos asiáticos también se disfrazaban de zootsuits y se ponían colguijos para lucirse en varias zonas de la ciudad. Y aun entre los jóvenes mexicanos que hacían un ritual del atuendo, había muy pocos pachucos. Sin embargo, la elegancia específicamente cultural del pachuco de Los Ángeles —con su zootsuit y su exagerado copete— era un medio de

[21] *Ibídem*, pp. 222-232.

expresión cultural a través del cual algunos jóvenes demostraban su desafío, así como también su comprensión hacia la orientación que había tomado la comunidad.

Aunque estos hechos eran bien conocidos entre la policía local y la prensa de la ciudad, la campaña de terror de *Los Angeles Times* desembocó en la violencia. El 3 de junio de 1943 estallaron las revueltas a gran escala. Grandes grupos de militares y fanáticos armados invadieron la zona centro y después se desplazaron hacia las vecindades mexicanas y negra en donde atacaron y golpearon a los zootsuits y a cualquier otro grupo juvenil que anduviera por allí. Muchos oficiales de policía y de justicia al tanto de las historias escandalosas de los diarios, optaron por estar de acuerdo o participar en las golpizas. Las revueltas esporádicas continuaron durante varios días. Después, en la noche del 7 de junio, un enorme grupo obligó a un negro a bajarse de un tranvía y le sacaron un ojo. Casi inmediatamente, y para prevenir cualquier maniobra fuera de la ley, las autoridades militares declararon que los militares con pase no tenían acceso a la zona centro.

La situación era muy clara aún en ese tiempo, y en especial, para la comunidad mexicana. Las revueltas eran el resultado del racismo que siempre había existido, pero que de pronto había salido a la luz debido a las tensiones y cansancio de la Guerra. Durante varios años, el gobierno local y los grupos de la iglesia de la vecindad hicieron un esfuerzo para apoyar los programas que proporcionaban mayores actividades recreativas y de liderazgo a los jóvenes mexicanos. De todas formas, la inquietud fundamental de la comunidad que había dado lugar al surgimiento de los pachucos nunca se exploró. Como no se le puso debida atención, no desapareció. Solamente se corrompió.

## Nuevas expresiones culturales

Fue hasta 1940 que los científicos sociales se propusieron definir, más que comprender, la cultura mexicanonorteamericana. Los que lo intentaron, generalmente la consideraron como una cultura en transición, en algún punto intermedio entre la cultura rural tradicional y la industrial urbana. Desde luego que esta suposición sostenía que la transición era equivalente al progreso. Se pensaba que todas las dinámicas sociales de los mexicanos tenían su origen en las tensiones tan fuertes, además de ser la viva expresión de una cultura profunda que jamás rechazaron y que, por lo tanto, chocaba con las condiciones de vida a las que tenían que enfrentarse. Estaba implícito que la desorientación social se considerara como el resultado de las fallas de parte de la población emigrante mexicana, porque no pudieron adaptarse del todo a la sociedad angloamericana; tampoco pudieron evadir la dicotomía cultural que se impusieron a sí mismos. Para las mentes miopes de la gente en el poder, la aculturación total parecía tan sólo una solución práctica para resolver los intensos conflictos sociales y el desplazamiento social.

Los científicos sociales no eran los únicos que sostenían este punto de vista. Casi todos los oficiales públicos lo compartían también. Lo peor era que muchos observadores mexicanos, y algunos mexicanonorteamericanos, estereotipaban la cultura. Por ejemplo, los nacionales mexicanos de la clase alta con frecuencia veían a los mexicanos norteamericanos como inferiores, es decir, que tenían una perspectiva de clase que consideraba a los mexicanos de Los Ángeles como renegados de la clase baja, que habían abandonado la sociedad mexicana al cruzar hacia California. Se les llamaba "pochos" y se les consideraba como si no fueran mexicanos y que se hubieran adaptado culturalmente. Además, ya no podían hablar un español refinado, ni sostener con orgullo su origen mexicano; tampoco protegerse ante los aspectos menos deseables de la cultura americana.

Solamente algunos estudios no estuvieron de acuerdo con estos estereotipos. El trabajo más sobresaliente fue el del sociólogo Manuel Gamio. Estudió a la población inmigrante mexicana de Estados Unidos desde el final de la década de 1920 hasta principios de los treinta. Gamio dirigió cientos de entrevistas de la comunidad mexicana estadunidense. Muchas de estas entrevistas y gran parte de su investigación trataba sobre la población de habla hispana de Los Ángeles, la cual, a fines de los años veinte se convirtió en el hogar más grande de mexicanos de Estados Unidos. Además de lo señalado anteriormente, su trabajo reveló que los mexicanos en Estados Unidos eran un grupo mucho más complejo que lo que habían supuesto los investigadores anteriores.

Gamio encontró que la comunidad mexicana de Los Ángeles estaba compuesta por gente de distintas edades pertenecientes a diferentes clases y grupos regionales y que recibían diversos presupuestos. Lo que es más, la comunidad no podía dividirse tajantemente entre dos o más culturas en conflicto. De hecho, parecía haberse integrado creativamente dentro de la compleja amalgama de las culturas mexicana, estadunidense y aun internacional. Compuesta, en parte, por descendientes mexicanos anteriores a 1848 y, en parte, por los emigrantes que llegaron más recientemente de diversos niveles sociales mexicanos, la comunidad de habla hispana no estaba más determinada por la cultura rural de México que por la cultura industrial del sur de California. Y, desde luego, no estaba estancada. En suma, Gamio concluyó que lo mexicano de Los Ángeles no sólo reflejaba la interacción de las culturas populares modernas de México y Estados Unidos, sino que también producía una nueva expresión cultural que estaba desligada de ambas influencias interactivas.

De hecho, debido al tamaño, diversidad y sofisticación de la población mexicana, Los Ángeles destacó con el potencial ilimitado de su enorme mercado de habla hispana. A México le intrigaban las ganancias posibles de la región porque, debido a su nivel, California era una tierra de abundancia económica. El obrero americano promedio ganaba más por el trabajo y gastaba más en diversiones que lo que podían imaginar los nacionales mexicanos. Ya desde 1920, los mexicanos podían traer y pagar los espectáculos más caros y atractivos. Después, con la invención y rápida difusión de la radio, casi cada hogar recibía comunicados diarios de la sociedad y cultura popular de su misma gente. Hacia 1930, los hispanohablantes ejercían una influencia significativa, pero raramente reconocida, sobre la cultura mexicana en desarrollo en ésa ciudad. De hecho, los recibos de las taquillas muestran que Los Ángeles tenía el público de habla hispana mayor, fuera de la ciudad de México y Guadalajara.

Sin embargo, la comunidad mexicana local no tenía los fondos suficientes ni la organización comercial adecuada para realizarse en todo su potencial. Era más frecuente que a los talentos los absorbieran las compañías poderosas angloamericanas. Las estrellas como Anthony Quinn, los cantantes como Andy Russel y las personalidades teatrales se veían obligados a exhibir u ocultar sus antecedentes étnicos debido a los prejuicios raciales. En breve, la negación de sí mismos era el precio que pagaban por el reconocimiento.

Las maquinaciones culturales que controlaban la industria del espectáculo de Estados Unidos también dominaban otras grandes instituciones. Cada establecimiento social que llegaba a numerosas personas —desde las iglesias católica y protestante hasta las arenas de box— eran el reflejo de los prejuicios y del aire de protección angloamericano. Siempre evitaban que los mexicanos controlaran las instituciones, aun las que ellos sostenían. La opresión y el dominio cultural se mantenían a base de sueldos desiguales, la negación del crédito y el sometimiento a las formas más crudas de discriminación. Durante los años cuarenta, el racismo se demostraba abiertamente: por ejemplo, en los cines se practicaba la discriminación y se evitaba que los jóvenes (por política y práctica) hablaran en español en los planteles de las escuelas. Cuando más sutiles, ocultaban los prejuicios. Era frecuente que el angloamericano demostrara una actitud de paternalismo condescendiente que veía a la cultura mexicana y al idioma español como extraños recordatorios de la vida en el viejo México, donde los campesinos tomaban su siesta y pensaban en su explotación económica de mañana.

Así, tanto de manera obvia como sutil, la vida cultural de la comunidad mexicana del sur de California se veía limitada por los prejuicios de los grupos e instituciones dominantes, en los que no tenía influencia. Estos prejuicios afectaban a todos los mexicanos de la ciudad, pero su impacto era mayor en los jóvenes y en los residentes de edad. Como los barrios de Los Ángeles mexicano no se encontraban totalmente aislados ni eran completamente autosuficientes, casi todos los mexicanos tenían relaciones con personas fuera de su comunidad. Y cuando en el trabajo, la iglesia o las actividades recreativas se juntaban con los angloamericanos, se establecía entre ellos una forma de comunicación forzada. Siempre que los mexicanos se encontraban con los angloamericanos, lo hacían en un plano desigual e invariablemente se retiraban resentidos y conscientes de su inferioridad impuesta.

Si en Los Ángeles mexicano hubiera existido realmente una especie de vacío, tales contactos hubieran sido imposibles. Pero como formaban una comunidad distinta dentro de una red social más amplia, le era imposible al barrio aislarse completamente de las brutalidades del racismo y de la hegemonía cultural. Cuando los jóvenes mexicanos fueron por primera vez al jardín de niños y se dieron cuenta de que sus nombres se habían transformado de repente en equivalentes en inglés más accesibles, aprendieron la lección más duradera y fundamental de la educación pública.

En esencia, los angelinos mexicanos siempre estaban en desventaja cuando tenían contacto con alguna institución mayor. Antes de mediados de los años cuarenta y de la discriminación que se puso en evidencia a partir de las revueltas de los zootsuits, los oficiales de la ciudad y del condado se preocupaban muy poco de la comunidad mexicana. Debido a la ignorancia y a la malicia, las instituciones culturales de la ciudad siempre se localizaban fuera del alcance de la comunidad mexicana. En Hollywood Bowl, el Greek Theatre (Teatro Griego), Los Angeles County Museum of Natural History (Museo de Historia Natural del Condado de Los Ángeles), los parques y bibliotecas públicas se construyeron en partes de la ciudad de muy poco acceso para los mexicanos, fuera para visitarlas o habitarlas. Los mexicanos nunca se encontraban en las mesas directivas o administrativas de las empresas, tampoco formando parte del personal. Casi ninguna actividad o programa se planeaba pensando en la comunidad de habla hispana.

Cuando las facilidades públicas existían en los barrios de Los Ángeles, por lo general se debía a que esa zona había sido una colonia predominantemente angloamericana. Pero conforme los mexicanos empezaron a trasladarse ahí, las familias de blancos salieron inmediatamente, sin considerar las instituciones públicas que dejaban atrás. Algunas veces los oficiales locales optaron por promover programas públicos de mayor importancia fuera y lejos del barrio, pero más frecuentemente, dejaban que se deterioraran las bibliotecas, escuelas y parques.

Los fondos de mantenimiento se redujeron y se desviaron hacia las facilidades para las nuevas comunidades angloamericanas; los mexicanos se quedaron en vecindades sumamente deterioradas, ya que algunas construcciones casi estaban en ruinas.

Irónicamente, la decisión de cortar el presupuesto de los programas del barrio tuvo como base el argumento absurdo de que los mexicanos jamás hacían uso de sus facilidades. Lo cierto es que las utilizaban más que las comunidades angloamericanas, ya que sus ingresos eran muy bajos y además necesitaban echar mano de esa ayuda para realizar sus actividades culturales. En muchos casos, las facilidades a alto costo de los suburbios caros no se utilizaban, y en cambio en los barrios se usaban en exceso, ya que la comunidad no podía asistir a espectáculos más caros.

De manera similar, las instituciones religiosas les negaban a los mexicanos cualquier oficio dentro de la administración de la iglesia. Hacia fines de los años cuarenta, la iglesia católica en particular, se preocupó profundamente por la comunidad de habla hispana de Los Ángeles. Pero al ir de la mano con el periodo, esta preocupación se expresó, sobre todo, en gestos protectores de caridad cristiana. Ya en 1930, el arquidiócesis católico romano reconoció que tan sólo el número de la población católica predominantemente mexicana bien valía la pena de considerarse. Aunque su objetivo principal fue espiritual, la iglesia se obsesionó por la adaptación cultural, la política de las escuelas católicas, las organizaciones religiosas y la administración de la parroquia.

Los servicios en español generalmente se ofrecían en zonas predominantemente mexicanas —pero tan sólo como medida de transición y para tender un puente espiritual entre el pasado y el futuro de la congregación—. Había muy pocos sacerdotes o ministros mexicanos que hablaran español para atender a la comunidad. Los pocos que habían raramente ocupaban posiciones en las que tuvieran poder de decisión dentro de la jerarquía de la iglesia. Era más problemático aún el que la mayoría de estos sacerdotes de habla hispana fueran exilados conservadores en la política y la cultura de México y España. Aunque podían hablar la lengua de la comunidad mexicana local, estaban muy alejados de sus problemas sociales y económicos. En esencia, las actitudes y política del arquidiócesis de Los Ángeles, reflejaba un paternalismo benigno hacia la comunidad. El arzobispo y otros políticos de la iglesia veían a los mexicanos como un peso espiritual que, como buenos pastores, tenían que llevar en hombros. Pero su corazón y alma permanecieron unidos a la población angloamericana de la que habían salido y de la que siempre formarían parte.

## Un nuevo reto

Hacia fines de los años cuarenta, el Los Ángeles mexicano había atravesado por una parte de su historia muy dura. Había sobrellevado las penalidades de la Depresión, la tragedia de la guerra y la amargura de la desilusión. La comunidad, siempre relegada a un plano secundario, ya no constituía una entidad cultural aislada que pudiera operar enteramente sola. El tamaño de la ciudad, la rapidez con la que funcionaba, la complejidad de su red económica, eran realidades que exigían que los mexicanos formaran parte de la amplia sociedad controlada por los angloamericanos. Sin embargo, en cada encuentro con esa sociedad, los hispanohablantes se enfrentaban a su propio opresor.

Aun así y con todo el impacto negativo, el racismo y la discriminación no dividieron a la comunidad mexicana en una facción tajante. Las historias del periodo con frecuencia utilizan el idioma español como símbolo o vehículo para llegar a las comunidades de los barrios de Los Ángeles. Por una parte, se nos ha dicho que los tradicionalistas mexicanos guardaron silencio y no pudieron decir nada siempre que el idioma de comunicación no era el español. Por otro lado, debemos imaginar a los mexicanos que hablaban inglés como miembros de la comunidad que aspiraban a llevar un estilo de vida mejor y americanizado. Pero, como sucede siempre, la realidad es mucho más compleja.

Los diversos elementos de la comunidad mexicana de la ciudad constituían una cultura en evolución que, una y otra vez, se veía obstaculizada por aspectos tales como el ingreso, origen regional, edad, sexo, educación y preferencias personales. El que los mexicanos hablaran inglés no tuvo significación alguna antes de 1940. Hasta entonces, todos, excepto los mexicanos más adaptados, podían hablar español coloquial. En la práctica, casi todos los mexicanos que vivían en Los Ángeles durante la primera mitad del siglo XX eran bilingües, igualmente hablaban inglés que español. Desafortunadamente, su bilingüismo era limitado. Debido a que la mayoría sólo tenía una educación informal en uno o en ambos idiomas, sus habilidades para hablarlos se limitaban a un lenguaje coloquial rudimentario.

Así, si el reto más grande la comunidad mexicana había sido integrarse a la sociedad en el poder, entonces la prueba que tuvo que enfrentar en 1950 fue el retirarse de esa corriente y aislarse de la invasión cultural del Los Ángeles angloamericano. Los años que siguieron reflejan precisamente esa lucha. Al elegir a sus propios políticos y al concentrarse en sus propios problemas y especialidades, ambos culturalmente definidos, los mexicanos de Los Ángeles construyeron un muro simbólico alrededor de sus barrios. Y dentro de los perímetros de su propia comunidad, buscaron un perfil público que se adecuara a su nueva identidad.

# VIII. EL CAMINO AL PODER: HACER QUE LOS NÚMEROS CUENTEN

Los últimos 35 años constituyen un periodo de crecimiento y desarrollo impresionantes en el Los Ángeles mexicano. La comunidad mexicana se ha erigido a sí misma como una fuerza política y cultural en una forma que hubiera sido imposible en la generación anterior. Gracias al constante y creciente número de inmigrantes de México y al aumento espectacular de nacimientos en Estados Unidos, los angelinos mexicanos se han fortalecido como una nueva influencia regional.

Simultáneamente, tienen que enfrentarse a retos únicos. En una sociedad de alta tecnología y fuerte capital, los mexicanos siguen estando limitados por el presupuesto y educación que los separan de la contraparte angloamericana. Lo que es más, tienen la necesidad de encontrar nuevos caminos para convertir su sentido de identidad común en un movimiento organizado que logre un avance social. Para poder transformar sus diversas clases sociales y antecedentes en un solo grupo constitutivo, la comunidad tiene que resolver las fuertes decisiones que provienen de la alternativa que existe entre la asimilación cultural y el aislamiento social.

## La realidad de dos culturas

Las raíces de esta alternativa se pueden trazar desde fines de los años cuarenta, y principios de los cincuenta. Aún entonces, algunos mexicanos sabían que la comunidad se enfrentaba a un reto muy difícil: ¿podría adquirir, de la sociedad dominante, las valiosas técnicas para la supervivencia económica sin abandonar su propia herencia cultural?

Esta pregunta estuvo vigente durante los años cincuenta, cuando los mexicanos se encontraron atrapados entre mensajes culturales opuestos. Por un lado, la cultura popular de habla hispana implicó que formaban parte de una tradición cultural única y distinta a la de los blancos norteamericanos. Por otro lado, el sistema educativo en inglés les demostró a los mexicanos que se habían convertido en algo muy diferente de lo que eran sus antepasados. Durante esa década y principios de los años sesenta, los individuos intentaron hacer un balance entre los periódicos, revistas, películas, representaciones en vivo, programas de radio, televisión y el idioma español, con su experiencia en la escuela, misma que perseguía atraerlos hacia la corriente en el poder, de habla inglesa y, por definición, angloamericana.

Hacia mediados de los años cincuenta, la comunidad se había dividido y el Los Ángeles mexicano se había convertido en una especie de espectro del biculturalismo. Algunos individuos hablaban solamente en español. Otros no lo hablaban. Desde luego que había mexicanos que eran completamente bilingües y que tenían rasgos de ambas culturas. Ellos representaban el proceso más reciente de transculturación, ya que sufrieron una transformación, pero no abandonaron su cultura. Los mexicanos no se inclinaron ante una cultura extraña; optaron por fundir las culturas. En este proceso, lograron formar una nueva entidad colectiva.

Sin embargo, los mensajes culturales mixtos que afectaban a los mexicanos durante los años cincuenta no siempre armonizaban. En abstracto podría parecer que el exponerse a la cultura angloamericana hubiera tenido efectos positivos en los jóvenes de habla hispana y que les hubiera proporcionado una perspectiva sana y multicultural. Desgraciadamente esto no siempre ocurría. Debido al racismo, a los lineamientos culturales, a los estereotipos distorsionados y a las presiones para que se adaptaran, la cultura angloamericana no se presentaba a sí misma como un sistema opcional atractivo de comportamiento social. Más bien se presentaba como una forma de vida superior *a priori.* Casi todos los angloamericanos del periodo consideraron que su tradición era superior a cualquier cosa que pudieran ofrecer los mexicanos.

La respuesta mexicana a este racismo visceral fue muy compleja. Aunque casi todos los miembros de la comunidad continuaban valorando sus antecedentes étnicos, carecían de los mecanismos institucionales que les permitirían contradecir a la otra parte. Pero sobre todo, no tenían los medios para lanzar una educación en español. Existía una vida cultural activa en este idioma, pero estaba limitada a los barrios. Para poder llegar a una mayoría de personas, tenía que poner el énfasis en esparcimientos comerciales, no controversiales que incluían películas románticas y cómicas, programas de radio, algunos espectáculos televisivos semanales y periódicos locales.

Conforme la comunidad luchaba para mantener un sentido de identidad étnica única, los indicios de fuera sugerían que se trataba de un fuerte grupo dentro de Los Ángeles. De hecho, el cine mexicano vivió sus años dorados en las décadas 1940 y 1950. Los teatros en español surgieron por toda la ciudad. La cadena más grande de estos teatros era propiedad de un solo hombre de negocios, Francisco Fouce. A él pertenecían el Teatro Maya, Teatro Mason, Teatro Liberty y el Teatro Roosevelt, donde no solamente se mostraban películas sino espectáculos en vivo. Se daba la bienvenida a actores, cantantes, orquestas y comediantes que trabajaran para un público principalmente de habla hispana.

El capitán de la cadena Fouce era el Teatro Maya —que con orgullo se anunciaba como "el máximo teatro de la Raza, y que estaba dedicado a la presentación de las grandes atracciones de México, Argentina, España y otros países de habla hispana"—. Para atraer al público, Fouce contrataba a las mejores estrellas de México, América Latina y España. Jorge Negrete, Pedro Infante, María Félix, Rosita Quintana, Luis Aguilar y Cantinflas son algunos de los artistas que llevó a sus teatros. En ocasiones los espectáculos eran tan grandes que no podían presentarse en el teatro más amplio. Fue por ello que se llevaban a cabo en sitios al aire libre, como el Hollywood Bowl y el Greek Theatre.

La radio en español también floreció durante este periodo y Rodolfo Hoyos padre, llegó a ser la celebridad local más popular. De hecho su programa "La Hora de Rodolfo Hoyos" se difundió en KWKW radio, existente de 1932 a 1967. Al principio, el programa de Hoyos y algunos otros en español compraban el tiempo sobrante al aire de las estaciones en inglés. Pero con el tiempo, el éxito conllevó a muchas estaciones, incluyendo a la KWKW a convertirse en programadoras sólo en español, o casi solamente en español. Junto con la música y las entrevistas, dichas estaciones de radio transmitían diversos programas y noticieros que eran de especial interés para la comunidad de habla hispana. Aunque casi todos los anuncios tenían como fin vender artículos de marcas angloamericanas, algunos promovieron los negocios propiedad de mexicanos de la zona. A través de sus programas musicales, los anuncios de servicios públicos, comerciales y la mera presencia de un entretenimiento viable y de noticias, la radio en español jugó un papel esencial dentro de la cultura mexicana local.

Los Ángeles fue una de las primeras ciudades en Estados Unidos en ofrecer televisión en español. Siguiendo los pasos de la radio, los primeros programas de una hora en televisión se pasaron en las estaciones en inglés cuando tenían tiempo libre qué vender. El primer programa regular de televisión fue "Latin Time" (Tiempo latino) de Lupita Beltrán, que pasaba todos los domingos en KCOP. Este programa primero apareció a fines de 1955 o principios de 1956 con la anfitriona Rita Holguín, el compositor Lalo Guerrero y su orquesta y Aura San Juan. Luego, en abril de 1956, se estrenó Fandango en la estación local CBS, KNXT. Éste también fue un espectáculo de variedad y tuvo mucho éxito en la ciudad.

La transmisión de la cultura popular fue muy significativa en la radio y en la televisión en español, y al mismo tiempo, los mexicanos de Los Ángeles alimentaron un sistema informativo y cultural igualmente importante, aunque menos dramático: las reuniones familiares extensivas. Conforme la sociedad angloamericana iba poniendo el énfasis en los núcleos familiares, la gente de habla hispana fue alentando un concepto multigeneracional. Los miembros de las familias se reunían a platicar, comer o descansar en los bautismos, bodas, cumpleaños y otras ocasiones especiales. Desde luego que tales reuniones no eran privativas de la cultura mexicana, pero sí fueron, y se han conservado así, un importante mecanismo para mantenerla. Los abuelos recordaban viejas historias y los padres se exresaban con respeto de las tradiciones que habían precedido el estilo de vida de sus suburbios. De esta forma, los niños aprendieron algo más que la historia de sus familias: un sistema de valores.

## Un nuevo grupo

A fines de los años cuarenta y, especialmente, durante los cincuenta, un segmento considerable de la comunidad mexicana se trasladó de los barrios del centro y este hacia las colonias que surgieron después de la guerra. Con tal migración, cambió algo más que los domicilios. Los matrimonios jóvenes y optimistas con frecuencia encontraron que los enclaves de la clase media eran terreno de una fría discriminación. En respuesta, comenzaron a organizar grupos diversos para luchar por una reforma en el trabajo y crearon sus propias organizaciones políticas. Pero al igual que muchos otros progresistas del periodo, experimentaron los efectos represivos del McCarthismo desenfrenado. En suma, el periodo se caracterizó por unas cuantas victorias ganadas con dificultades y por una multitud de lecciones valiosas que se salvaron de la derrota. En todo esto, los mexicanos aprendieron a esperar el momento propicio y a organizarse para un éxito futuro.

El censo de 1950 reveló un crecimiento de población sorprendente entre los mexicanos de Los Ángeles. De hecho, la población total de la ciudad sumaba 1 970 368 habitantes, de los cuales 272 mil pertenecían a la comunidad mexicana.[1] Oficialmente, la comunidad se había duplicado en solamente diez años. Combinado con el módico avance económico en algunos sectores de trabajo, estos números iban a parar en la dispersión y extensión geográficas de las comunidades mexicanas en existencia.

Muchas familias de habla hispana se trasladaron hacia el este a comunidades sindicalizadas como Montebello, Monterey Park y Pico Rivera. Pero como sucedió en los movimientos de épocas pasadas, este tipo de éxodo no era fácil. El derecho a comprar casas fuera del barrio tenía que llevarse a cabo en los tribunales de toda la ciudad. En muchas zonas los restringidos convenios estipulaban que "ninguna persona de ascendencia africana, latinoamericana u oriental deberá residir en estos sitios excepto como sirviente doméstico".[2] Los mexicanos

[1] United States Bureau of the Census, *Seventeenth Census of the United States: 1940.*

[2] Joan Moore y Frank G. Mittlebach, *Residential Segregation in the urban Southwest*, Los Ángeles, 1967.

pudieron cambiarse a estos lugares solamente después de haber pagado un alto costo legal y emotivo.

Muchos de los jóvenes veteranos mexicanos de la Segunda Guerra Mundial se decepcionaron profundamente al enterarse de que la discriminación en la vivienda todavía existía. Se desilusionaron al descubrir que la democracia y los derechos civiles permanecían aún como ideales muy lejanos. Aunque algunas formas de racismo más superficiales (tales como las noches mexicanas en las albercas o cines) se habían erradicado en la ciudad, seguían siendo un lugar común en las comunidades circundantes. La discriminación educativa, fuera sutil o abierta, prevalecía en todo el condado de Los Ángeles. Los héroes de guerra mexicanos se vieron forzados a presenciar el espectáculo de una constante brutalidad de la policía y los ataques inesperados de inmigración que solamente afectaban a las personas que parecían latinoamericanas.

Pero es posible que el efecto de los prejuicios más desgastante haya sido la actitud de dominio angloamericana hacia los mexicanos. Como los residentes angloamericanos consideraban que los mexicanos debían de estar agradecidos porque se les permitía vivir en Estados Unidos, pensaban que les hacían un favor, al nombrar a sus vecinos y compañeros de trabajo morenos "españoles" y no "mexicanos". En efecto, la primera mitad del siglo XX llegó con un ciclo renovado de gracia social distorsionada. En un ambiente que consideraba la palabra "mexicano" como un término despreciativo, era frecuente que los hispanohablantes salieran de sus barrios aislados y privados, solamente para enfrentarse a una ola de ignorancia cultural y opresión económica.

Éstas eran las terribles realidades que motivaron a muchos veteranos de guerra mexicanos a organizar grupos con la única finalidad de luchar contra la discriminación. Algunas de las organizaciones que nacieron durante fines de los años cuarenta y principios de los cincuenta fueron: Unity Leagues (Ligas de Unión), Community Service Organization (Organización al Servicio de la Comunidad), Asociación Nacional Mexicano Americano (ANMA) y American G.I. Forum (Foro Americano G.I.). La mayoría de estas asociaciones se referían a sí mismas como "mexicanoamericanas" (un dualismo cultural que llevaban con orgullo), lo cual era un reflejo simbólico de las exigencias de los ciudadanos mexicanos de primera clase.[3]

Ignacio López, veterano de la Oficina de Información de guerra (Office of War Information) durante la Segunda Guerra Mundial, organizó la Unity League en 1947. Como sus miembros se encontraban, principalmente, al este del condado de Los Ángeles —en la zona de Pomona Valley y aun en los condados de San Bernardino, Riverside y Orange— la Liga hizo una campaña vigorosa para combatir la discriminación en la vivienda y educación. Debido, en parte, a que López era editor del periódico en español de Pomona Valley *El Espectador,* la Liga pudo publicar algunas notas de interés para la creciente comunidad mexicana de los suburbios. A fines de los años cuarenta y principios de los cincuenta, el grupo logró anotar varios éxitos. Sobre todo tuvieron éxito en el condado de San Bernardino, donde los miembros ganaron pleitos para defender las escuelas y albercas segregadas. Hacia 1949, la Liga había ayudado a elegir al primer miembro mexicano del ayuntamiento de la ciudad en Chino, California.[4]

Es posible que la asociación Community Service Organization (CSO) haya sido el grupo más reconocido y exitoso de los que se formaron durante esa época. Esta organización, que operaba desde la ciudad, realmente surgió durante la campaña fallida de Edward R. Roybal para el ayuntamiento en 1947. Roybal se había graduado en UCLA y también era veterano de la Segunda Guerra Mundial, trabajador social y director de educación de la Asociación de Tuberculosis del Condado de Los Ángeles (Los Angeles County Tuberculosis Association). Sobre todo, le preocupaba resolver los problemas sociales que enfrentaba su comunidad. Después de su derrota en 1947, él y su grupo de apoyo reconstruyeron el comité elector al formar la CSO. Sus objetivos eran directos: retar los problemas sociales que plagaban a la comunidad de habla hispana de la ciudad y proporcionar a la misma un nivel de representación política de la que había carecido durante casi 100 años.

[3] Fitzgerald, "Mexican-American Activism in the Post War Years", pp. 280-351. También véase Kaye Lyon Briegel, *The History of Political Organizations Among Mexican-Americans in Los Angeles Since the Second World War,* tesis de maestría, Universidad del sur de California, 1967.

[4] Briegel, pp. 11-12.

La derrota de Roybal sirvió para que el grupo se diera cuenta de la importante realidad. Los mexicanos que no se habían registrado para votar, no podía elegir a los representantes para que ocuparan puestos de influencia en la localidad. Por consiguiente, la primera tarea significativa de la CSO fue asegurar que, la próxima vez, la fuerza numérica de la comunidad pudiera traducirse en influencia el día de las elecciones. En una campaña a gran escala de registro de votantes, el grupo estuvo apoyado por muchas uniones mexicanas y por miembros de otros grupos étnicos de toda la ciudad. Hacia 1949, la CSO había registrado miles de votantes en los nueve ayuntamientos de la ciudad. Roybal retó a un miembro del ayuntamiento, lo derrotó por dos terceras partes y se convirtió en el primer mexicano que formara parte de dicho ayuntamiento desde 1881. La victoria de Roybal alentó la confianza de la comunidad hacia la CSO. La organización continuó esforzándose y, hacia 1950, dijo que se habían sumado 32 mil mexicanos más a las listas de registro.

Después, la CSO empezó a concentrarse en la defensa de los derechos migratorios de los mexicanos y en controlar el racismo brutal de la policía. Como miembro del ayuntamiento, Roybal apoyó muchas de estas actividades, particularmente aquellas que luchaban en contra del hostigamiento de la policía. De hecho, exigía que destituyeran a un número de policías que tenían reputación de racistas. También involucró a la CSO en la lucha contra la discriminación de la vivienda. Sin embargo, su esfuerzo sólo tuvo éxito en parte. Es cierto que una serie de pleitos apoyados por la CSO con el tiempo forzaron a los agentes de bienes raíces a vender casas a los mexicanos en Montebello y varios otros suburbios. Sin embargo, no fue sino hasta fines de los años sesenta que las cortes derogaron los estrictos convenios. Aún entonces, la discriminación que se fundamentaba en el presupuesto continuó floreciendo.

Hacia 1954 el McCarthismo estaba de moda. No es necesario señalar que el giro político del país hacia la derecha no benefició a la comunidad mexicana. Se empezó a sospechar de la población de habla hispana junto con otros grupos minoritarios. Los esfuerzos de los mexicanos para reforzar sus propios derechos civiles siempre habían tenido poca popularidad pero, en el ambiente de aquel tiempo, las asociaciones políticas progresistas empezaron a considerarse como posibles "frentes de actividad comunista". Varias organizaciones, especialmente las asociadas con las uniones laboristas, estaban sujetas a la represión abierta. Los nombres de sus miembros fueron anotados en las listas negras y se destruyeron sus carreras. Como resultado, algunos grupos mexicanos más cuidadosos optaron simplemente por esperar a que llegara el momento indicado durante mediados de los años cincuenta. Como tenían miedo de fallar y de que se les considerara como "simpatizantes comunistas", esperaron a que cambiara el sentimiento nacional.[5]

Hacia fines de los años cincuenta, una ola de liberalismo político penetró Estados Unidos. En 1960, la época de McCarthy llegó a un amargo fin y la conciencia social estadunidense se volcó por el movimiento de derechos civiles de los negros. Por su parte, los políticos y organizadores mexicanos empezaron a percibir el enorme potencial de su grupo. Después de todo, su comunidad constituía el grupo minoritario mayor del sur de California. Así que observaron con gran interés cómo la comunidad negra de Los Ángeles iba ganando terreno en los medios de difusión a través de su lucha contra toda forma de discriminación.

Los políticos mexicanos más precavidos fueron los primeros en empezar a explotar la nueva atmósfera política. En 1958, Hank López lanzó su campaña para secretario de estado de California y Roybal, que ya era miembro del ayuntamiento, fue candidato para el consejo de supervisores del condado. Ambos perdieron, pero en el caso de Roybal, el número de votos fue muy alto. De hecho, muchos observadores pensaron que fue debido a la intimidación de los votantes por parte de su contrincante, Ernest Debs, que éste ganó. Parece ser que algunos de los defensores de Debs desafiaron la capacidad de los votantes mexicanos en las elecciones.[6]

De cualquier forma, estas dos derrotas de 1958 estimularon una actividad política mayor dentro de la comunidad mexicana. Por ejemplo, en 1959, un grupo de miembros del Partido Demócrata Mexicano formaron la Asociación Política Mexi-

[5] Acuña, pp. 333-342.
[6] Briegel, pp. 48-50.

cana Americana (Mexican American Political Association —MAPA—) para que sirviera como vehículo para una mejor representación.[7] En aquel tiempo, no había ningún mexicano dentro de la Asamblea Legislativa del estado de California o en el Congreso de Estados Unidos, y Roybal fue el único oficial mexicano electo en Los Ángeles. Junto con otros grupos del periodo, la asociación MAPA tenía como finalidad cambiar la realidad. Aunque las actividades que desarrollaron durante los años cincuenta no siempre tuvieron éxito, sí proporcionaron una base concreta para una serie de victorias electorales futuras. Más importante fue el hecho de que dieron origen a una nueva conciencia social entre la juventud mexicana.

## El gigante dormido se agita

Conforme avanzaban los años cincuenta y Estados Unidos esperaba la década siguiente, la comunidad mexicana de Los Ángeles continuó creciendo. Una vez más, el censo de Estados Unidos proporciona cifras de los apellidos de la población de habla hispana. En 1960, 2478015 personas vivían en Los Ángeles; 260 mil tenían apellido español.[8] Para el condado de Los Ángeles, los resultados fueron más significativos. De una población total de 6038771 habitantes, había 576 mil con apellidos españoles. El censo, también reveló que los mexicanos ya no estaban sujetos a restricciones residenciales hacia el este. Aunque las cifras sugieren que la población mayor de la comunidad permaneció al este de Los Ángeles, un nuevo patrón de reacomodo estaba orillando a los mexicanos hacia el este y sur del barrio principal. Muchos de ellos vivían en la zona que comprende a Venice, Santa Mónica y Culver City, y desde luego estaban presentes en el área que forman San Fernando y Pacoima, justo cuando se extendió hacia los suburbios de Torrance y Norwalk.

En su mayor parte, los mexicanos no estaban conscientes de la rapidez con la que crecía la comunidad ni de que dicho

[7] *Ibídem*, pp. 50-60.

[8] United States Bureau of the Census, *Eighteenth Census of the United States: 1960, Subject Reports, Persons of Spanish Surname*, Final Report PC (2)-1B, Washington, D.C., 1963.

aumento se debía, principalmente, al incremento de mexicanos nacidos en Estados Unidos. Sin embargo, las cifras del censo sin duda implicaban que, por la sola fuerza numérica, los angelinos mexicanos formarían un grupo político formidable en la ciudad de Los Ángeles. De hecho, algunos periódicos locales publicaban historias en donde la comunidad mexicana de la ciudad aparecía como "gigante dormido".

No se puede pasar por alto el hecho de que mientras había una explosión de habitantes dentro de la comunidad mexicana, en el caso de los angloamericanos, no había aumento alguno. Lo que es más, muchos angloamericanos dejaron el condado de Los Ángeles a principios de los años sesenta y se trasladaron a los condados de Orange, San Bernardino y Ventura. La población negra de la ciudad también empezaba a disminuir, si se comparaba con el crecimiento de mexicanos y asiáticos. De hecho, las vecindades del centro de la ciudad también empezaban a tener una mayoría de mexicanos y latinoamericanos. En efecto, mientras que algunos grupos étnicos disminuían y se salían de la zona de Los Ángeles, los mexicanos aumentaban y se traslabadan ahí.

Los dos últimos censos muestran este aspecto de la población. Por ejemplo, el censo de 1970 señaló que la población total de la ciudad de Los Ángeles sumaba 2 811 801 habitantes. De ese número, 545 mil tenían apellidos españoles.[9] En el condado de Los Ángeles había 6 938 457 habitantes y de éstos 1 285 000 tenían apellidos españoles. Las cifras preliminares de 1980 sugieren un total de crecimiento aún mayor, con 2 966 763 personas de las cuales 815 989 tenían apellidos españoles.[10] Si se considera a toda la región, es posible que haya habido 7 477 657 personas en el condado de Los Ángeles en 1980. De ese número, 2 065 727 tenían apellido español.

Debido a este cambio en la población, los expertos predicen que, para fines de los años ochenta, los mexicanos y otros

[9] United States Bureau of the Census, *Nineteenth Census of the United States: 1970, Subject Reports, Persons with Spanish Surname,* PC (2)-1D, Washington, D.C., 1973.

[10] United States Bureau of the Census, *1980 Census of Population and Housing. Advance Reports, California: Final Population, and Housing Counts,* PHC80-V-6. Western Economic Research Co., *1980 Population and Race Data: By Census Tracts in California,* Sherman Oaks, 1980.

latinos constituirán el grupo étnico mayor de todo el condado. Esto difiere bastante de las predicciones de fines del siglo XIX, cuando los eruditos y políticos angloamericanos pensaron que en muy poco tiempo los mexicanos, como grupo étnico único, se extinguiría en California. Únicamente los asiáticos americanos conformaban otro grupo con un promedio de crecimiento similar. Así, para el año 2000, Los Ángeles tendrá una población con una mayoría de mexicanos y asiáticos.[11]

A pesar de estas predicciones, el promedio de mexicanos que vive en Los Ángeles ahora gana menos que el equivalente de residentes angloamericanos, tiene menos oportunidades educativas y sufre de una carencia relativa de poder político. Más alarmante aún es el hecho de que la comunidad en sí se encuentra dividida por una estratificación social interna. Ha surgido una nueva clase media alta de mexicanos: empresarios, profesionistas, semiprofesionistas, técnicos, actores. Pero esta afluencia no está beneficiando a la población mexicana en su totalidad. En realidad, el estado de la comunidad permanece estático en el mejor de los casos, y bien puede haberse empeorado en años recientes.[12]

Irónicamente, los miembros de la burguesía hispánica con frecuencia ejercen poco poder dentro de las instituciones en que trabajan. Casi siempre están sujetos a la influencia social, cultural, económica y política de sus patrones y acreedores angloamericanos. Esto sucede, sobre todo, con los propietarios de bienes raíces productivas y con aquellos que tienen puestos políticos en instituciones incorporadas, financieras, cívicas y educativas. Sin embargo, sus puestos dentro de la corriente dominante angloamericana a veces son arriesgados, o por lo menos lo suficiente como para que se vean obligados a cambiar de postura y aun de imagen.

Aunque los años sesenta impulsaron esta división interna, la década también llevó a la comunidad a un nuevo plano político y económico. Algunos mexicanos comenzaron a subir de nivel en sus carreras y puestos de gobierno, por medio del trabajo arduo, las lecciones de las campañas y los negocios

[11] Richard E. Meyer, "Ethnic Populations Changing Face of Los Angeles", *Los Angeles Times*, parte II, abril 13, 1980, p. 1.

[12] Antonio Ríos-Bustamente, "A Profile of the Mexican Working Class in the United States", *Development and Socio-Economic Progress*, Cairo, 1980.

difíciles. Los mexicanos han participado como miembros de la Asamblea Legislativa de California y de la Cámara de Representantes de Estados Unidos. Han sido alcaldes y miembros del Ayuntamiento en varias ciudades menores. Han fungido como miembros en las asambleas escolares de Los Ángeles. Muchos jueces mexicanos han llegado a tener puestos más elevados en las cortes municipales y del condado, y en mayor número, han sido funcionarios estatales, federales y municipales.

Todas estas victorias tienen su origen en organizaciones políticas más efectivas y en una conciencia política más aguda. Esto también proviene del entusiasmo que se sintió en el Los Ángeles mexicano a principios de los años sesenta. Se ha dicho mucho que cuando John F. Kennedy buscó el apoyo de la comunidad durante su campaña para la presidencia, algo muy fundamental cambió. Desde luego es cierto que la campaña de 1960 generó una vitalidad electroal entre los mexicanos, particularmente entre los estudiantes; esta actitud no se había dado nunca.

Kennedy se identificó abiertamente como amigo de los mexicanos y de otras minorías. Su postura le ayudó mucho en su posición política dentro de la comunidad. Es innegable también que su catolicismo contribuyó significativamente para granjearse una popularidad unánime entre los mexicano-norteamericanos. En cada aspecto real, ellos lo veían como símbolo de un nuevo clima político. Sus esperanzas se cifraban en la creencia de que su "frontera nueva" incluiría la igualdad para todos los mexicanos de Estados Unidos.

Después de las elecciones de 1960, los políticos mexicanos y creyentes en el Partido Demócrata, aseguraron sus nuevas ganancias. En 1962, Edward R. Roybal, miembro del Ayuntamiento, fue electo para la Cámara de Representantes, con lo que se convirtió en el primer mexicano del condado de Los Ángeles que formara parte del Congreso. En ese mismo año, Phillip S. Soto y Manuel Moreno fueron electos para la Asamblea del estado de California (California State Assembly), y así, los primeros mexicanos que ocuparan una posición en este organismo desde 1890.[13]

[13] Briegel, p. 52.

La muy conocida Guerra contra la Pobreza (War on Poverty) se atravesó en los años sesenta y tuvo un efecto duradero sobre la comunidad mexicana de la nación.[14] A pesar del entusiasmo inicial, especialmente entre las personas que se contrataron para operar varias agencias de servicio social, los mexicanos y otros grupos minoritarios muy pronto se dieron cuenta de que los programas no podían resolver sus problemas sociales o económicos. En realidad, muchos de los organizadores de la comunidad creyeron que estos programas se habían concebido intencionalmente para que funcionaran de acuerdo con las instituciones y prácticas que continuaban insistiendo en la discriminación y pobreza urbanas. Había muy pocas excepciones. Algunas clínicas de salud, en particular, proporcionaban los servicios médicos necesarios. Pero en su totalidad, las personas se fueron amargando debido a las innumerables promesas no cumplidas y su decepción dio origen a una rígida desconfianza hacia casi todos los programas del gobierno.

Los voceros más críticos de tales programas fueron los estudiantes mexicanos y otros jóvenes de la comunidad. Sin justificación alguna, alegaron que el propósito real de la Guerra contra la Pobreza era la pacificación de las minorías por medio de la cooptación de todos los líderes potenciales. Estos jóvenes tenían como motivación el estar conscientes de la situación de su comunidad. Como ya habían observado las fallas y victorias del movimiento negro, del boicot de las uvas, de las huelgas de campesinos y movimientos de concesiones de tierra de López Tijerina en Nuevo México, vieron la enorme necesidad de crear una nueva estrategia para movilizar a la comunidad.

La insatisfacción colectiva llegó a su culminación a fines de los años sesenta. En todos los recintos universitarios de Los Ángeles, los estudiantes mexicanos organizaron grupos y planearon sesiones en donde pudieran discutir las preocupaciones políticas comunes y preparar una reforma social. Sus esfuerzos estaban apoyados por la comunidad en su deseo por lograr una unidad organizativa y coalición cultural. Como resultado de este último esfuerzo, se formó el Consejo de Unidad Mexicana

[14] Biliana C.S. Ambrecht, *Politicizing the Poor: The Legacy of the War on Poverty in a Mexican American Community*, Nueva York, 1976.

Hacia 1960 la Unión de Trabajadores Agrícolas simbolizaba el principio de un nuevo movimiento de derechos civiles entre mexicanos, inspirando así el nacimiento del Movimiento Chicano. (Cortesía de Devra Weber.)

(Mexican Unity Council) en 1967. El final de la década de los sesenta también trajo consigo un apoyo renovado para los candidatos mexicanos, como Richard Calderón, que fue un candidato exitoso para la Asamblea del Estado en 1966, y Julián Nava, que ganó la elección para la junta de instrucción pública en 1967.[15]

Fue hasta 1967 que se dio un movimiento social muy fuerte en las comunidades de Los Ángeles y de todo el sudoeste. Se reconoce como movimiento chicano.[16] La palabra "chicano" proviene de la contracción de "mexicano" y fue adoptada por muchos mexicanos para expresar su identidad cultural y política común. Se tuvo la intención de que fuera un contrapunto verbal para "mexicano americano" —un término que muchos asocian con una aceptación pasiva del *statu quo*—.

Uno de los momentos más impresionantes y dramáticos del movimiento en Los Ángeles ocurrió cuando sus miembros enfocaron la atención de la comunidad en las condiciones nefastas del sistema escolar público de la ciudad. En marzo de 1968, miles de estudiantes mexicanos literalmente dejaron las aulas. Los *blowouts* (nombre que se les puso a las demostraciones) se desarrollaron en sólo cinco escuelas de segunda enseñanza al este de la zona de Los Ángeles, pero su impacto tuvo repercusiones en todo el distrito escolar de la ciudad (Los Angeles Unified School District). Con el apoyo de activistas chicanas mayores y de uno de sus maestros, Sal Castro, los estudiantes llamaron la atención hacia las actitudes racistas que tenían muchos de sus maestros angloamericanos y hacia las condiciones educativas inferiores que plagaban a las escuelas del este de Los Ángeles.[17] Estas condiciones eran el epítome del 50 por ciento de bajas de estudiantes mexicanos en las escuelas de segunda enseñanza.

Los *blowouts* precipitaron una ola de protesta de la comunidad y una serie de confrontaciones entre los residentes mexicanos locales y la Junta Educativa de Los Ángeles (Los Angeles Board of Education). Los estudiantes, padres y activistas de la

[15] Juan Gómez-Quiñones, *Mexican Students Por La Raza*, Santa Bárbara, 1978, p. 18.

[16] Gerald Rosen, "The Development of the Chicano Movement in Los Angeles form 1967-1969", *Aztlán*, 4, primavera, 1973.

[17] Frank Del Olmo, "68 Protest Brought Better Education", *Los Angeles Times*, parte II, marzo 26, 1980, p. 1. Gómez-Quiñones, pp. 30-31.

comunidad exigieron que en las escuelas se introdujeran programas bilingües y biculturales. En todo esto, el movimiento chicano adquirió un nivel de respeto aun entre los mexicanos de la clase media. En cierto sentido, los chicanos habían hecho del conocimiento público el racismo y la desigualdad que otros miembros de la comunidad menos abiertos habían tenido miedo de expresar.

Poco tiempo después de los *blowouts,* un grupo local de chicanos empezó a organizar a la comunidad para una serie de aspectos sociales. Quizá su esfuerzo más reconocido fue la Moratoria Nacional Chicana de 1970 (1970 National Chicano Moratorium). El 29 de agosto, los activistas chicanos en contra de la guerra, organizaron una gran marcha y reunión política para protestar por la intervención de Estados Unidos en Vietnam y para hacer del conocimiento público la increíble cantidad de muertos mexicanos en la misma. Los récords indican que aproximadamente 30 mil personas asistieron a la demostración.

Quizá porque nació del idealismo, pero la Moratoria terminó con el terror de la brutalidad policiaca y el horror de ver las calles manchadas de sangre. En esta ocasión, se exageró el control de las autoridades, ya que no estaban acostumbrados a las grandes demostraciones militantes de la comunidad mexicana, además de que no podían comprender cuáles eran las razones reales para que se efectuara tal manifestación. Al caer la noche, varios manifestantes habían sido atacados violentamente por los oficiales de policía de Los Ángeles, con un saldo de tres muertos, entre ellos Rubén Salazar, un periodista de *Los Angeles Times.*[18] Con la furia que algunas veces acompaña al miedo, los organizadores chicanos se pasaron los meses siguientes haciendo una serie de demostraciones por todo Los Ángeles. Aunque tal esfuerzo cambió muy poco la vida cotidiana de la comunidad de habla hispana de la ciudad, logró solidificar los lazos entre el movimiento chicano y la comunidad de Los Ángeles.

El Partido La Raza Unida surgió en Los Ángeles en 1971 como un partido político independiente integrado principalmente por chicanos. Primero se estableció en Texas y después

[18] Acuña, pp. 366-371 Armando Morales, *Ando Sangrando, I am Bleeding: A Study of Mexican-American Police Conflict,* La Puente, 1974.

se organizó en Colorado. En un nivel, tuvo exito en su intento por despertar la conciencia social de la comunidad: ganó votos en California y lanzó una serie de candidados para posiciones locales y estatales. Pero en lo que se refiere al poder político real, el partido logró muy poco. Conforme empezó a llamar la atención, los demócratas mexicanonorteamericano Art Torres y Richard Alatorre ganaron las elecciones.[19] Es posible que un partido político independiente les haya parecido superficial a muchos miembros de la comunidad.

Hacia 1975 el movimiento chicano cambió y puso un mayor énfasis en la defensa de los inmigrantes mexicanos indocumentos. Asimismo empezó a fundar organizaciones como el Centro de Acción Social Autónoma (CASA) para ayudar a los nacionales mexicanos en su esfuerzo por permanecer en Estados Unidos. Debido a la proximidad de México a California y a su significación histórica para los hispanohablantes de Los Ángeles, el aspecto de la política de inmigración sigue siendo de primera importancia para muchas asociaciones mexicanas y es posible que permanezca como una de las preocupaciones principales de la comunidad durante mucho tiempo.[20]

Ya a fines de la década de los setenta el movimiento chicano se había difundido. La intensidad de los acontecimientos de ese momento acalló muchas de las actividades. Conforme Los Ángeles se preparaba para enfrentar a los ochenta, comenzó una nueva fase política y cultural para la comunidad mexicana de la ciudad. Los mexicanos habían dejado de ser un grupo homogéneo y aislado. En realidad, se habían transformado en una compleja amalgama de intereses, antecedentes y objetivos. Un número creciente de políticos profesionales surgió de las diversas comunidades mexicanas de la ciudad, cada uno de ellos abogando por el interés en formar un grupo político único.

Desde un punto de vista *a posteriori*, el movimiento chicano puede distinguirse como una asociación que sirvió como catalizador social dentro de la comunidad de habla hispana mayor

[19] *Ibídem*, p. 388. Alberto Juárez "The Emergence of El Partido de la Raza Unida: California's New Chicano Party", *Aztlán*, 3, otoño 1972.

[20] Acuña, pp. 168-169. Luis R. Negrete, "La lucha de la comunidad mexicana por los derechos humanos de los trabajadores emigrantes", en Antonio Ríos-Bustamante, ed., *Mexican Immigrant Workers in the United States*, Los Ángeles, 1981.

de la ciudad. Hacia 1970, muchos jóvenes mexicanos ya habían adivinado lo que el establecimiento angloamericano les dejaría. Hasta donde les fue posible, le dieron la espalda. Al hacerlo, los jóvenes chicanos motivaron a un porcentaje mayor de su comunidad para que presentara un frente público más fuerte. En efecto, exigieron que la sociedad pudiera recibir, a la larga, un nuevo mensaje sobre lo que era ser mexicano. También generaron apoyo para el avance educativo, político y económico. Los funcionarios públicos empezaron a dirigir notas de interés para los mexicanos en una forma más respetuosa y seria. Finalmente, y quizá más importante, fue el hecho de que el movimiento chicano facilitó algunas concesiones que tomó de la corriente angloamericana en el poder. Estas concesiones —educación bilingüe, programas de estudios chicanos y acciones afirmativas en las prácticas laborales— crearon un ambiente dentro del cual la clase media mexicana podía aspirar a una situación mejor.

## Una nueva reflexión

Es difícil caracterizar la tendencia que siguió a la segunda mitad de la década de los años ochenta. Desde luego que los líderes chicanos de los setenta permanecen como modelos para el activismo continuo. Pero como en todos los distritos norteamericanos, el Los Ángeles mexicano se ha pasado los últimos años haciendo un cuidadoso balance de su postura. En esencia, parece ser que los años sesenta sentaron las bases para que se desarrollaran una serie de avances económicos. Fue en los años setenta que surgió una clase media viable de la comunidad. Sin embargo, las ganancias ocupacionales a corto plazo de la última década se han visto afectadas por las contrariedades económicas de principios de los años ochenta. Los mexicanos continúan sintiendo los efectos dañinos de los cortes de presupuesto federales tan drásticos y de la disminución de apoyo por parte del gobierno en lo que respecta a la educación bilingüe. Culturalmente, los últimos 20 años han servido de revitalización para la comunidad. Desde 1960, se han canalizado las energías hacia las artes, los medios de difusión y las instituciones religiosas. pero en medio de este torbellino cultural, la

Mexicanos en Los Ángeles celebrando el Día de Muertos. (Cortesía de José Cuéllar.)

comunidad continuó rigiéndose por una preocupación mexicana única: la continuidad cultural.

En lo que respecta al lenguaje, durante las dos últimas décadas se han desarrollado dos tendencias fascinantes. Por un lado, una cantidad considerable de personas del Los Ángeles mexicano continúa hablando español. Al mismo tiempo, otro segmento de la comunidad local ha optado por seguir el estilo de vida angloamericano y limitarse al idioma inglés. En realidad, las segundas, terceras y cuartas generaciones de mexicanoestadunidenses no pueden hablar español. Su limitación lingüística se debe a la saturación de información recibida en ambas lenguas, combinado con la falta de una educación formal en español. La pérdida de este idioma se puede percibir en los suburbios de la ciudad, pero también es característica de los proyectos de viviendas públicas en Maravilla, Venice y otros barrios de Los Ángeles. Simultáneamente, está creciendo el número de mexicanos que hablan en español, hasta llegar a cifras sin precedente. De hecho el aumento de inmigrantes de México y otros países latinoamericanos ha mantenido a flote la vida cultural en español de una forma nunca antes vista desde mediados de los años veinte.

El surgimiento de la cultura en español puede medirse y percibirse por la proliferación reciente de servicios tales como librerías, tiendas de discos y cines. Las librerías, sobre todo, tienen un interés especial porque indican la presencia de un público culto y bien informado de habla hispana. Cuando surgió la demanda para que las librerías adquirieran un mejor surtido de libros en español a fines de los setenta, en muy poco tiempo se vieron resultados positivos. En 1960, solamente había una o dos librerías en todo Los Ángeles. Hoy en día existen, por lo menos, una docena distribuidas por toda la ciudad y varias más están al servicio de los negocios en el condado. Este auge de la industria se debe, en parte, a la afluencia de latinoamericanos con una educación superior, que son exiliados de Chile, Argentina y El Salvador. Pero estos clientes no constituyen la mayoría de interesados en libros en español. Un grupo considerable de inmigrantes mexicanos que llegaron recientemente, tienen una mejor educación que los que entraron a ese país en los años cuarenta y cincuenta.

La popularidad de los cines que exhiben películas en español también sirve para indicar que la población local latina está creciendo y se está extendiendo con una rapidez sorprendente. La cantidad de estos cines se ha triplicado desde hace 20 años. Su existencia es de especial interés en el oeste de la región de Los Ángeles. En 1960 solamente había un teatro en español, y en 1980, cuatro más; tres de ellos se encuentran en Santa Mónica, que es una ciudad de afluencia.

Los establecimientos recreativos de la corriente en el poder, como Disneylandia, Magic Mountain y Knots Berry Farm han visto en la comunidad un mercado con enorme potencial, Cada uno de estos centros se hace propaganda directamente con los mexicanos en Los Ángeles. Hasta 1960, Disneylandia se dirigía exclusivamente hacia las familias blancas y anglosajonas. Hoy en día, y al igual que otros parques recreativos, anuncia fiestas y días mexicanos en la comunidades de habla hispana. Y si se considera a las campañas propagandísticas como una medida para apreciar su éxito, entonces sus esfuerzos bien han valido la pena.

Tal parecía que los mercados televisivo y periodístico han descubierto al "hispánico". Debido a que la inmigración y el alto promedio de nacimientos se traducen en grandes ganancias para las compañías y empresas publicitarias, los establecimientos mayores del sur de California hacen lo imposible por atraer a la comunidad. Es interesante notar que el contenido de anuncios en español difiere muy poco de los que lanzan en inglés. Como resultado de esto, las costosas campañas comerciales son las más efectivas entre los mexicanos que comparten los valores y aspiraciones de la clase media angloamericana.

La programación en televisión ha variado mucho desde fines de los años cincuenta y principios de los sesenta, cuando empezaron a exhibir shows en español durante el tiempo que no ocupaban los programas en inglés. Hoy en día existen programas en español costosos que se dirigen a un público mexicano. Como casi cualquier grupo, los mexicanos también han sufrido el efecto de la televisión. Aunque se han hecho muy pocos estudios sobre la relación que existe entre la televisión y la cultura latina, las investigaciones indican que la influencia que han tenido los medios de comunicación masiva han penetrado en las mentes de los niños que pasan hasta diez horas frente a la pantalla.

Los estudios que se han hecho sobre la población general sugieren que la televisión puede, a la larga, debilitar las relaciones familiares. Es probable que éste haya sido el caso entre los jóvenes mexicanos, aunque los valores culturales ya figuran en este asunto de una forma que todavía resulta incomprensible. Como la televisión disminuye el tiempo de comunicación con los padres, en parte los sustituye, ya que se presenta como una fuente de información con respecto hacia el comportamiento social e identidad cultural. Para los niños expuestos solamente a las programaciones que tienen una orientación angloamericana, la transmisión tradicional de la cultura se ha perdido inevitablemente. Los padres que se interesan por conservar la cultura encontrarán, quizá, una respuesta a este problema en los canales cable especializados y en programas de video personalizados.

Aunque este asunto específico comprende la exposición a los medios de comunicación masivos, la entrada al sistema escolar público, o la participación en formas de esparcimiento populares, los años ochenta se presentan de forma tal que el Los Ángeles mexicano debe buscar otra alternativa de influencias sociales. Aunque todavía muy lejano, el movimiento chicano bien puede ser otra opción frente al dominio cultural de la corriente en el poder. Durante los años sesenta y setenta, los chicanos sirvieron de líderes en la revitalización de la cultura mexicana dentro de Estados Unidos. Los artistas, poetas, eruditos, fotógrafos, escritores y cineastas chicanos formularon preguntas fundamentales respecto al valor de la cultura angloamericana y la importancia de la tradición mexicana. Con gran orgullo ellos impulsaron a toda su comunidad a renovar su propia cultura y a dejar de imitar la de los demás.

Pero el movimiento no pudo resolver todos los dilemas culturales que afectaban a su comunidad. Es posible que el problema más grave que tuvieron que enfrentar sus líderes fuera la necesidad de transmitir un mensaje emotivo a un público masivo sin perder el contenido social latente detrás de sus palabras. Debido a que la comunidad se había vuelto muy diversa, fue muy difícil que los chicanos crearan un programa cultural concreto. Esta dificultad se refleja a través de la mezcla de reacciones en la obra de teatro y película *Zoot Suit* de Luis Valdez. El personaje principal, El Pachuco, ha generado tanto alabanzas como críticas dentro de la comunidad. Algunos mexicanos lo ven como un héroe provocador, mientras que otros ven en él a la víctima trágica del racismo. Si la controversia de la obra no logra otra cosa, sí le señala a la comunidad opuesta las perspectivas que algunas veces obstruyen una plataforma de acción uniforme.

Una cosa es cierta: aunque las instituciones públicas de la ciudad reconozcan las necesidades de los hispanohablantes, lo hacen con suma lentitud. Desde el asunto *California's Proposition 13,* las Cortes han empeorado casi todos los servicios. Las instituciones mayores del condado de Los Ángeles como el Departamento de Parques y Recreación, los museos de Arte y de Historia Natural del Condado (Country Museums of Art and Natural History), el Hollywood Bowl y el Centro de Música (Music Center), han hecho muy pocos cambios para atraer la sensibilidad de los residentes mexicanos. Los pocos cambios que ha habido son muy superficiales. Algunas veces han permitido que los mexicanos actúen en estos centros, pero difícilmente ocupan puestos administrativos en ellos.

Es posible que debido a todo esto la comunidad haya tenido que desarrollar sus propias formas de expresión cultural. En este sentido el muralismo se mantiene como uno de los logros artísticos más impresionantes. Desde 1970, artistas tales como Judy Baca, Willie Herrón y John Valodez han pintado cientos de muros exteriores y casi todos ellos reflejan, quintaesencialmente, interpretaciones mexicanas de la religión, la vida antes de la conquista y la opresión política contemporánea.

También se han desarrollado numerosos grupos de teatro, sobre todo como resultado del ejemplo que dio El Teatro Campesino. La antigua tradición del teatro en español que ha mantenido la ciudad la lleva a cabo en la actualidad la Fundación Bilingüe para el Arte (Bilingual Foundation for the Arts). Está dirigida por la actriz Carmen Zapata y tiene un alto nivel de popularidad entre el público de habla hispana. Así también Nosotros, un grupo de actores que se formó para esperar una oportunidad dentro de la industria fílmica de Hollywood.

Plaza de la Raza, que se encuentra en el parque Lincoln, es otra salida cultural para la comunidad. Todo este complejo se estableció para proporcionar a los mexicanos educación y entrenamiento artísticos.

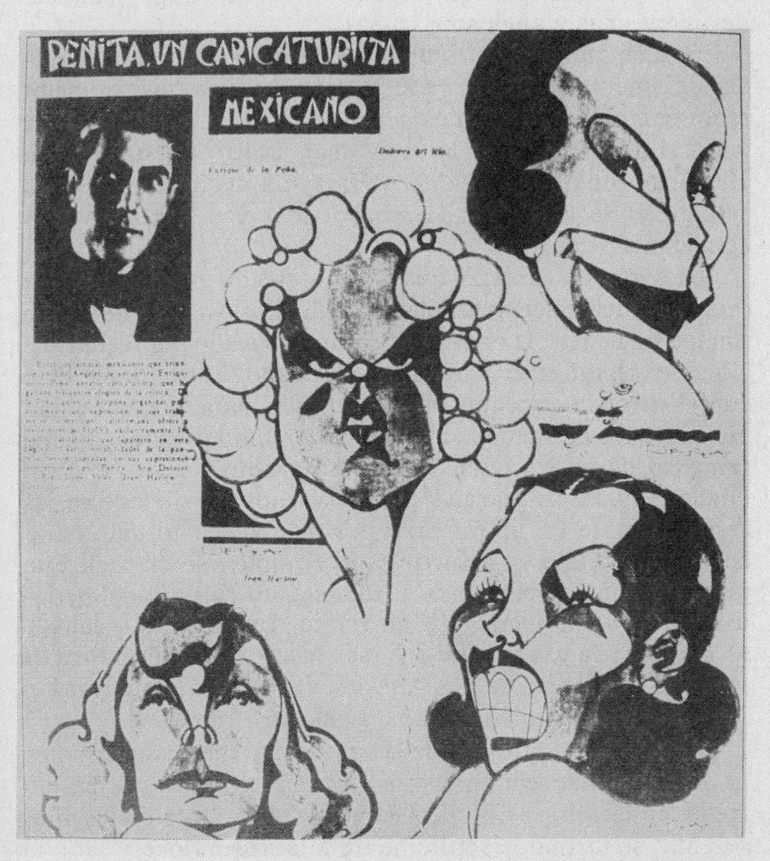


Aquí podemos apreciar algunos dibujos de De la Peña que, al igual que los de otros caricaturistas mexicanos, aparecían regularmente en periódicos locales como *El Heraldo de México* y *La Opinión*.

El programa cultural de Plaza es muy extenso e incluye exposiciones, clases, actuaciones y hasta un nuevo centro de televisión cable, todo esto apoyado con las contribuciones de fundaciones privadas. También se reúnen fondos adicionales con los eventos de gala que organiza una junta de personalidades mexicanas y angloamericanas.

Entre las muchas artes de la comunidad existe una faceta decididamente *avant-garde*. Esta característica tuvo su mejor representación en los años setenta con la colección de arte ASCO. En un principio la integraban cuatro artistas (Willie Herrón, Gronk, Patssi Valdez y Harry Gamboa Jr.), pero en la actualidad se compone de muchos más y desarrolla varias actividades.

Los diarios y revistas que se han creado para reflejar la evolución del concepto de identidad del Los Ángeles mexicano son los siguientes: la revista *La Raza*, publicado por Raúl Ruiz y que se originó en el Movimiento Chicano. Entre 1968 y 1976 cubrió diversos aspectos de importancia para la comunidad mexicana local. Sin duda alguna, *La Opinión* ha sido la fuente principal de información y noticias durante más de 50 años. Desde 1970, este diario en español ha renovado su estilo varias veces, siempre en un esfuerzo por mantenerse al día con la comunidad latina en desarrollo. El ejemplo más claro de este cambio puede percibirse en el suplemento cultural del periódico *La Communidad* que edita Sergio Muñoz y que ha ganado respeto por su examen de diversos temas, como la música de la nueva ola al este de Los Ángeles, el pintor Rufino Tamayo y la literatura latinoamericana y chicana.

La energía autodirigida de la comunidad mexicana también ha tenido influencia en las instituciones religiosas, especialmente en la Iglesia Católico Romana. A lo largo de los años sesenta, se criticó repetidamente a la arquidiócesis por su insensibilidad hacia los mexicanos. De hecho, una organización chicana llamada Católicos Por la Raza se formó, específicamente, para que esta actitud fuera del conocimiento público y para que sus líderes exigieran un cambio dentro de la Iglesia. Aunque se llevaron a cabo varias demostraciones, la arquidiócesis hizo muy poco en respuesta a los cargos de negligencia. Pero muy pronto las presiones del Vaticano se sumaron a las críticas del clero latino y, paulatinamente, se hizo un reconocimiento de las necesidades específicas de los mexicanos y de otros católicos latinos, que culminó con el cambio de la Iglesia. Así, debido a las presiones que ejercieron estos grupos, un latino fue nombrado obispo para la arquidiócesis de Los Ángeles en 1971.

## Sin un análisis final

La historia más reciente de la comunidad ha estado impregnada de cambios dramáticos. Los valores y costumbres que una vez unieron a los residentes de habla hispana de Los Ángeles ya no sirven para enlazar a la mayoría de mexicanos de habla inglesa con sus tradiciones más antiguas. Hoy en día, los nuevos inmigrantes de México tienen tan poco en común con los latinos de la clase media alta como con los de la corriente angloamericana en el poder.

Es igualmente cierto que durante los últimos 30 años se ha repetido el proceso de mestizaje que empezó hace más de 100 años, cuando los españoles, mexicanos e indígenas abandonaron sus conceptos de pureza racial y se pronunciaron a favor de una transformación cultural. El chicano de los años setenta y ochenta surge como el reflejo actual de una comunidad que siempre ha tomado de sus múltiples influencias, los elementos culturales que se acoplan mejor a sus necesidades. Los mexicanos, que ya no son indios ni españoles, pero que sí tienen sus orígenes en ellos, aparecen como la personificación de todas estas culturas. Por consiguiente, debe señalarse que su objetivo es resolver la complejidad de sus antecedentes de una manera que ellos mismos definan.

Para los mexicanos de Estados Unidos, las últimas tres décadas han sido de búsqueda de una identidad propia. Han encontrado y ejercitado su fuerza, solidificando su propio terreno y han sobrevivido los repetidos ataques que les llegan de dentro y fuera. Y sobre todo, los últimos 30 años les han enseñado que ellos constituyen una fuerza inamovible en Los Ángeles y en todo el sudoeste. Al igual que todas las generaciones que les han precedido, están forjando un camino nuevo y extraordinario, le están dando forma a lo que serán mañana.

# BIBLIOGRAFÍA

## Fuentes principales


Padrón, Los Ángeles, 1790, Zoeth Skinner Eldredge, Corresponce and Papers, Bancroft Library.

Padrón, Los Ángeles, 1818 (1822), De la Guerra Documents, Zoeth Skinner Eldredge, Correspondence and Papers, Bancroft Library.

United States Census Office, *The Seventh Census of the United States: 1850*, Washington, 1853.

———, *Population of the United States in 1860, the Eighth Census*, Washington, 1864.

United States Bureau of the Census, *Sixteenth Census of the United States: 1940. Population*, Washington, 1943.

———, *Seventeenth Census of the United States: 1950. Population*, Washington, 1953.

———, *Eighteenth Census of the United States: 1960. Population*, Washington, 1963.

———, *Nineteenth Census of the United States: 1970. Population*, Washington, 1973.


## Libros


Acuña, Rodolfo, *Occupied America: A History of Chicanos*, Nueva York, 1981.

Af Geijerstam, Clases, *Popular Musica in Mexico*, Albuquerque, 1976.

Ambrecht, Biliana C.S., *Politzing the Poor: The Legacy of the War on Poverty in a Mexican American Community*, Nueva York, 1976.

Bakker, Elna, *An Island Called California: An Ecological Introduction to its Natural Communities*, Berkeley, 1971.

Bancroft, Hubert Howe, *History of California*, 7 vols. S.F., 1888.

———, *California Pastoral*, San Francisco, 1888.

Barnes, Thomas C. *et. al.*, *Northern New Spain: A Research Guide*, Tucson, 1981.

Blanco, Antonio S., *La lengua española en la historia de California: contribución a su estudio,* Madrid, 1971.
Bolton, Herbert Eugene (ed.), *Fray Juan Crespi: Missionary Explorer on the Pacific Coast 1769-1774,* Berkeley, 1927.
Botello, Arthur P. (trs.), *Don Pio Pico's Historical Narrative,* Glendale, 1973.
Brandes, Ray (trs.), *The Costanso Narrative of the Portola Expedition,* Newhall, 1970.
Camarillo, Albert, *Chicanos in a Changing Society,* Cambrige, 1979.
Caughey, John Walton (ed.), *The Indians of Southern California in 1852,* San Marino, 1952.
Chapman, Charles E., *A History of California: The Spanish Period,* Nueva York, 1921.
Cleland, Robert Glass, *The Cattle on a Thousand Hills: Southern California, 1850-1880, San Marino, 1951.*
*Cook, Sherburne F. The Population of the California Indians, 1769-1970,* Berkeley, 1976.
Cressman, L.S., *Prehistory of the Far West: Homes of the Vanished Peoples,* Salt Lake City, 1977.
Donley, Michael W., *Atlas of California,* Culver City, 1979.
Engelhardt, Fr. Zephyrin, *San Gabriel Mission and the Beginings of Los Angeles,* San Gabriel, 1927.
Fogelson, Robert, *The Fragmented Metropolis: Los Angeles, 1850-1930,* Cambridge, 1967.
Forbes, Jack D., *Native Americans of California and Nevada,* Healdsburg, 1968.
Francisc, Jessie Davies, *An Economic and Social History of Mexican California, 1822-1846,* Nueva York, 1976.
Goodman, Jeffrey, *American Genesis,* Nueva York, 1981.
Gillingham, Robert Cameron, *The Rancho San Pedro,* Los Ángeles, 1961.
Gómez-Quiñones, Juan, *Development of the Mexican Working Class North of the Rio Bravo,* Los Ángeles, 1982.
Griffith, Beatrice, *American Me,* Boston, 1948.
Griswold Del Castillo, Richard, *The Los Angeles Barrio 1850-1890: A Social History,* Berkeley, 1979.
Guinn, James M., *A History of California and an Extended History of Los Angeles and Environs,* 2 vols., Los Ángeles, 1915.
Hayes, Benjamin, *Pioneer Notes, 1849-1875,* Los Ángeles, 1929.
Heizer, Robert F. (ed.), *The Indians of Los Angeles County Hugo Reid's Letters of 1852,* Los Ángeles, 1968.
Holland, Clifton, *The Religious Dimension in Hispanic Los Angeles: A Protestant Case Study,* Pasadena, 1974.

Hutchinson, C. Alan, *Frontier Settlement in Mexican California: The Padres-Hijar Colony,* New Haven, 1969.
Johnston, Bernice E., *California's Gabrielino Indians,* Los Ángeles, 1962.
Jones, Oakah L., *Los Paisanos: Spanish Settlers on the Northern Frontier of New Spain,* Norman, 1979.
MacLaughlin, Colin and Jaime Rodríguez, *The Forging of the Cosmic Race: A Reinterpretation of Colonial Mexico,* Berkeley, 1980.
Moore, Joan W., and Frank G. Mittlebach, *Residential Segregation in the Urban Southwest,* Los Ángeles, 1967.
Morales, Armando, *Ando Sangrando, I Am Bleeding: A Study of Mexican American Police Conflict,* La Puente, 1972.
Navarro García, Luis, *Don José de Gálvez y la Comandancia General de las Provincias Internas Del Norte de Nueva España,* Sevilla, 1964.
———, *Sonora y Sinaloa en El Siglo XVII,* Sevilla, 1967.
Nelson, Howard J. and William A Clark, *Los Angeles: The Metropolitan Experience,* Cambridge, 1976.
Newmark, Maurice H., *Sixty Years in Southern California, 1853-1913,* Los Ángeles, 1916.
Ogden, Adele, *Greater America: Essays in Honor of Herbert Eugene Bolton,* Berkeley, 1945.
Ostrom, Vincent, *Water and Politics,* Los Ángeles, 1953.
Packman, Ana Begue, *Leather Dollars,* Los Ángeles, 1932.
Pitt, Leonard, *The Decline of the Californios,* Berkeley, 1966.
Rabinowitz, Francine F., *Minorities in the Suburbs,* Lexington, 1977.
Richman, Irving Berdine, *California Under Spain and Mexico, 1535-1847,* Nueva York, 1965.
Robinson, Alfred, *Life in California,* Santa Bárbara, 1970.
Robinson, William Wilcox, *Land in California,* Berkeley, 1948.
———, *The Indians of Los Angeles: The Story of the Liquidation of a People,* Los Ángeles, 1952.
———, *Los Angeles: A Profile,* Norman, 1968.
———, *The Lawyers of Los Angeles,* Los Ángeles, 1959.
———, *Los Angeles from the Days of the Pueblo,* Revisado con una introducción de Doyce B. Nunis Jr., Los Ángeles, 1981.
———, *Maps of Los Angeles: From Ord's Survey of 1849 to the End of the Boom of the 80's,* Los Ángeles, 1962.
———, *Los Angeles in Civil War Days, 1860-65,* Los Ángeles, 1977.
Salvator, Ludwig Louis, *Los Angeles in the Sunny Seventies,* Los Ángeles, 1929.

Strong, William Duncan, *Aboriginal Society in Southern California,* Berkeley, 1929.
Turhollow, Athony F., *A History of the Los Angeles District, U.S. Army Corps of Engineers, 1898-1965,* Los Ángeles, 1975.
Vorspan, Max and Lloyd P. Gartner, *A History of the Jews in Los Angeles,* San marino, 1970.
Walker, Edwin F., *Five Prehistoric Archaeological Sites in Los Angeles County,* Los Ángeles, 1951.
Weber, David J., *New Spain's Far Northern Frontier,* Albuquerque, 1979.
Weber, Rev. Francis J., *El Pueblo de Los Angeles: An Enquiry in Early Appellations,* Los Ángeles, 1968.
Wittenberg, Sister Mary Ste. Thérese, S.N.D., *The Machados and Rancho La Ballona,* Los Ángeles, 1973.
Woodward, Arthur, *Lances at San Pascual,* San Francisco, 1948.
Wright, Doris Marion, *A Yankee in Mexican California: Abel Stearns, 1798-1848,* Santa Bárbara, 1977.

**Artículos**

Alexander, George, "Date Variation May Affect Migration Debate: 40000 Year Old Tools Found in Mojave", *Los Ángeles Times,* parte I, abril 18, 1980, pp. 20.
Aschmann, Homer, "The Evolution of a Wild Landscape and its Persistance in Southern California", *Annals of the American Association of Geographers,* part. II, vols. 49, núm. 3, septiembre, 1959.
Banon, John Francis, S.J., "Pioner Jesuit Missionaries on the Pacific Slope of New Spain", Adele Ogden (edl.), *Enssays in Honor of Herbert Eugene Bolton,* Berkeley, 1945.
Barrows, H.D., "Antonio F. Coronel", *Southern California Quaterly,* vol. 5, núm. 1, 1900.
——, "Don Ygnacio del Valle", *Southern California Quarterly,* vol. 4, núm. 3, 1899.
Bean, Lowell John and Charles R. Smith, "Gabrielino". Robert F. Heizer, *Handbook of North American Indians,* Washington, D.C., 1978, pp. 538-549.
Bean, Lowell J., "Social Organization in Native California". Lowell John Bean and Thomas F. King (ed.), *Antap: California Indian Political Organization,* Ramona, 1974.
Berger, Rainer, "Advancies and Results in Radio Carbon Dating: Early Man in America", *World Archaelogy,* 1975, pp. 180.

Berger, Rainer, "Thoughts on the First Peopling of America and Australia", A.L. Bryan (ed.), *Early Man in America,* Edmonton, 1978.
Boscana, Father Geronimo, "Chinichinich", Alfred Robinson, *Life in California,* Santa Bárbara, 1970.
Bowman, J.N. "The Names of the Los Angeles and San Gabriel Rivers", *Southern California Quaterly,* vol. 29, núm. 2, 1947.
——, "Prominent Women of Provincial California", *Southern California Quarterly,* vol. 39, núm. 2, 1957.
Camarillo, Albert, "Historical Patterns in the Development of Chicano Urban Society: Southern California, 1848-1930", Ray Allen Billington y Albert Camarillo, *The American Southwest: Image and Reality,* Los Ángeles, 1979.
Carter, George F., "Man, Time and Change in the Far Southwest", *Annals of the Association of American Geographers,* vol. 49, núm. 3, parte II, septiembre, 1959.
Charles, William N., "The Transcription of and Translation of Old Mexican Documents of the Los Angeles County Archives", *Southern California Quarterly,* vol. 20, núm. 2, junio, 1938.
Dembert, Lee, "L.A. Now a Minority City, 1980 Census Data Shows", *Los Angeles Times,* Front Page, abril 6, 1981.
Derland, C.P., "The Los Angeles River-Its History and Ownership", *Southern California Quarterly,* vol. 3, núm. 1, 1893.
De Uriarte, Mercedes, "Battle for the Ear of the Latino", *Los Angeles Times Calendar,* primera pág., diciembre 14, 1980.
Garr, Daniel J., "Los Angeles and the Challenge of Growth 1836-1849", *Southern California Quarterly,* vol. LXI, núm. 2, verano 1979.
Geiger, Maynard, O.F.M., "Six Census Records of Los Angeles and Its Inmediate Area Between 1804 and 1823", *Southern California Quarterly,* vol. LIV, núm. 4, invierno 1972.
Griswold Del Castillo, Richard, "Health and the Mexican Americans in Los Angeles, 1850-1887", *The Journal of Mexican American History,* vol. IV, 1974.
——, "Tucsonenses and Angelenos: A Socio-Economic Study of Two Mexican American barrios 1860-1880, *Journal of the West,* vol. XVIII, núm. 1, enero 1979.
Gutiérrez, Félix, (special editor), "Spanish Language Media Issuse", *Journalism History,* vol. 4, núm. 2, verano 1977.
Hanna, Phil Townshed, "Padron and Confirmation of Title to Pueblo Lands", *Southern California Quarterly,* vol. 15, núm. 1, 1931.
Hudson, Dee T., "Proto-Gabrielino Patterns of Territorial Organization in South Coastal California", *Pacific Coast Anthropological Society Quarterly,* vol. 7, núm. 2, 1971.

Hornbeck, David, "Land Tenure and Rancho Expansion in Alta California, 1784-1846", *Journal of Historical Cartography,* vol. 4, núm. 4, 1978.

——, "Mission Population of Alta California 1810-1830", *Historical Cartography,* suplemento, vol. 8, núm. 1, primavera 1978.

Juárez, Alberto, "The Emergence of El Partido de la Raza Unida: California's New Chicano Party", *Aztlán,* vol. 3, núm. 2, otoño 1972.

Kahn, David, "Chicago Street Murals: People's Art in the East Los Angeles Barrio", *Aztlán,* vol. 6, núm. 1, primavera 1975.

Kelsey, Harry, "A New Look at the Founding of Old Los Angeles", *California History,* vol. LV, núm. 4, invierno 1976.

Kirsch, Jonathan, "Chicano Power", *New West,* septiembre 11, 1972.

Langellier, John Phillip, "Lances and Leather Jackets: Presidial Forces in Spanish Alta California, 1769-1821", *Journal of the West,* vol. XX, núm. 4, octubre 1981.

Layne, J. Gregg, "The First Census of the Los Angeles District, Padrón de la Ciudad de Los Ángeles y su Jurisdicción", vol. 18, núms. 3-4, 1936.

León-Portilla, Miguel, "The Norteño Variety of Mexican Culture: An Ethnological Approach", Edward H. Spicer (ed.), *Plural Society in the Southwest,* Nueva York, 1972.

Lopez, Ronald W. and Darryl D. Enos, "Spanish Language Only Television en Los Angeles County", *Aztlán,* vol. 4, núm. 2, otoño 1973.

Mason, William, "The Founding Forty-Four", *Westways,* julio 1976.

——, "The Garriosons of San Diego Presidio, 1769-1794", *Journal of San Diego History,* vol. XXIV, núm. 4, otoño 1978.

——, "'Fages' Code of Conduct Toward Indians, 1787", *The Journal of California Anthropology,* núm. 1, verano 1975.

——, "Los Angeles Plaza: Living Symbol of Our Past", *Terra,* vol. 19, núm. 3, invierno 1981.

May, Ernest R., "Tiburcio Vásquez", Southern California Quarterly, vol. 29, núms. 3-4, 1947.

Meyer, Richard E., "Exploding Ethnic Populations Changing Face of Los Angeles", *Los Angeles Times,* parte II, p. 1, abril 13, 1980.

——, "Political Impact Just Begining: Ethnics' Influence, Particularly Latinos, to be Heavy", *Los Angeles Times,* abril 13, 1980.

Miranda, Gloria, "Gente de Razón Marriage Patterns in Spanish and Mexican California: A Case Study of Santa Barbara and Los Angeles", primavera 1981.

Nelson, Howard J., "The Spread of an Artificial Landscape Over Southern California", *Annals of the Association of American Geographers,* parte II, vol. 49, núm. 3, septiembre 1959.

Nelson, Howard J., "The Two Pueblos of Los Angeles: Agricultural Village and Embryo Town", *Southern California Quarterly*, vol. 59, primavera 1977.

Del Olmo, Frank, "Hispanic Decade Stumbles at the Start", *Los Angeles Times*, parte II, p. 7, octubre 16, 1980.

——, "'68 Protest Brought Better Education", *Los Angeles Times*, parte II, p. 1, marzo 26, 1978.

Phillips, George Harwood, "Indians in Los Angeles, 1781-1875: Economic Integration, Social Desintegration", *Pacific Historical Review*, vol. XLIX, núm. 3, agosto 1980.

——, "Indians and the Breakdown of the Spanish Mission System of California", *Ethnohistory*, vol. 21, núm. 4, otoño 1974.

Reich, Kenneth, "Latinos Push for Political Power", *Los Angeles Times*, parte I, p. 3, agosto 17, 1981.

Rensberger, Boyce, "Bones Place First Modern Man In Southern California", *Santa Monica Evening Outlook*, p. 4, agosto 28, 1976.

Rosen, Gerald, "The Development of the Chicano Movement in Los Angeles from 1967-1969", *Aztlán*, vol. 4, núm. 1, primavera 1973.

Servin, Manuel Patricio, "California's Hispanic Heritage: A View into the Spanish Myth", *The Journal of San Diego History*, vol. 19, 1973.

Temple, Thomas Workman II, "Soldiers and Settlers of the Expedition of 1781, Genealogical Record", *Southern California Quarterly*, vol. 15, núm. 1, noviembre 1931.

——, "Se Fundaron un Pueblo de Españoles, The Founding of Los Angeles", *Southern California Quaterly*, vol. 15, núm. 1, noviembre 1931.

——, "Supplies for the Pobladores", *Southern California Quarterly*, vol. 15, núm. 1, noviembre 1931.

Temple, Thomas Workman II, "Toypurina the Witch and the Indian Uprising at San Gabriel", *The Masterkey*, vol. 32, núm. 5, 1958.

Treutlein, Theodore E., "Los Angeles, California: The Question of the City's Original Spanish Name", *Southern California Quarterly*, LV, primavera 1973.

Vera, Ron, "Observations on the Chicane Relationship to Military Service en Los Angeles County", *Aztlán*, vol. 1, núm. 2.

**Obras inéditas y tesis**

Briegel, Kaye Lynn, *The History of Political Organizations Among Mexican Americans in Los Angeles Since the Second World War*, tesis, Universidad del sur de California, 1967.

Estrada, William D., *Indian Resistance and Accomodation in the California Missions and Mexican Society, 1769 to 1848: A Case Study of Mission San Gabriel Archangel and El Pueblo de Los Angeles",* 1980.

Jones, Solomon, *The Government Riots of Los Angeles, June 1943,* tesis, UCLA, 1973.

Mazon, Mauricio, *Social Upheaval in world War II Zoot-Suiters and Servicemen in Los Angeles, 1943,* tesis de doctorado, UCLA, 1976.

López, Federico, *A Historical Analysis of Occupational and Employment Patterns of Mexican Americans in California 1950-1975.* UCLA, 1976.

Monroy, Douglas, *Mexicanos in Los Angeles, 1930-1941,* tesis de doctorado, UCLA, 1978.

Muñoz, Carlos Jr., *The Politics of Chicano Urban Protest: A Model of Political Analysis,* tesis de doctorado, Clermont, 1972.

Peñalosa, Fernando, *Class Consciousness and Social Mobility in a Mexican American Community,* tesis de doctorado, Universidad del sur de California, 1963.

Scott, Robin Fitzgerald, *The Mexican-American in the Los Angeles Area, 1920-1930: From Aquiescence to Activity, 1920-1930,* tesis de doctorado, Universidad del sur de Califronia, 1971.

Esta obra se terminó de imprimir
el mes de noviembre de 1989 en los Talleres Gráficos
de la Nación. Se tiraron 26 000 ejemplares
más sobrantes para reposición.